O Drelew i Dre-fach

Cyfuniad o'r ddwy gyfrol
Nel Fach y Bwcs a *Ffarwél Archentina*

gan

Marged Lloyd Jones

Golygiad newydd gyda
chyflwyniad ac atodiad

gan

Eiry Palfrey

Gomer

Er cof am W.J.
– unig fab Nel Fach y Bwcs

Cyhoeddwyd yn 2007 gan
Wasg Gomer, Llandysul, Ceredigion, SA44 4JL
www.gomer.co.uk

ISBN 978 1 84323 704 0

Dymuna'r cyhoeddwyr gydnabod cymorth
Cyngor Llyfrau Cymru.

Argraffwyd a rhwymwyd yng Nghymru gan
Wasg Gomer, Llandysul, Ceredigion.

Cyflwyniad

Storïau yw'r rhain a adroddwyd wrthyf gan fy mam-yng-nghyfraith, Ellen Davies. Bu'n cartrefu gyda ni yn ystod blynyddoedd olaf ei hoes, neu'n hytrach roedd hi gyda ni'n gorfforol, ond yn feddyliol ac ysbrydol roedd hi'n ôl ym Mhatagonia, yn adrodd ac yn ailadrodd helyntion bore oes. Rwy'n ymwybodol fod straeon yn tyfu ac yn lledu gyda threigl y blynyddoedd; mae'r dwys yn mynd yn ddwysach, a'r cyffrous yn fwy cyffrous, ond rywsut roedd ei storïau hi'n dal yr un fath bob tro y caent eu hadrodd. Doeddwn i ddim yn rhyw lwyr gredu'r cyfan bob tro – 'Mam-gu yn mynd yn ffwndrus'; ond ar ôl ymweld â Phatagonia a Llain-las yn arbennig, teimlais don o euogrwydd fy mod wedi ei hamau o gwbl. Roedd ei disgrifiad o'r tŷ, y buarth a'r paith mor fanwl gywir; a'r syndod oedd fod cyn lleied wedi newid yno, a hynny ers yn agos i gan mlynedd.

Dydw i ddim wedi ymchwilio o gwbl i ddilysrwydd yr hanes, dim ond ailadrodd y cyfan mor syml a gonest ag y gwnâi hi.

Bu farw yn 1965 yn 95 oed, ym mlwyddyn dathlu canmlwyddiant y Wladfa. Er treulio y rhan fwyaf o'i hoes yng Nghymru, brodor o'r Wladfa oedd hi hyd y diwedd, yno roedd ei chalon, yno roedd bedd ei mam. Ac er tristwch iddi hi, ac i ninnau fel teulu, chafodd hi mo'r cyfle i fynd 'nôl, hyd yn oed ar ymweliad. Yn ddiddadl fe etifeddodd wydnwch a chadernid cymeriad o ganlyniad i fyw ar y Paith.

Marged Jones

*   *   *

Mae fy mam, Marged Jones, wedi gwneud cymwynas amrhisiadawy â ni fel teulu trwy gofnodi hanesion fy mam-gu mewn ffordd mor ddarllenadwy a byw yn y ddwy gyfrol *Nel Fach y Bwcs* a *Ffarwél Archentina*. Mae ein diolch yn fawr iddi am roi ar gof a chadw hanes un o aelodau mwyaf lliwgar ac egsotic ein teulu.

Penderfynodd Gwasg Gomer gyfuno'r ddwy gyfrol yn un, a gwneuthum ychydig o olygu cynnil ar y testunau gwreiddiol i osgoi ailadrodd. Ers cael comisiwn gan S4C i gynhyrchu'r rhaglen ddrama-ddogfen *Nel Fach y Bwcs* gwneuthum gryn dipyn o ymchwil i'r hanes a dod ar draws ffeithiau sy ddim bob amser yn cytuno â'r hanesion yn y llyfrau, ond 'dyw hynny'n tynnu dim oddi ar y rhamant a'r didwylledd sydd ynddynt.

I fy mam roedd Nel yn fam-yng-nghyfraith. I mi roedd hi'n fam-gu annwyl a charedig oedd yn ymfalchïo mewn unrhyw gyrhaeddiad ar fy rhan, yn enwedig yn academaidd. Yng nghefn y llyfr ychwanegais ychydig o fy atgofion personol ohoni. Bu fyw hyd nes i mi briodi a chael Siân-Elin, fy mhlentyn cyntaf. Ac mae'r diwrnod y cyflwynais ei gor-wyres i Mam-gu yn aros yn fyw iawn yn fy nghof. Roedd hi mor falch o'r un fach, ac yn parablu Sbaeneg a Chymraeg yn blith draphlith wrthi. Bu farw Mam-gu flwyddyn yn ddiweddarach – felly chafodd hi ddim cwrdd â Lisa na Dafydd; ond diolch i fy mam, mae'r hanesion amdani yn rhan, bellach, o gronicl ein teulu.

Eiry Palfrey
Caerdydd 2007

6

RHAN 1

Nel Fach y Bwcs

Pennod 1

Nel fach y Bwcs. Enw rhyfedd yntê? Wel, mae'n well i mi roi esboniad i chwi. Ellen Davies yw fy enw bedydd ond am fod fy nhad yn cael ei alw'n John Davies y Bwcs, fe'm gelwid innau yn Nel fach y Bwcs. Ond gwell i mi ddechrau yn y dechrau. Llyfrwerthwr oedd fy nhad yn byw yn y Rhondda ganol y ganrif o'r blaen. Roedd ganddo wraig (fy mam) a thri o blant; John, William a minnau.

Dydw i'n cofio dim am yr amser hwnnw yn y Rhondda, ond fe glywais yr hanes, do ugeiniau o weithiau. Clywed yr hanes truenus amdanynt yng ngwlad y pyllau glo, a chlywed am gasineb fy nhad tuag at y pyllau hyn. Bu'n gweithio dan-ddaear am beth amser, ond roedd yn gas ganddo ei waith, y tywyllwch, y chwys, a'r llygod mawr. Hogyn o'r wlad oedd fy nhad, o ardal Rhos Llangeler, Sir Gaerfyrddin, ac roedd hiraeth arno am Fwlch-clawdd ei gartref ac am ardal Llangeler, tra fu byw.

A dyna paham y trodd ei gefn ar y pwll glo, ac agor siop lyfrau. Roedd galw mawr yr adeg honno am lyfrau Cymraeg yn y cymoedd, am fod miloedd o Gymry wedi heidio i'r gweithiau glo. Beiblau, Testamentau, a llyfrau canu yr oedd yn eu gwerthu gan mwyaf. Roedd ofn arno y buasai ei ddau fab yn mynd i weithio i'r pwll.

Clywsai am y Wladfa yn Ne America, saith mil o filltiroedd i ffwrdd. Dyma wlad lle câi pob ymfudwr gan acer o dir yn rhad ac am ddim, a rhyddid i fyw fel y mynnai yn ddibryder. Y tywydd yn gynnes braf a phob un yn feistr arno ef ei hun. Nid oedd wedi clywed am y tlodi a'r cyni oedd wedi wynebu'r gwladfawyr cyntaf. Hwyliodd cant a hanner o Gymry gwlatgar ar y llong fechan *Mimosa* yn 1865, ond ni ddaeth hanes am eu colledion a'u dioddefaint yn ôl i Gymru. Ac felly dyma ni yn deulu bach hapus yn mentro ar yr antur fawr, ac yn hwylio o Lerpwl yn y flwyddyn 1870, tua'r wlad oedd yn cynnig rhyddid a gobaith am well byd.

Roedd pawb yn canu wrth i'r llong ymadael – mae'n debyg mai fi oedd yr unig un oedd yn crio!

Dyma'r gân a genid gennym drwy'r blynyddoedd, yn enwedig pan oeddem yn teimlo'n ddigalon. Fe'i canem gydag arddeliad ar y dôn *God save the Queen*:

> Mi gawsom wlad sydd well
> Yn y deuheudir pell
> A Phatagonia yw.
> Cawn yno fyw mewn hedd
> Heb ofni brad na chledd
> A Chymro ar y sedd,
> Boed mawl i Dduw.

Roeddwn i'n rhy ifanc i gofio am y storm fawr ym Mae Biscay – babi bach oeddwn i – ond clywais yr hanes ganwaith drosodd. Yng nghanol y storm honno fe aned plentyn i Mrs Lewis Jones. Lewis Jones oedd un o sefydlwyr y Wladfa, y gŵr a aeth allan gyntaf oll i archwilio'r wlad, ond ddywedodd e mo'r gwir i gyd wrth y Cymry pan ddaeth yn ôl. Yr enw a roddwyd ar y babi bach hwnnw oedd Eluned Morganed Jones (Morganed am mai ar y môr y ganwyd hi), ond ar ôl rhai blynyddoedd, wedi iddi sylweddoli ystyr ei henw, a'i gael yn rhyfeddol o hir, fe'i newidiodd i Eluned Morgan (heb y Jones). Fe dyfodd Eluned Morgan i fod yn un o brif lenorion y Wladfa, ac yn awdur amryw o lyfrau taith a llyfrau hanes. Merch dalentog oedd Eluned, ac roedden ni'n dwy yn bennaf ffrindiau.

Doedd gan fy nhad fawr o arian, er iddo werthu ei eiddo i gyd. Hynny yw, popeth ond ei lyfrau ac ychydig drysorau personol. Ac fe gludodd ei lyfrau, gannoedd ohonynt, yr holl ffordd i Batagonia er mawr ofid i Mam. Does ryfedd iddo gael ei alw yn John Dafis y Bwcs.

Ac ar ôl mordaith stormus helbulus, ymhen rhyw dri mis dyma ni'n glanio yn y wlad newydd, 'y wlad sydd well'. Ond siom i ni oedd wynebu'r Paith am y tro cyntaf. Ble roedd y dyffryn toreithiog? Ni chofiaf ddim am y glanio, na chwaith am y daith echrydus o Borth Madryn dros y Paith mewn car llusg i fyny drwy Ddyffryn Camwy i'r darn tir a farciwyd allan i ni. Roedden ni yn fwy ffodus na'r gwladfawyr cyntaf. Roedd Cymry yno i'n croesawu ni; dim ond yr Indiaid oedd yno pan gyrhaeddodd y fintai gyntaf. Ond doedd dim tŷ na chysgod ar ein cyfer ninnau chwaith; dim ond can erw o baith didostur yn llawn drain a cherrig, a'r guanaco, yr estrys, a'r ysgyfarnog yn rhedeg yn wyllt arno.

Ond fe gawsom aros y noson gyntaf gyda chyfeillion caredig, ac erbyn yr ail noson roedd fy nhad gyda help cymdogion wedi llwyddo i adeiladu cysgod o wiail inni. Roedd gennym garthenni o Gymru, a gorweddem ar y llawr; ond rhaid oedd cynnau tân rhag ofn i'r piwma (llew Patagonia) gael ei ddenu atom, a tharfu arnom, ac efallai ymosod.

Mae'n debyg i mi grio yn ddi-baid am bum niwrnod, nos a dydd, a neb yn gwybod beth oedd yn bod arna i. Doedd dim nyrs na meddyg yn agos i'r lle, i roi cyngor na moddion, ond roedd Castor Oil gan gymydog, a rhoddwyd hwnnw i mi i'w yfed deirgwaith y dydd! Bûm fyw, er gwaethaf y driniaeth.

11

Pennod 2

Er gwaethaf y tlodi roedd bywyd ar gyffiniau'r Paith yn fywyd hapus iawn i blentyn. Roeddwn yn treulio'r rhan fwyaf o'r amser yn yr awyr agored, a phan oeddwn yn bump oed cefais geffyl bach i mi fy hunan. Ceffyl bach gwinau, bywiog oedd Dic, a daethom yn ffrindiau ar unwaith. Prynodd Nhad ef gan yr Indiaid, nid am arian, ond am dorth o fara. Roedd yr Indiaid yn dotio ar fara'r Cymry; dwy dorth oedd y pris arferol am geffyl, ond gan mai ceffyl bach, byr ei goes, oedd hwn, fe'i prynwyd am un dorth fechan.

Doedd dim llun o ffyrdd yno, dim ond llwybrau llydain yn arwain o un ffermdy i'r llall, ac i lawr i'r Gaiman, lle roedd capel erbyn hyn. Ac ar y Sul byddem i gyd yn cychwyn am Gapel Bethel. Roedd y Gaiman tua deng milltir o Lain-las, ein cartref, ond cychwynnem yn deulu hapus ar fore Sul. Nhad, Mam a minnau mewn trol a cheffyl, a'r bechgyn ar gefn ceffylau.

Ymhen rhai blynyddoedd ar ôl i ni gyrraedd a sefydlu yn y wlad, daeth mintai arall o Gymry i'r Wladfa. A dyna hwyl pan gyrhaeddodd y rheini, a llawer iawn o blant i'w canlyn.

Fe agorodd R. J. Berwyn (un o'r sefydlwyr cyntaf) ysgol yn Nhre Rawson. A dyma fy nau frawd, John a William, a minnau yn cychwyn i'r ysgol bob bore Llun, taith o ryw bymtheg milltir – pob un ar gefn ei geffyl. Ond ychydig iawn o addysg a gafodd John a William; roedd eu hangen ar y fferm. Fodd bynnag, roedden nhw'n medru ysgrifennu a darllen yn rhugl. Roeddem yn gorfod darllen pennod o'r Beibl bob nos cyn noswylio, ac ysgrifennu llythyrau'n rheolaidd at ein perthnasau yn yr Hen Wlad.

Roedd y daith i'r ysgol yn hwyl; pawb yn marchogaeth a weithiau byddai dau neu dri ar gefn yr un ceffyl. Croen dafad oedd y cyfrwy, a bu llawer ras go beryglus ar draws y Paith o dro i dro.

Fy ffrind oedd Eluned Morgan, a chan ein bod tua'r un oed ein dwy, roeddem yn yr un dosbarth, ac yn eistedd gyda'n gilydd. Sgerbwd o hen long oedd yr ysgol, hen ddrylliad a achubwyd o'r traeth, ac a gariwyd i dir sych. Doedd dim llyfrau na phapur ysgrifennu ar gael, ac roedd yn rhaid i bob disgybl ofalu dod â Beibl, llechen las lefn o'r Paith, a charreg fechan fel pensel.

Roeddwn wrth fy modd yn yr ysgol. Y wers gyntaf bob bore fyddai hanesion o'r Beibl (dotiwn ar hanes Esther, a Ruth a Naomi). Byddem yn adrodd 'Gweddi'r Arglwydd' a'r plant hŷn yn adrodd 'gweddi o'r frest'; darllen pennod neu salm a'u dysgu ar y cof; canu emynau – 'O Fryniau Caersalem' a 'Chalon Lân' oedd y ffefrynnau. Dysgu rhifyddeg, a llafarganu'r tablau, rywbeth yn debyg i hyn:

Un dau – dau (d : t, r ; –)
Dau dau – pedwar (d : s, | d d : – |)

Ar y cychwyn ysgrifennu brawddegau syml fel 'Da yw Duw i bawb' a 'Duw cariad yw' a fyddem, ond yn fuan iawn deuthum i ysgrifennu llythyrau syml at fy nheulu. A thra bûm yn yr ysgol roedd yn rhaid i bob un ohonom ysgrifennu llythyrau ffug at ryw berson enwog neu rywun pwysig yn ddyddiol. Mi ysgrifennais i lythyr at y Frenhines Victoria unwaith! Does ryfedd fod pobl y Wladfa yn gystal llythyrwyr.

Ar un adeg roedd dros hanner cant o blant, o chwech i ddeuddeg oed yno, a dim ond un athro. Cymraeg oedd yr unig iaith – dim gair o Saesneg na Sbaeneg. Roedd Eluned Morgan yn ffrind da; byddai hi'n fy helpu gyda sillafu, a byddwn innau yn ei helpu hithau gyda rhifyddeg.

Wrth edrych yn ôl sylweddolaf gymaint o wyrth oedd hi i ni dderbyn cystal addysg; dysgais ysgrifennu a siarad

Cymraeg mor loyw ag unrhyw Gymro a fagwyd yng Nghymru.

Yr unig dâl a gawsai R. J. Berwyn fel ysgolfeistr oedd ewyllys da y rhieni – roedden ni blant Llain-las yn lwcus – roedd digon o lyfrau gan fy nhad i'w cyflwyno fel tâl. Byddai eraill yn rhoi sachaid o datws, neu bwn o wenith. Yn sicr ddigon, llafur cariad oedd llafur yr athro, ac mae arnom ni, blant y gwladfawyr cynnar, ddyled oesol iddo.

Pennod 3

Roedd yr ysgol mor bell, ac yn ystod y gaeaf aros gartre y byddem y rhan fwyaf o'r amser. A'm ffrindiau yn byw tua saith milltir i ffwrdd, doedd gen i ddim cwmni i chwarae ac roedd bywyd yn ddigon unig. Roedd John a William yn fechgyn mawr erbyn hynny; roedden nhw'n gweithio ar y fferm neu'n hela ar y Paith, ac yn rhy brysur i chwarae. Byddwn yn dyheu am gwmni, ond roeddwn yn cadw'n brysur drwy helpu Mam yn y tŷ, yn sgubo'r lloriau pridd a chario dŵr o'r pydew. Yn yr haf byddai'r pydew'n sychu'n grimp, a rhaid oedd cario pob dafn o afon Camwy, bellter i ffwrdd. Ond roedd Dic a minnau'n deall ein gilydd i'r dim. Byddwn yn marchogaeth Dic at yr afon, yn llenwi dau fwcedaid o ddŵr, ac yna byddai Dic yn cario'r dŵr a minnau ar ei gefn yn ôl yn ofalus iawn. Er ei fod yn geffyl go nwydus roedd yn deall pob gorchymyn ac yn ufuddhau bob tro. Ond gwae i neb arall geisio ei farchogaeth pan nad oeddwn i'n agos. Fe godai ei goesau blaen i'r awyr fel ceffylau'r Indiaid, a rhedeg a gweryru fel rhywbeth gwyllt.

Deuai Beca fach drosodd weithiau i chwarae. Roedd hi'n byw rai milltiroedd i fyny'r dyffryn, ac yn marchogaeth hen gaseg ddifywyd, araf ei cham. Byddai wrth ei bodd yn dod gyda mi, a charlamu ar hyd y Paith, ein dwy ar gefn Dic.

Roeddwn wedi ei rhybuddio nad oedd i fynd ar gefn Dic, ar unrhyw gyfrif, os nad oeddwn i yno.

Un prynhawn dyma Beca a'r hen Fodlen, y gaseg, yn dod at y drws, a gwyddwn yn iawn beth oedd ei bwriad. Roeddwn i ar y pryd yn helpu Mam i olchi dillad, a gwaeddais 'Aros funud, byddaf allan toc.'

Clywais Dic yn gweryru'n wyllt. Rhedais allan â'm gwynt yn fy nwrn i weld bod Dic wedi taflu Beca! Rhedai fel creadur gorffwyll o gwmpas y cae, tra gorweddai Beca fach ar lawr yn llonydd fud. Cydiais ynddi a gweiddi 'Deffra, deffra, dwed rywbeth', ond ni ddôi gair o'i genau. Llifai'r gwaed yn ffrwd o'i phen. Rhedais yn ffwndrus i'r tŷ a gorchmynnodd Mam i fi fynd i nôl mam Beca ar unwaith.

Safai Dic yn stond, fel petai'n deall bod rhywbeth mawr wedi digwydd.

Cyn pen yr awr, roedd ei rhieni wedi cyrraedd, ond yn rhy hwyr. Erbyn hynny roedd Mam wedi cario Beca i'r tŷ, a dyna lle gorweddai'n llipa welw ar y gwely. Roedd pawb wedi'u syfrdanu, y fam yn anwylo ei phlentyn bach, a'r tad yn welw fud. Ac fe wyddwn innau mai Dic a'i lladdodd.

Dyna'r tro cyntaf i mi ddod wyneb yn wyneb ag angau. Roedd y cyfan y tu hwnt i mi. Roeddwn i'n beio Dic, Mam yn ei beio'i hunan, a dyn a ŵyr pwy oedd tad a mam Beca yn ei feio.

Dyddiau trist oedd y dyddiau hynny, a doeddwn i ddim yn gallu credu fod Beca wedi mynd i fyw at Iesu Grist, a hithau'n gorwedd yn llonydd mewn cist. Beth oedd enaid? Roedd y cyfan yn ddirgelwch llwyr i mi. Yna, cynhaliwyd yr angladd.

Roedd pobol y dyffryn i gyd yno, yn cerdded y tu ôl i'r gert a gludai Beca. Gwisgwn innau fonet ddu newydd, a rhuban du am fy mraich, a daliwn yn dynn yn llaw Mam. Roedd y capel yn llawn, y pregethwr yn gweiddi, mam Beca yn crio, a phawb yn canu 'O Fryniau Caersalem'. Gwyddwn yr emyn yn iawn, ond yn lle canu fel pawb arall dyma fi'n nadu-crio nes i bawb droi i edrych arnaf. Yna rhaid oedd dilyn y gist â Beca ynddi i'r fynwent, a'i rhoi i lawr mewn twll dwfn yn y ddaear. Roeddwn yn dal i sgrechian nerth fy mhen, yn methu deall sut y gallai fyth fynd at Iesu Grist, a hithau wedi ei chau yn y gist o'r golwg yn y twll du.

Dyna'r drasiedi gyntaf i mi ei hwynebu, ac fe'm gadawodd yn ddiflas ac yn ddi-ffrwt am wythnosau.

Un diwrnod daeth mam Beca i Lain-las. Rhedais i guddio am mai arna i roedd y bai fod Beca wedi marw. Ond

16

galwodd Mam arnaf. 'Tyrd ata i, Nel fach,' meddai mam Beca, gan fy nghofleidio. 'Doedd dim bai ar neb, 'nghariad i, fel 'na oedd hi i fod. Paid â chrio.' A dyma hi'n cymryd jwg fach allan o'i bag. 'Cymer hon i gofio am Beca.'

Doedd dim angen jwg arna i i gofio am Beca, ond y mae'r jwg fach honno ymhlith fy nhrysorau pennaf.

Pennod 4

Roeddwn i'n unig ac yn ddiflas iawn wedi i Beca fach gael ei lladd. Doeddwn i ddim yn cael marchogaeth Dic, bellach, fel y mynnwn. Chawn i ddim gyrru ymhell o gartre, na gyrru yn orfoleddus ar draws y Paith fel o'r blaen. Rhaid oedd i mi fynd i'r ysgol ar gefn hen ferlen oedrannus. A rhaid hefyd oedd tyngu llw, a'm llaw ar y Beibl Mawr, na fyddwn i'n gadael i'r un plentyn fyth, fyth eto fynd ar gefn Dic.

Ond yn yr ysgol roeddwn yn berffaith hapus. Byddwn yn aros yn aml gyda theulu'r Berwyn ym Mherllan Helyg. Roedd yno dyaid o blant, ac roedd Dilys a minnau'n ffrindiau annwyl. Weithiau byddem yn galw heibio i roi tro am yr hen Oneto, Eidalwr ac un o swyddogion y Llywodraeth. Ond doedd e ddim byd tebyg i swyddog o gwbl, a byddem ninnau'r plant yn heidio i'w dŷ. Roedd e'n hoff iawn o anifeiliaid o bob math, a byddai'n treulio oriau'n dysgu triciau iddynt. Gallai 'Gato' y gath gringoch wneud campau rhyfeddol. Roedd Oneto hefyd yn dipyn o yfwr, a byddai weithiau'n meddwi'n chwil.

Rhannai rywfaint o'i ddiod bob amser gyda Gato. Wedyn mi fyddai'n codi'r gath i ben y bwrdd, mi fyddai yntau'n taro'r bwrdd â llwyau gan floeddio canu rhyw gân Eidalaidd, ac yna byddai Gato yn dawnsio i guriad y llwyau, a'i dwy droed flaen yn yr awyr. Ac i goroni'r cyfan byddai'r ci yn udo ac yn ymuno ag Oneto yn y gytgan. Dyna beth oedd sbort. Ond yn anffodus byddai Nhad a Mam yn gwgu ar yr ymweliadau hyn.

'Pam, Mam? Dyn caredig yw Oneto.'

'Falle 'i fod e, ond dyw e ddim yn mynychu unrhyw le o addoliad. Pagan yw e.'

Ac roedd hynny, yn ôl Mam, yn ddigon o reswm i'w osgoi.

Roeddwn i'n saith oed erbyn hynny, ac yn gorfod aros gartre fwyfwy i helpu Mam yn y tŷ ac ar y fferm. Roedd saith o wartheg i'w godro nos a bore, a gwaith Mam fyddai hynny. Roedd Nhad a'r bechgyn yn rhy brysur yn troi'r Paith yn dir ffrwythlon. Rhaid oedd torri ffosydd er mwyn dyfrhau pob modfedd o'r tir, neu ni thyfai dim ynddo. Ac ar ben hynny roedd yn rhaid iddynt grwydro'r Paith i hela'r guanaco a'r ysgyfarnog, er mwyn cael bwyd i'r tŷ. Byddai Mam wedyn yn halltu'r cig a'i gadw yn y selar. Twll mawr dwfn yn y ddaear oedd y selar, a grisiau'n arwain i lawr iddo.

Byddwn i'n cyrchu'r gwartheg gyda help Gladstone y ci defaid. A byddwn hefyd yn godro dwy fuwch, Cochen a Seren. Doedd dim beudy ar y fferm; doedd dim ei angen ym Mhatagonia, gan fod y tywydd yn ddigon cynnes haf a gaeaf. Ddwywaith yr wythnos byddai'n rhaid corddi a gwneud caws, ac yn amlach na hynny ar dywydd poeth iawn.

Roedd gennym laeth i'w yfed, caws ac ymenyn, a chig anifeiliaid gwylltion i'w fwyta, ond prin iawn oedd y bara yn enwedig yn ystod y blynyddoedd cyntaf.

Un diwrnod gofynnodd Mam yn sydyn i mi pan oeddem ar hanner ein brecwast, a'r dynion allan ar y tir,

'Fuaset ti'n hoffi cael chwaer fach yn gwmni i ti?'

Wrth gwrs, roeddwn i wrth fy modd pan glywais hynny, ond doeddwn i ddim yn deall.

'Ble? Sut? Pryd? Faint fydd 'i hoed hi?'

Ond ches i ddim ateb ar ei ben, dim ond 'Aros, fe gei di weld, ryw ddiwrnod'. A dyna i gyd.

Ond un diwrnod pan ddes i adre o'r ysgol roedd merlen ddieithr ar y buarth – merlen winau Mrs Jones, Rhymni. Pwy oedd yn sâl tybed? Doedd dim nyrs na meddyg ar gael yn y Wladfa, a Mrs Jones fyddai'n helpu pawb adeg salwch. Rhedais i'r tŷ, a dyma fi'n clywed rhyw sŵn rhyfedd yn dod o'r stafell wely – sŵn rhyfedd iawn. A beth oedd Nhad yn ei wneud o gwmpas y tŷ yr adeg honno o'r dydd? Yna clywais sŵn sgrechian tebyg i sŵn ysgyfarnog mewn magl.

'Be sy'n bod? Ble mae Mam? Beth yw'r sŵn rhyfedd yna?'

Wel,' meddai gan edrych i'r llawr, 'mae babi bach newydd gyda ni.'

'Chwaer fach o'r diwedd?'

'Nage, nid chwaer, brawd bach.'

Siom!

'O ble daeth e?'

'Wel, a dweud y gwir fi ddaeth o hyd iddo yn yr hesg.'

'Ar lan yr afon?' meddwn i.

'Wel, ie.'

'R'un fath â Moses?'

'Wel, ie am wn i,' meddai Nhad gan ddal i edrych ar y llawr.

'Ga i fod fel Miriam yn gofalu amdano drosoch chi?'

Roeddwn wedi cael fy swyno gan stori Moses, wedi ei chlywed drosodd a throsodd yn yr Ysgol Sul.

'Wel, cei, am wn i,' a dal i osgoi edrych arnaf.

Es i mewn i'r ystafell wely ac yno roedd Mam yn gorwedd yn welw a distaw, a Mrs Jones yn magu'r babi bach lleiaf a hyllaf a welais erioed. A hwnnw'n sgrechian yn ddi-stop.

Siom arall.

'Wyt ti'n hoffi dy frawd bach?'

'Nag ydw,' meddwn innau'n swta.

'Mi fydd yn rhaid i ti helpu dy fam i edrych ar ei ôl e,' meddai Mrs Jones. 'Cymer e yn dy freichiau.'

Ac yn wir pan gymerais ef yn fy mreichiau, fe beidiodd y crio, ac o'i weld mor fach a diymadferth, fe benderfynais yn y fan a'r lle y byddwn yn ei fagu'n annwyl a gofalus yn union fel y magodd Miriam ei brawd bach Moses.

Ond doedden nhw ddim am ei alw yn Moses. Fe'i enwyd yn Dyfrig, wedi i Nhad fy sicrhau mai yr un ystyr oedd i'r ddau enw, a'r ddau wedi eu canfod yn yr hesg. Ond doeddwn i ddim yn siŵr a oedd Nhad yn dweud y gwir i gyd bob tro.

Pennod 5

Dyna fabi bach tlws oedd Dyfrig; hogyn bach llygatlas â gwallt du cyrliog. Pan oedd tua chwe mis oed perswadiais Mam i'w adael i gysgu gyda mi yn yr un ystafell ac yn yr un gwely. Roedd yn glyd ac yn gynnes – yn rhy gynnes yn yr haf. Buan iawn y daeth i gerdded a rhedeg o gwmpas y tŷ a'r buarth, a'i brif hobi oedd rhedeg ar ôl dulog bach a cheisio'i ddal. Gwnaeth William, fy mrawd, si-so i ni yn yr ardd, a threuliem oriau lawer yn mynd i fyny ac i lawr, i fyny ac i lawr ar y si-so.

Roedd Gladstone, y ci defaid, ac yntau'n ffrindiau pennaf, a phan oedd Dyfrig yn ddim o beth byddai'n ei farchogaeth, gan esgus mai ceffyl ydoedd. Byddai'n well gan Gladstone warchod Dyfrig na hel defaid, felly byddai'n rhaid i Nhad roi cortyn am ei wddf a'i orfodi i'w ddilyn i'r Paith. Ond 'nôl at Dyfrig y deuai Gladstone bob tro.

Roedd ofn yr Indiaid ar Dyfrig; edrychent mor ffyrnig ac roedd eu ceffylau mor wyllt. Deuent lawr i'r fferm yn aml iawn gan weiddi 'Poco bara', 'Poco bara', mewn lleisiau uchel cras. Roedden nhw wedi dotio ar fara'r Cymry, ac yn fodlon ffeirio un o'u ceffylau gorau am ddwy neu dair torth. Dyna sut y cafodd y Cymry eu ceffylau bron i gyd. Roedd yr Indiaid yn ffrindiau mawr â'r Cymry; fe'u galwent yn 'frodyr', ond roedd yn gas ganddynt y Sbaenwyr. 'Cristianos' neu'r 'Cristnogion' oedd yr enw a roddent arnyn nhw, ac ar brydiau byddent yn ymosod arnynt a'u lladd er mwyn dial y cam a gafodd yr Indiaid dan eu dwylo.

Doedd yr Indiaid ddim yn gwbl onest, chwaith; roeddent yn dotio ar unrhyw fath o wydr, yn enwedig os byddai'n ddrych, ac fe gollodd Mam amryw o fân bethau o dro i dro. Roedden nhw fel rhyw Jac-y-dos a ddygai bopeth â sglein arno. Ond dyna'u ffordd o fyw. A ph'run bynnag, yn ôl hen, hen draddodiad, y nhw oedd perchenogion a meistri'r Paith. Roedd eu llygaid ar Gladstone hefyd, ond pan welai Dyfrig y llwch yn codi yn y pellter, a phan glywai sŵn carnau'r ceffylau yn dynesu, rhedai i guddio Gladstone. Fe gynigiodd yr hen bennaeth bedwar o'i geffylau gorau amdano un tro, ond nid oedd Gladstone ar werth.

Un diwrnod, fodd bynnag, nid oedd Gladstone i'w weld yn unman. Er galw, a galw, doedd dim siw na miw ohono. Ofnwn fod yr Inidiad wedi dod i lawr yn llechwraidd fin nos, a'i gipio. Hiraethai pawb amdano, yn enwedig Dyfrig am fod yr hen Gladstone fel un o'r teulu. Cerddai Dyfrig a minnau yn gyson ar hyd y Paith, yn galw gyda chymdogion i holi ei hynt. Roedd Dyfrig yn crio a chrio, a heb flas at fwyd, minnau'n ben-isel, a Nhad yn addo ci bach arall i ni. Ond doedd dim yn tycio. Bob nos wrth fynd i'n gwelyau byddem yn gofyn i Iesu Grist ddod â Gladstone 'nôl atom. A chyn i Dyfrig fynd i'w wely bob nos byddai'n gosod llaeth ym mhadell fwyd Gladstone, wrth y drws cefn. Byddai'r llaeth wedi diflannu bob diferyn erbyn y bore, ond mwy na thebyg bod yna ddulog bach o gwmpas a lenwai ei fol bob nos.

Roedd llaeth yn brin iawn yr adeg honno o'r flwyddyn yn Llain-las. Mis Awst oedd hi, diwedd y gaeaf ym Mhatagonia, a'r gwanwyn yn hir yn cyrraedd. Roedd y gwartheg i gyd heblaw un yn hesb, a doedd dim digon o laeth i'r teulu i'w yfed, nac i wneud ymenyn a chaws, heb sôn am fwydo'r dulog gwyllt.

Er gwaethaf y dyfrhau roedd y cnwd gwenith wedi methu yr haf cynt, roedd y tatws a'r moron wedi gorffen, ac roedd bwyd yn brin drwy'r dyffryn i gyd. Yn rhyfedd felly roedd gennym ychydig o'r *alfalfa* i fwydo'r stoc. Roedd bwyd dyn yn brinnach na bwyd anifail. Roedd rhyw gnoi parhaus yn ein stumogau, a doedd crio ddim yn help. Roedd crio'n codi gwynt, meddai Mam. Roeddwn yn gorfod aros gartre o'r ysgol am nad oedd digon o fwyd i'w roi yn fy mocs bwyd, tra oedd Nhad a'r bechgyn yn dal i grwydro'r Paith i chwilio am anifeiliaid i'w saethu. Weithiau dim ond estrys a ddalient, ac roedd y cig hwnnw'n wydn a diflas.

Un diwrnod, a ninnau'r plant heb ddim i'w fwyta, a Dyfrig bach yn crio'n ddi-baid, 'Eisiau bwyd, eisiau Gladstone', fe gafodd Mam syniad. Fe welodd ddulog bach yn stelcian o gwmpas – mwy na thebyg mai'r gwalch hwnnw fu'n yfed llaeth Gladstone. Heb feddwl ddwywaith, fe'i daliodd, ei flingo, a'i osod mewn sosban â dŵr i wneud cawl ohono. Roedd hi'n amheus iawn o'r cawl, a rhaid oedd iddi ei flasu ei hunan yn gyntaf, cyn ei roi i ninnau i'w yfed. Yn rhyfedd iawn roedd yn flasus dros ben, ac fe gysgon ni'n esmwyth y noson honno.

Tua'r bore fe glywodd Dyfrig sŵn crafu ar y drws allan.

'Nel, deffra, mae rhywun wrth y drws.'

'Nagoes, dos i gysgu Dyfrig bach.'

'Gladstone! Nel, Gladstone!'

A chyn pen chwinciad roedd Dyfrig wedi neidio o'r gwely ac at y drws. Ac yn wir, yn wir, yno roedd yr hen Gladstone yn wlyb diferol, yn denau fel llyngyren, ac yn fudr o'i ben i'w gynffon. Roedd cortyn lledr yn llusgo wrth ei wddf, ac yr oedd yn amlwg ei fod wedi dianc o rywle. Roedd wrth ei fodd o fod wedi cyrraedd adre'n saff, a dyna lle roedd yn llyfu dagrau llawenydd Dyfrig, baw neu beidio. Trwy lwc roedd tipyn o gawl y dulog yn weddill, ac fe'i llarpiodd yn awchus.

Am y tro cyntaf, a'r olaf, cafodd Gladstone gysgu yn ein hystafell wely. Roedd ei draed bach yn goch gan waed, wedi teithio o bellter daear, dros y Paith, drwy ffosydd ac afonydd dyfnion i gyrraedd adre.

Gorweddodd Gladstone yn flinedig ar lawr wrth draed y gwely tra gorweddai Dyfrig yn hollol hapus ar y gwely. Ond cyn iddo fynd i gysgu aeth ar ei liniau am yr ail waith y noson honno, ac fe'i clywais yn sibrwd yn ddistaw bach,

'Diolch, Iesu Grist annwyl, am ddod â Gladstone 'nôl yn saff i ni.'

Pennod 6

Pan oedd Dyfrig tua phedair oed cafodd geffyl bychan, un gwydn, nid annhebyg i Dic, ond yn llawer mwy dof. Doedd dim llawer o fynd yn y ceffyl bach hwn. Fe ffeiriodd yr Indiaid ef am ddwy dorth o fara brith. King oedd ei enw, nid o barch i unrhyw frenin, ond o barch i Kingel, mab hen bennaeth yr Indiaid. Roedden ni blant yn ffrindiau mawr â Kingel, ac roedd Kingel yn medru siarad Cymraeg yn rhyfeddol ond gydag acen drwynol ddiethr. Deuai i'r ysgol weithiau, a medrai ganu Cymraeg hefyd, ond allan o diwn fynychaf. Fe ddysgodd lawer o driciau i ni'r plant. Roedd yn heliwr penigamp, ac fe ddysgodd i ni sut i daflu'r ddolenraff neu'r lasŵ, ac i ddefnyddio'r bolas. A dyna lle byddai Dyfrig a minnau'n crwydro'r Paith, Dyfrig ar gefn King, a minnau ar gefn Dic, yn efelychu'r Indiaid, ac yn dal ambell ysgyfarnog.

Bachgen annwyl iawn oedd Kingel, ac fe ddywedai o hyd ac o hyd mai'r Cymry oedd y bobl garedicaf yn y byd, a'u bod yn llawer ffeindiach na'r Sbaenwyr.

Deuai i'r Ysgol Sul gyda ni ar brydiau; doedd e ddim yn hoff o ddysgu adnodau, ond roedd wrth ei fodd yn ymuno yn y canu er ei fod allan o diwn braidd. Roedd naill ai'n sgrechian canu uwchlaw pawb arall neu'n mwmian canu yn y gwaelodion. Doedd e ddim yn gallu darllen, ond gwyddai'r rhan fwyaf o'r emynau ar ei gof. Roedd ganddo gof eithriadol.

Yn sydyn iawn ciliodd Kingel, a welodd neb mohono am dros flwyddyn o amser. Pan ddaeth i'r golwg o'r diwedd fe esboniodd fod Gwalichu, y duw drwg, wedi ei gosbi drwy beri iddo ddioddef o'r peswch, am iddo addoli Duw'r Cymry.

Byddai'r llwyth cyfan yn troi eu cefnau ar unrhyw un a fyddai ar fin marw, a'i adael i'w dynged. Ond roedd Kingel yn fab i'r pennaeth, a rhaid oedd aberthu i'r duw da, Pilan, er mwyn i hwnnw drechu dylanwad y duw drwg. Ac i blesio'r duw da roedd yn rhaid lladd caseg, neu ryw anifail arall gwerthfawr, a hynny'n gyson hyd nes i'r claf wella. Mae'n amlwg fod y ddefod erchyll honno wedi llwyddo yn achos Kingel.

Byddai William, fy mrawd, yn crwydro am ddyddiau, ar ei ben ei hun ar hyd y Paith yn chwilio a chwilio am well a brasach tir nag oedd yn perthyn i Lain-las. Roedd William yn ddewr iawn. Un tro aeth mor bell â Buenos Aires, a dod 'nôl adre â straeon cyffrous am y ddinas fawr, fil o filltiroedd i'r gogledd o'r Wladfa.

'Dydych chi ond yn hanner byw yma,' meddai. 'Mae hwyl a sbort yn Buenos Aires.'

'Hwyl a sbort yn wir,' meddai Mam yn swta; 'lle mae 'na hwyl a sbort, mae yno bechod hefyd.'

A dyna ddiwedd ar y straeon, a minnau'n ysu am glywed rhagor o'r hanes.

Ar un o'i grwydriadau mi gyfarfu â merch fach dlos o Chile. Gwyddai'n iawn na fyddai croeso iddi yn Llain-las. Onid oedd yn estron, a gwaeth na hynny, yn Babydd? Roeddynt yn ffieiddio pobl Chile yn fwy hyd yn oed na'r Sbaenwyr – er na wn i ddim pam. Paganiaid ac ysbeilwyr oeddynt i gyd, gwaeth o lawer na'r Indiaid. Ac yn ôl Nhad a Mam doedd yr un Pabydd yn Gristion.

Ta waeth, daliai William i hiraethu am y ferch lygatddu o Chile, a phenderfynodd y byddai'n ei phriodi ryw ddydd, doed a ddelo. Ond yn y cyfamser, rhaid oedd dod o hyd i le arall i fyw, lle ffrwythlon, lle haws i'w drin na Llain-las.

Roedd William ar ei ffordd adre o'i grwydriadau un noson, pan glywodd sŵn plentyn yn crio yng nghanol y Paith, filltiroedd o bobman. Un o blant bach yr Indiaid ydoedd, tua phedair oed, yn oer, yn wlyb, ac yn pesychu'n ddi-baid. Cododd William ef yn dirion ofalus ar gefn ei geffyl, a charlamu tuag adre. Pan gyrhaeddodd Lain-las roedd y bychan yn rhy wan i sefyll ar ei draed. Rhoddodd Mam laeth iddo i'w yfed, a gwely clyd i orwedd ynddo. O dipyn i beth cafwyd mai Tugel oedd ei enw, ac roedd y peth bach anwylaf a welsoch erioed. Roedd yn bur wael, ac yn methu cysgu gan y peswch cynddeiriog; ond gyda gofal a chariad, dechreuodd Tugel gryfhau a gwella. Diflannodd y peswch yn llwyr.

Cyn pen dim, roedd Dyfrig ac yntau'n chwarae'n hapus o gwmpas y buarth, gan farchogaeth King, ceffyl bach Dyfrig. Gofalwn na châi fynd yn agos at Dic, rhag ofn i'r un peth ddigwydd iddo fe ag a ddigwyddodd i Beca fach.

Ond un prynhawn, clywais sŵn carnau ceffylau yn carlamu i lawr tua'r Paith. A dyna lle roedd y ddau hogyn yn diflannu o'r golwg, Dyfrig ar gefn King, a Tugel ar gefn Dic. Cawsom fraw. Dyma bawb yn gweiddi, ond i ddim pwrpas. Yna, carlamodd William ar eu holau, ar gefn ei geffyl chwim, a dod 'nôl â'r ddau edifeiriol. Wrth ddisgyn oddi ar gefn Dic, dyma Tugel yn rhoi'i ddwy fraich am ei wddf, a dweud:

'Dic cariad Tugel.'

Roedd Tugel yn dysgu Cymraeg yn gyflym, ac fe glywodd y gair 'cariad' gannoedd o weithiau yn ystod ei salwch. Ac yn wir, wedi hynny roedd yn berffaith ddiogel i Tugel farchogaeth Dic. Roedd y ceffyl bach anhydrin wedi mabwysiadu ffrind arall heblaw fi.

Pennod 7

Roedd pawb yn hoff o Tugel, Dyfrig yn neilltuol felly, ond roedd Mam yn dal i'n rhybuddio:

'Fe gewch chi weld, pan ddaw'r gwanwyn fe ddaw'r Tuhuelche o gwmpas eto, a phan welan nhw Tugel fe fydd yn rhaid iddo fynd yn ei ôl at y llwyth.'

Roedd Tugel i'w weld yn cryfhau bob dydd. Dysgai Gymraeg yn gyflym iawn, a dôi i arfer â'n ffordd ni o fyw. Bara a thatws oedd ei hoff fwyd; doedd e byth yn yfed te, dim ond te *mate*. Roedd yn gas ganddo gysgu mewn gwely. Mynnai orwedd ar fat ar y llawr caled, ac ar nosweithiau braf sleifiai allan i'r awyr agored, a chysgai dan y sêr.

Un bore braf o wanwyn dyma weld cymylau o lwch yn codi i'r awyr yn y pellter. Yr Indiaid! Braw! Dyfrig yn llusgo Gladstone gerfydd blew ei wddf i'w guddfan a Tugel yn dawnsio o lawenydd. Wedi'r cyfan, mae gwaed yn dewach na dŵr. Rhedodd Tugel i'w cyfarfod, a phan welson nhw e, dyma'r llwyth cyfan, dros gant ohonyn nhw'n nadu a sgrechian, a gweiddi nerth eu pennau. Wn i ddim ai o falchder o weld y plentyn yn fyw, neu ofn fod eu duw wedi eu twyllo. A dyma Tugel yn rhedeg at un wraig arbennig, a'i cododd i'w breichiau a'i anwylo. Rhwng dagrau, chwerthin a bloeddio derbyniwyd Tugel yn ôl i'r llwyth, ac roedd yntau'n amlwg yn falch o ddychwelyd at ei deulu.

Daeth gŵr ifanc ymlaen at Mam a chynnig ei geffyl iddi. Doedd dim angen ceffyl arall arnon ni – moch a gwartheg oedd yn brin – ond fe'i derbyniodd, serch hynny. Byddai ei wrthod yn sarhad. Galwodd y ceffyl yn Tugel, a'i cheffyl hi oedd hwnnw tra bu byw. Rhaid dweud bod y lle'n wag ar ôl Tugel, ac roedd Dyfrig yn ei golli'n ofnadwy. Daeth yn ôl gyda'r llwyth droeon, ond ni ddaeth atom i siarad un waith. Efallai bod yr Indiaid yn ofni y byddai'n dewis aros gyda ni.

Pobl falch oedd y Tuhuelche a ymfalchïai yn eu tras a'u traddodiadau. Roedd ganddyn nhw arferion a defodau rhyfedd ac arswydus, a chan fod William wedi gwneud ffrindiau â'r Indiaid, ac wedi dysgu eu hiaith, cawsai gyfle i fod yn dyst i rai o'u hen ddefodau anwaraidd ac erchyll. Ond anwaraidd neu beidio, pobl garedig oedd yr Indiaid. Eu crefydd, a'u harswyd rhag Gwalichu, duw'r drygioni, a barai iddynt adael i'w hanwyliaid farw'n ddiymgeledd. Ystyrient mai cosb y duwiau oedd afiechyd a marwolaeth, ac mai anrheg oddi wrth y duwiau oedd genedigaeth.

Un tro pan oedd William yn ymweld â'r llwyth, ganed bachgen bach i ferch y pennaeth, a dyna beth oedd hwyl a miri. Cyn cymryd rhan yn y rhialtwch rhaid oedd i William wisgo *poncho* fel aelod o'r llwyth, a'i addurno'i hun â phlu estrys, a pheintio'i gorff a'i wyneb. Roedd y wraig oedd ar fin esgor, yn gorwedd ar grwyn anifeiliaid yn y *toldo*. O amgylch y *toldo* roedd tanau wedi'u cynnau, a'r tu mewn roedd merched y teulu'n gweini arni. Roedd y merched eraill a'r plant y tu allan yn cerdded yn araf o gwmpas y *toldo* gan wneud synau aflafar – rhai'n crio, rhai'n gweiddi, ac eraill yn sgrechian. Safai'r dynion yn un rhes gan hogi eu cyllyll. Roedd dwy gaseg bert, wedi'u clymu wrth bost gerllaw, un ddu, ac un wen. Os mai mab a aned, byddent yn aberthu'r gaseg ddu, ac os merch, yna'r gaseg wen fyddai'r aberth.

Yn sydyn, clywyd sŵn annaearol o gyfeiriad y *toldo*, 'Mab, mab, Ale, Ale, Aleiiw'. Ac ar amrantiad dyma'r gaseg ddu yn cael ei chwympo, a'i chadw ar ei chefn â'i thraed yn yr awyr. Yr un mor sydyn dyma ddau ddyn yn hollti'r gaseg i lawr drwy ganol ei bol nes y llifai'r gwaed dros bob man. Rhedodd mam y ferch â'r baban yn ei breichiau, a'i osod yng nghanol yr hollt a'r gwaed a'i adael yno tan i'r baban grio. Yna cafwyd rhagor o sgrechian a gweiddi tra bu'r dynion, a William gyda nhw, yn dawnsio o gwmpas y gaseg gan chwifio eu cyllyll. Ar ôl i'r baban roddi bloedd, aethant ati i dorri'r gaseg yn ddarnau a'u rhostio ar y tanau. Yna dyna nhw'n yfed ac yn dawnsio wedyn drwy'r nos a'r rhan fwyaf o'r diwrnod canlynol. Roedd William wedi ei ysgwyd yn enbyd gan y seremoni echrydus hon. Ond rhaid cofio bod yr Indiaid yn trin eu creaduriaid yn ddigon caredig. Dim ond ar adeg rhyw ddathliad arbennig y byddent yn lladd er mwyn yr hwyl o ladd.

Roedd ganddynt seremoni erchyll arall a elwid y Camarwco, a bu William yn dyst i honno hefyd. Lladdent gaseg wen, neu geffyl gwyn, tynnu'r galon allan, rhedeg o gwmpas yn wyllt gan gario'r galon tra bod honno'n dal i guro. Yna torrent yr afu a'r galon yn ddarnau a'u rhoi i'r dynion i'w bwyta'n amrwd. Roedd y cyfan hyn er clod i Pilan y duw da, gan obeithio y byddai hwnnw yn eu cadw rhag marwolaeth. Cosb oedd marwolaeth, rhywbeth i'w osgoi a'i ofni, a Gwalichu y duw drwg oedd yn gyfrifol am bob marwolaeth. Byddent yn lapio'r meirw mewn crwyn anifeiliaid, eu claddu ar eu heistedd, gan osod eu harfau, eu heiddo personol a phob math o fwydydd gyda nhw yn y bedd. Byddai hynny'n sicrhau taith ddidrafferth iddynt i'r byd arall, byd lle na fyddai neb yn cwyno, na neb yn marw. Byddai yno ddigonedd o greaduriaid i'w hela a digon o fwyd i bawb. Dim ond Indiaid fyddai yno, wrth reswm; ni fyddai unrhyw Gristianos yn agos i'r lle.

Byddai rhai o'r Cymry – Nhad yn eu plith – yn ceisio cenhadu ymhlith yr Indiaid, ond i ddim pwrpas. Doedd ganddyn nhw ddim diddordeb yn ein Duw ni, er eu bod wrth eu bodd yn gwrando arnom yn canu emynau. Safent yn rhes y tu allan i'r capel, yn siglo o un ochr i'r llall i'r miwsig, gan guro eu traed, a chwerthin yn afreolus ar ein pennau. Ond doedd gan yr Indiaid ddim awydd i fod yn Gristianos, sef enw'r Indiaid ar y Sbaenwyr, eu gelynion, y byddent yn eu lladd heb achos o gwbl. Byddent hefyd yn dal y bechgyn a'r merched ifainc, a'u gwerthu fel caethweision i'r cyfoethogion yn Buenos Aires. A byddai'r rheini'n marw o dorcalon a hiraeth am eu tylwyth a'r Paith. Yn rhyfedd iawn, roeddent yn hollol bendant nad yr un Crist oedd Crist y Cymry â Christ y Sbaenwyr. Galwent y Cymry yn 'frodyr', byth yn Gristnogion, ac roeddent yn barod iawn i gydweithio â ni, ond i ni beidio ag ymyrryd yn eu crefydd a'u ffordd o fyw.

Ond crefydd neu beidio, roedd cystal onid gwell calon gan yr Indiaid na llawer Gristion, dybiwn i, ond doedd wiw i mi ddweud hynny wrth Nhad.

Pennod 8

Wedi gadael y deg oed, ychydig iawn o ysgol a gefais. Roedd f'angen i gartre i helpu Mam yn y tŷ, ac o gwmpas y buarth. A phan oedd amser yn caniatáu, crwydrwn y Paith ar gefn Dic, ac yn aml yng nghwmni William. Roedd e'n gwybod am y llwybrau i gyd; yn gwybod yn union ym mhle roedd dod o hyd i blu estrys, ac yn adnabod pob aderyn, a chri pob anifail. Gwyddai hefyd am y rhydau gorau i groesi'r afon; doedd dim pontydd i'w cael yn unman. Roeddwn i wrth fy modd yn ei gwmni, ond roedd William yn dipyn o boendod i Nhad a Mam. Weithiau gwrthodai fynd i'r capel ar y Sul, yn enwedig os oedd yr Indiaid yn y cyffiniau. Siaradai eu hiaith, ac roedd yn mwynhau eu cwmni, yn enwedig cwmni Kingel. Byddai Mam yn gofidio'n fawr am ei hoffter o'r Indiaid, a byddai'n aml yn dyfynnu yr hen ddihareb Gymraeg: 'Cyw a fegir yn uffern, yn uffern y myn fod'. Ond dal i grwydro a wnâi William.

Roeddwn i a Gladstone, yr hen gi, yn treulio llawer iawn o amser yn bugeilio'r anifeiliaid. Byddwn yn mynd â the oer mewn potel, a thoc o fara a chaws yn fy mhoced, a threulio diwrnod cyfan yn ceisio rhwystro'r gwartheg a'r defaid rhag crwydro i'r ŷd. Ychydig iawn o ffensys oedd i'w cael a dim cloddiau o gwbl, felly roedd ambell greadur anturus yn dueddol o grwydro i'r Paith – a mynd ar goll am byth. Eiddo'r Indiaid oedd pob anifail a âi i grwydro yno. Wedi'r cyfan, dyna'u tiriogaeth nhw. Byddwn yn mynd â llyfr i'w ddarllen wrth fugeilio – roeddwn i'n lwcus o stôr lyfrau fy Nhad. Ond y dasg fawr oedd dysgu adnodau ar y cof erbyn y Sul. Roedd yn gystadleuaeth gyda ni'r plant pwy allai ddysgu'r nifer mwyaf o adnodau, a chaem wobr ar ddiwedd y flwyddyn. Fe ddysgais y Salm

Fawr i gyd ar fy nghof wrth fugeilio'r praidd – cant saith deg chwech o adnodau anodd eu deall.

Yn wir, roedd yna edrych ymlaen at y Sul oherwydd dyna pryd y cawn gwrdd â'm ffrindiau. Mynd fel teulu i'r capel i'r Gaiman ar fore Sul, mynd â digon o fwyd a chael gwigwyl yn yr awyr agored. Ond doedden ni ddim yn cael chwarae na chwibanu, dim rhedeg yn wyllt o gwmpas, na dim hyd yn oed chwerthin yn uchel. Serch hynny, roedden ni'n cael canu emynau, a weithiau byddai'r bechgyn yn aralleirio'r emynau, er enghraifft: yn lle canu 'Calon lân' byddent yn rhoi enw merch, a byddai f'enw i yn dod fyny yn aml iawn:

> Elen lân yn llawn daioni,
> Tecach wyt na'r lili dlos . . .

Byddai'r saint yn gwgu arnom ac yn gweiddi'n sarrug:
    'Rydych yn halogi'r Saboth, peidiwch â chellwair, blant.'

Rhwng y gwasanaethau byddem yn ymarfer at y Cyfarfodydd Cystadleuol a'r Eisteddfod, a rhag i ni darfu ar sancteiddrwydd y Saboth, testunau crefyddol, emynau a salmau a osodid bob tro.

Roeddem ni wedi byw yn ddigon hapus yn Llain-las am flynyddoedd yn y tŷ gwiail a chlai, a chroen estrys wedi ei dynnu dros y ffenestri yn lle gwydr. Ond fe benderfynodd Nhad fod yn rhaid cael gwell tŷ i fyw ynddo.

'Mae pawb â gwell tŷ na ni, a mae'ch mam yn haeddu gwell lle na hyn,' meddai.

A dyma fynd ati i gynhyrchu brics, pob un ohonom ni'n gwneud ei siâr. Rhaid oedd cario clai addas o'r bryn uwchlaw, ei wlychu, a'i ddamsang drosodd a throsodd yn ddiddiwedd.

'Run fath â baeddu cwlwm,' meddai Nhad.

'Beth yw cwlwm?'

Doedden ni erioed wedi clywed am y fath beth.

'Cwlwm yw cymysgedd o lo mân a chlai. Dyna beth maen nhw'n ei roi ar y tân yn yr Hen Wlad.'

Felly rhaid oedd troedio a damsang, yn ôl a 'mlaen, o gylch ac o gwmpas am oriau, a'r gymysgedd yn glynu wrth ein traed. Roedden ni'n droednoeth wrth reswm, am na allen ni fforddio gwisgo 'sgidiau i weithio yn y llaid a'r llaca. Wedyn rhaid oedd ychwanegu hesg i glymu'r clai, a thorri'r cyfan yn flociau hirsgwar a'u gadael i sychu yn yr haul.

Fe gymerodd dros flwyddyn i ni adeiladu'r Llain-las newydd, ond roedd gennym dŷ diddos a chadarn yn y diwedd, gyda chegin, cegin orau, a thair ystafell wely. Roedd gwydr ar y ffenestri, a chrwyn wanaco ar y llawr pridd yn y gegin orau. Credwn i ei fod yn dŷ crand i'w ryfeddu, ond d'wedai Mam nad oedd i'w gymharu â'i hen gartre yng Nghymru.

Hiraethai'n barhaus am yr Hen Wlad, am ei mam unig yn Sir Aberteifi; unig blentyn oedd Mam.

'Gobeithio y ca i fyw i fynd 'nôl i Gymru i weld Mam cyn iddi farw,' oedd ei byrdwn o hyd ac o hyd.

'Lle sy'n lladd ysbryd yw Patagonia,' meddai hi, 'lle creulon sy'n hawlio dy holl fywyd di. Paid byth â gadael iddo dy feddiannu di, Nel fach.'

Ond doeddwn i ddim yn teimlo felly; roeddwn i'n berffaith hapus yng nghanol yr unigeddau.

Cofiaf yn dda un stori y byddai Mam yn arfer ei hadrodd – stori am ŵr o'r enw Doctor Green, a ddaeth i Batagonia yn y dyddiau cynnar. Pan ofynnwyd iddo beth a'i symbylodd i ddod i'r fath le, meddai'n chwareus:

'Mi ges i freuddwyd rhyfedd un noson, breuddwydio fy mod wedi marw. A dyma fi'n mynd yn syth i'r nefoedd a chnocio ar y drws aur. Pedr yn ateb, a minnau'n erfyn am fynediad i'r lle hyfryd.'

"Na," meddai Pedr, "mae'n flin gen i, chei di ddim dod yma, roeddent ti'n rhy hoff o'r ddiod feddwol pan oeddet ti ar y ddaear."

'Ffwrdd â fi i'r lle arall, i'r lle sy'n drewi o dân a brwmstan; curo ar y drws haearn, a Satan ei hun yn ateb.'

"Na," meddai Satan yn awdurdodol, "chei di ddim mynediad yma, dwyt ti ddim yn ddigon o gythraul." ·

'Roeddwn i mewn cryn benbleth erbyn hyn, a dyma fi'n gofyn yn wylaidd i Satan i ble y cawn i fynd.'

'"Dos i Batagonia," oedd ei ateb a dyna paham rydw i yma.'

Fuodd e ddim yn hir yma chwaith, roedd Patagonia yn rhy debyg i uffern, meddai e.

Erbyn diwedd yr wythdegau roedd Llywodraeth Ariannin yn sylweddoli gymaint oedd y Cymry wedi'i wneud i agor y dyffryn; ei droi o fod yn dir diffaith i fod yn dir ffrwythlon oedd yn tyfu cnydau bras o wenith a haid. Roedd amodau byw'r Cymry'n araf wella hefyd – roedden ni'n codi digon o fwyd maethlon ar y fferm, ac roedd digon o wenith dros ben i'w werthu.

Pan oedd telerau byw ar eu gorau yn y Wladfa, daeth yr Archentwyr a'u cyfreithiau estron i darfu ar y bywyd gwledig traddodiadol. Gorfodwyd y bechgyn ifainc i wneud ymarfer milwrol – a hynny ar y Sul! Dyna ddechrau cynnwrf a phrotest er mwyn rhwystro ymladd ar ddydd yr Arglwydd. Cododd y Cymry fel un gŵr yn erbyn y ddeddf, a'i gwrthod yn bendant. Onid oedd gorchymyn clir yn y Beibl ynglŷn â halogi'r Sabath? 'Cofia y dydd Sabath i'w sancteiddio ef.' A deddf yr Archentwyr yn gwrthdaro â deddf yr Arglwydd ei hun, dyma'r Cymry'n cydio yn eu gynnau ar fore Sul, a'u taflu i'r llawr, troi eu cefnau ar y swyddogion Archentaidd, ac ymdeithio tua'r capel. A William, nad oedd yn gapelwr selog o gwbl, oedd un o'r prif arweinwyr! Fe'u hanwybyddwyd ar y dechrau gan y swyddogion ond fel yr oedd un Sul yn dilyn y llall a'r Cymry'n gwrthod ufuddhau i orchymyn y Llywodraeth, fe'u daliwyd a'u taflu'n ddiseremoni i garchar. Dyna helynt! Y blaenoriaid yn cysylltu â'r Llywodraeth, a Lewis Jones yn teithio i Buenos Aires i weld prif aelodau'r Llywodraeth. Yna 'mhen hir a hwyr, wedi llawer o drafod a bygwth, cawsant eu rhyddhau. Aeth pawb i'w croesawu o garchar, gweiddi a llawenhau, a llais Cadfan i'w glywed uwchlaw llais pawb arall yn dweud yn awdurdodol:

'Tawelwch, gawn ni gydweddïo.'

Yna gwelwyd pawb yn cau eu llygaid yn addolgar, ac yn diolch am fuddugoliaeth y bechgyn yn erbyn awdurdod y Llywodraeth.

Roedd croeso bob amser i gymdogion a ffrindiau yn Llain-las, a chroeso arbennig i ymwelwyr o Gymru.

Rwy'n cofio am un dyn annwyl iawn yn dod i aros aton ni, wedi dod yr holl ffordd o'r Hen Wlad. Gŵr ffeind, annwyl oedd Jonathan Ceredig Davies o Landdewibrefi, Ceredigion. Roedd ganddo luniau o Gymru, a byddai'n adrodd hanes y bobl gyfoethog oedd yn byw yno. Mae'n debyg ei fod yn ffrindiau â'r bobl fawr i gyd. Cofiaf synnu a rhyfeddu ei glywed yn sôn am ryw Arglwydd Lisburne, a minnau'n credu mai dim ond un Arglwydd oedd yna, a Iesu Grist oedd hwnnw.

Ond roeddwn yn dotio ar ei hanesion, stori Dewi Sant a Llywelyn Fawr, hanes Nelson a Bonaparte; lluniau eglwysi heirdd a thai crand. Daeth i Batagonia fel cenhadwr i sefydlu Eglwys Lloegr – roedd yma ormod o Fethodistiaid meddai e. Mi lwyddodd hefyd, ac fe adeiladwyd lle arall i addoli yn y Dyffryn – Eglwys Dewi Sant. Ond doedd fawr o neb yn mynychu'r eglwys, gan mai Methodistiaid oedd y rhan fwyaf o bobl y Wladfa.

Trwy Jonathan Davies fe gefais gip ar y byd mawr y tu allan, ac addunedais y byddwn ryw ddydd yn mynd i Gymru, a chael gwaith yn un o'r tai mawrion. Byddwn hefyd yn prynu cêp merino a ffwr o gwmpas y gwddf, 'run fath â'r ledi yn y llun, a byddwn hefyd yn dysgu siarad Saesneg 'run fath â Jonathan Davies. Roedd e'n pwysleisio mai Saesneg oedd yr iaith bwysica yn y byd. Doedd y Sbaeneg ddim yn cyfri llawer, a llai fyth y Gymraeg. Pwysleisiai hefyd, os na fyddwn yn gallu siarad Saesneg cywir, siarad iaith y Frenhines, na fyddai dim gobaith imi gael swydd o unrhyw bwys yng Nghymru na Lloegr.

Yn fy niniweidrwydd, mi gredais bob gair.

Pennod 9

Heblaw am y Sul, y paratoi ar ei gyfer, a'r gwmnïaeth ddifyr oedd yno, dim ond gwaith, a hwnnw'n waith diflas a chaled a'n hwynebai ddydd ar ôl dydd. Roeddwn yn diolch am y Sul.

Roedd Nhad, Johnnie a William yn gwneud eu gorau glas i droi'r Paith yn dir ffrwythlon drwy dorri ffosydd, hau a medi'r cynhaeaf, gwarchod y creaduriaid rhag anifeiliaid rheibus, a hela ar y Paith. Roedd Mam a minnau'n golchi, corddi a phobi bron yn ddyddiol am nad oedd dim yn cadw am fwy na diwrnod yng ngwres yr haf, er bod Nhad wedi turio twll tanddaearol, a'i alw'n selar fwyd, ryw ugain llath o'r tŷ. Roedd bwydo'r chwech ohonom yn dasg anodd ac oni bai am anifeiliaid y Paith, a'n harfer o halltu'r cig i'w gadw at ddyddiau blin y prinder bwyd, rwy'n siŵr y byddem wedi clemio.

Mam a fi oedd yn godro nos a bore; Mam yn godro pump a finnau'n godro dwy. Gwaith arall digon digalon oedd ffusto'r gwenith i wneud blawd; byddem wrthi am oriau'n troi ac yn troi. Ar ben hyn i gyd, roedd yn rhaid glanhau a thacluso'r tŷ, am fod tŷ glân a thwt yn bwysig i Mam. Lloriau pridd oedd i'r tŷ, a rhaid oedd gwlychu a sgubo'r rheini'n barhaus. Ac wrth gwrs bwydo'r creaduriaid a'u rhwystro rhag crwydro.

Gwaith anodd oedd pobi. I ddechrau rhaid oedd casglu tanwydd, a chan fod coed yn brin, rhaid oedd crwydro ymhell weithiau i chwilio a chasglu. Roedd Nhad wedi adeiladu ffwrn gerrig ar y clos, a rhaid oedd cynnau tân ynddi, a'i chynhesu i'r tymheredd iawn, neu fyddai'r bara ddim yn crasu drwyddo. Gwaith blinedig neilltuol.

Ond roedd gennym gartre cysurus dros ben, a chan fod Nhad yn hynod grefftus, roedd gennym ddodrefn digon

defnyddiol hefyd. Roeddwn i'n fodlon iawn ar y cartref, ac
wrth fy modd yn ei dwtio a'i lanhau. A rywsut fi oedd yn
gorfod gwneud hynny'n barhaus ar ôl i Mam fynd yn
hynod ddifywyd ac anfodlon ei byd. Roeddwn i'n un ar
ddeg oed erbyn hynny ac yn ddigon hen i weld fod
rhywbeth mawr o'i le.

'Be sy'n bod, Mam?' holwn byth a beunydd.

'Y wlad ofnadwy 'ma sy'n fy llethu'n lân, Nel fach. Paid
byth â bodloni ar y drefn, ac aros yma holl ddyddiau dy
fywyd. Mae'n angau i ferch.'

'Ond Mam rydw i'n hapus yma.'

'Ar hyn o bryd efallai, ond fe fyddai'n dda gen i pe bawn
i'n gallu fforddio i dy yrru 'nôl i'r Hen Wlad i ti gael gwell
addysg.'

'Mae Eluned Morgan yn bwriadu mynd,' meddwn i.

'Mae ganddyn nhw fodd i wneud,' meddai'n flin.

'Ond dydw i ddim eisiau eich gadael chi; yma mae fy lle i.'

'Wel, does dim llawer o obaith y cei di'r cyfle, ddim am
sbel, fodd bynnag. Mae 'na ragor o ofid a chyfrifoldeb yn
ein hwynebu ar hyn o bryd.'

'Pa ofid, pa gyfrifoldeb?'

Ond ches i ddim ateb. Doeddwn i ddim yn ei deall o
gwbl, ac er holi a holi doeddwn i ddim callach. Ond roedd
yn hollol amlwg fod Mam yn mynd yn fwyfwy blinedig
bob dydd, ac er nad oeddwn eto ond rhyw un ar ddeg oed,
roedd yn rhaid i mi ysgwyddo baich y cartre a gweithio o
fore gwyn tan nos, y tu mewn a'r tu allan i'r tŷ.

Ychydig iawn o amser a gawn i farchogaeth Dic, ac roedd
hynny'n ofid i mi. Pan siaradwn â Nhad am anhwylderau
Mam ni ddywedai hwnnw ddim, ond edrych tua'r llawr.
Roedd ganddo arferiad o edrych ar ei draed pan oedd
mewn penbleth gan osgoi rhoi ateb syth.

Cofiaf yn dda fis Ionawr 1888. Mae'r mis a'r awr wedi eu
serio am byth ar fy nghof. Roedd yn ganol haf ym
Mhatagonia, a Nhad a'r bechgyn wedi mynd allan i hela.
Weithiau byddent oddi cartre am dridiau, gan adael Mam,

Dyfrig a minnau ar ein pennau ein hunain. Felly roedd hi'r tro yma. Ond cyn mynd fe siarsiodd Nhad fi i edrych ar ôl Mam, ac os digwyddai iddi fynd yn sâl roeddwn i farchogaeth ar f'union i gyrchu Mrs Jones, Rhymni. Dyna i gyd, dim gair arall o esboniad. Ac unwaith eto doeddwn i ddim yn deall.

Ar y drydedd noson, a Nhad a'r bechgyn yn dal heb ddod adre, tua hanner nos cefais fy neffro yn sydyn gan Mam.

'Nel fach, deffra, dos ar unwaith i 'nôl Mrs Jones. Paid ag ymdroi. Brysia, rydw i mewn poen ofnadwy.'

Roedd Dyfrig a minnau'n cysgu yn yr un ystafell â Mam pan oedd Nhad i ffwrdd.

'Paid â deffro Dyfrig, ond brysia, Nel, brysia, does dim munud i'w golli.'

Gwisgo ar ras wyllt, cipio'r cyfrwy, a rhedeg i ddal Dic. Ond roedd gan Dic syniadau eraill – doedd e ddim wedi arfer â chael ei gyfrwyo yr amser yna o'r nos. Ac i ffwrdd ag e fel cath i gythraul, mor bell ag y gallai oddi wrthyf. Rhedais ar ei ôl gan weiddi a bygwth, ond i ddim pwrpas. Pan oeddwn ar fin ei ddal codai ei ben yn gellweirus ac i ffwrdd ag e wedyn. Roedd wrth ei fodd yn fy mhryfocio, a minnau wedi llwyr ymlâdd yn ceisio ei ddal.

Beth wnawn i? Roedd geiriau Mam 'rydw i mewn poen ofnadwy' yn atsain yn fy nghlustiau. A dyna gychwyn cerdded, dros dair milltir o ffordd, trwy lwybrau caregog, twmpathog. Roedd ofn arnaf, ofn y nos, ofn creaduriaid gwylltion, ofn colli'r ffordd, ac ofn fod Mam yn gwaethygu, a dim ond Dyfrig bach yn gwmni iddi. Ofn dychrynllyd. Cerdded yn drafferthus dros y twmpathau drain, clywed y 'dwcw, dwcw' yn clecian, ond doedd dim ofn y creadur bach diniwed hwnnw arna i. Clywed sgathru rhyw greadur mawr, a dychmygu mai'r piwma oedd yno. Roedd y piwma'n cipio plant ac yn eu bwyta'n fyw. Roedd cymaint o lwybrau'n croesi'r Paith, a minnau erbyn hynny mor flinedig, ac wedi dychryn cymaint, fel nad oedd gennyf syniad ym mhle roeddwn i. Eisteddais, a chrio. Roeddwn wedi crwydro am oriau, ac i ddim pwrpas.

Cofio geiriau Mam, 'Brysia Nel, rydw i mewn poen ofnadwy'. A dyma finnau yng nghanol y Paith ac ar goll yn llwyr. Roeddwn yn adnabod pob llwybr, neu felly y tybiwn, ond doeddwn i erioed wedi cerdded cyn belled ar fy mhen fy hun, a hynny berfeddion nos.

Cyn pen dim, roedd y wawr yn torri, a gallwn weld y llwybr yn glir. Rhedais a rhedais yn bryderus wyllt, ac er mawr siom, a thipyn o ryddhâd hefyd roeddwn yn ôl yn ymyl Llain-las. Yno roedd Dic yn gweryru'n serchog yn ymyl ei gyfrwy, fel petai'n dweud 'dyma fi'.

'Rhy hwyr, Dic bach, rhy hwyr.'

Mi es mewn i'r tŷ yn ddistaw bach, bach. Roedd Mam yn cysgu'n drwm. Diolch byth. Rhaid ei bod hi'n well, ac yn ddi-boen. A Dyfrig bach yn swatio'n glòs wrth ei chefn, yntau'n cysgu'n drwm. Ond yn rhyfedd iawn, roedd gwaed ar lawr dros bob man. Ac er 'mod i wedi llwyr ddiffygio, mi es ati i olchi'r gwaed, byddai wedi ceulo erbyn y bore. Mi es innau i'r gwely at Mam a Dyfrig, fel yr oeddwn, heb dynnu 'nillad. Roeddwn wedi blino gormod i wneud hynny a chysgais yn drwm.

Deffroais yn sydyn; roedd Nhad yn fy ysgwyd yn wyllt.

'Nel, pam na fyddet ti wedi mynd i nôl Mrs Jones? Pam? Nel? Pam?'

'Ond fe es i, methais â dal Dic, fe gollais y ffordd, fe glywais y piwma, fe ges i ofn y nos, ac fe . . .'

Doedd dim pwrpas mynd 'mlaen. Roedd golwg ddieithr ar Nhad, golwg ryfedd iawn, golwg wyllt, a gwyddwn fod rhywbeth mawr o'i le.

Es i'r gegin i baratoi brecwast, ond gyda hyn dyma rai o'r cymdogion yn cyrraedd. Roedd y cyfan yn ddirgelwch i mi.

'Be sy'n bod, Nhad? Ydy Mam yn dal mewn poen?'

'Nel, 'nghariad i,' meddai mewn llais crynedig, gan wneud ei orau i ddal y dagrau'n ôl, 'mae dy fam wedi marw. Bu farw yn y nos pan oeddet ti ar goll yn y Paith.'

Pennod 10

Mam wedi marw? Ond roedd hi'n cysgu pan ddes i adre. Ai dyna beth yw marw? Mynd i gysgu? Pam?

Roedd Mrs Jones, Rhymni, yno erbyn hynny ac yn cymryd gofal o bob dim.

'Mrs Jones?'

'Ie, 'nghariad i?'

'Beth ga's Mam i farw mor sydyn? Doedd hi ddim yn sâl iawn. Beth oedd y gwaed 'na i gyd?'

'Wyddost ti ddim, Nel fach? Dd'wedodd neb wrthot ti?'

'Dweud beth?'

'Dweud fod dy fam yn disgwyl rhagor o deulu.'

'Cael babi bach ry'ch chi'n feddwl?'

'Ie, Nel fach, roedd hi'n rhy hen a gwanllyd i gael babi arall.'

'A dyna beth oedd y gwaed? Ble mae'r babi bach, Mrs Jones?'

'Nel, fy mechan annwyl i, chafodd e mo'i eni,' a dyma Mrs Jones yn fy nghofleidio'n dyner, ac yn beichio crio.

Ond fedrwn i ddim crio, roedd y dagrau wedi sychu'n grimp ac roedd rhyw gynnwrf rhyfedd yn fy stumog. Teimlwn yn oer drwof, ac eisiau sgrechian. Ond doedd dim sŵn yn dod o'm genau, roeddwn wedi rhewi y tu mewn.

'Mrs Jones, fi laddodd Mam yntê?'

'Nel, paid byth â gadael i mi dy glywed di'n siarad fel'na eto. Na, nid ti, na neb arall chwaith. Y Paith gafodd yr afael drechaf ar dy fam. Gelyn creulon yw'r Paith.'

Yn rhyfedd iawn roedd Mam wedi crybwyll rhywbeth yn debyg wrthyf dro'n ôl. Ond doeddwn i ddim yn deall yn iawn.

Roedd 'na brysurdeb yn Llain-las y diwrnod echrydus hwnnw – cymdogion wrthi'n glanhau, pobi, corddi, golchi, yn paratoi at yr angladd drannoeth. Felly mi es allan at Dic, a ddaeth ataf y tro hwn yn ufudd iawn ar yr alwad gyntaf. Pe bawn i wedi dal Dic y noson cynt, mi fyddai pethau'n wahanol iawn. A dyma fi'n beio Dic am farwolaeth Mam, a Dic druan yn rhwbio'i drwyn yn gariadus yn f'ysgwydd. Na, nid ar Dic yr oedd y bai. Roedd ar Mam eisiau doctor a nyrs, ond doedd neb felly i'w cael yn y Wladfa, dim ond gwragedd caredig oedd wedi ennill tipyn o brofiad drwy wasanaethu ar bobl wael.

A dyma neidio ar gefn Dic, a charlamu'n wyllt drwy'r gwylltineb, carlamu a charlamu am filltiroedd, nes bod Dic allan o wynt. Roedd Dic yn gallach na fi, ac mi safodd yn stond, a gwrthod mynd gam ymhellach. Disgynnais innau ac eisteddais ar y ddaear yng nghanol y diffeithwch, gan ddechrau synfyfyrio a meddwl. Meddwl am y dyfodol. Roedd y cyfan mor dywyll, mor anesboniadwy o gymhleth. Pwy oedd yn mynd i ofalu am Nhad a'r bechgyn. Doedden nhw erioed wedi cydio mewn cadach llestri; doedd Mam erioed wedi gofyn iddyn nhw helpu dim gyda gwaith tŷ. Na, doedd 'na neb ond fi i gymryd lle Mam. Roeddwn yn un ar ddeg oed, ac wedi ymadael â'r ysgol. Ond doeddwn i ddim yn gallu pobi'n rhyw wych iawn – fe wrthododd y pobiad diwethaf godi. Roeddwn yn gallu cweirio sanau, ond fedrwn i ddim gwnïo dillad yn daclus iawn i mi fy hun, heb sôn am ddillad i'r dynion. Ac rown i'n anobeithiol am drin menyn a gweithio cinio dy' Sul. Roedd meddwl am y cyfrifoldeb yn fy llethu'n lân.

Yn sydyn dyma'r dagrau'n llifo, criais yn ddilywodraeth, a phwnio'r ddaear â'm dyrnau. Cefais ryw ryddhad anesboniadwy, a llonyddodd y cynnwrf yn fy stumog. Roedd Dic yn pwyo'r ddaear yn ddiamynedd, fel petai'n deall fy ngwewyr. Rhaid oedd cychwyn yn ôl am Lain-las; gwyddwn y byddai Dic yn fy nghario'n ddiogel gan fod ei synnwyr cyfeiriad yn anhygoel.

Pan gyrhaeddais adre roedd Nhad yn disgwyl yn bryderus amdanaf.

'Ble buost ti, Nel fach? Paid byth â mynd ffwrdd fel 'na

eto heb ddweud. Mae William wedi mynd allan i chwilio amdanat ti.'

Roedd golwg wedi heneiddio'n sydyn arno. Dyma fe'n cydio'n dynn amdanaf, gan fy ngwasgu ato a dweud, 'Nel fach, mi fydd yn rhaid i ti gymryd lle dy fam. Ti fydd meistres Llain-las o hyn allan. Duw a'n helpo ni i gyd.'

Roedd arna i ofn: ofn y cyfrifoldeb, ac ofn byw heb Mam. Ac erbyn trannoeth, ddiwrnod yr angladd, roeddwn eto wedi mynd i deimlo'n sych-galed y tu mewn; yn methu crio na chynnal sgwrs â neb.

Cafodd rhywun afael mewn llathenni o ruban du llydan mewn drôr. Cadwai pawb rubanau du a mwrnin cyffelyb rhag ofn! Roedd yr ofn yno'n barhaus, ofn marw a chladdu, yn enwedig claddu mamau ifanc a babanod, oedd yn ddigwyddiad llawer rhy gyffredin. A pha ryfedd a bywyd merched mor ddidostur o galed yno. Gwisgai'r teulu ruban du ar eu llewys, ac roedd gen i ruban du yn hongian wrth fy het, ac am fy nghanol hefyd.

Ond doedd y rhuban du yn menu dim arnaf; teimlwn yn oer a chaled ac roedd lwmp fel carreg yn fy stumog. Roeddwn fel pe bawn wedi marw fy hunan, heb galon na theimlad. Ac roedd geiriau Mam yn dal i bwnio yn fy mhen, 'Brysia Nel, rydw i mewn poen'. A wnes i ddim brysio, mi ddes adre heb help, fel hen fabi gwirion yn ofni'r nos a'r Paith. A Mam yn dibynnu arnaf.

Doedd arna i ddim eisiau mynd i'r angladd chwaith. Cofiwn am Beca fach yn cael ei gollwng lawr i'r twll dwfn; roeddwn yn gallu crio ar ôl Beca. Ond y tro hwn roedd fel pe bai gefel yn gwasgu fy nghalon yn dynn, a minnau'n methu ag anadlu. Mae gen i ryw frith gof am y canu, yr hen emynau a gâi eu canu ymhob angladd, 'O fryniau Caersalem' ac 'Ar lan Iorddonen ddofn'. Roedd Nhad yn cydio'n dynn yn fy llaw, a Dyfrig yn fy llaw arall. A doedd yntau ddim yn crio chwaith; roedd yn crynu drwyddo yn y tywydd crasboeth.

Ar hanner y gwasanaeth a ninnau ar lan y bedd aeth

rhyw gyffro drwy'r gynulleidfa fawr. Roedd mintai ar geffylau'n nesáu. Fel roedd hi'n digwydd dyna'r union ddiwrnod y cyrhaeddodd Michael D. Jones o Gymru i weld drosto'i hun sut le oedd y Wladfa. Roedd Lewis Jones a nifer o rai blaenllaw eraill wedi mynd i'w gyfarfod i Borth Madryn, ac wrth nesu at y Gaiman gwelsant yr angladd yn ymlwybro o'r Capel i'r fynwent, a gofynnodd y gŵr mawr a gâi gymryd rhan yn y gwasanaeth. Digwyddiad o dristwch iddo oedd gweld, ar ddiwrnod cyntaf ei ymweliad, angladd gwraig ifanc. Fe aeth at lan y bedd a gweddïo'n hir ac uchel. Bu cryn siarad ynglŷn â'r amgylchiad am amser maith ar ôl hynny.

Pan ddaeth yr amser i ollwng yr arch i'r bedd caeais fy llygaid yn dynn. Fedrwn i ddim dioddef gweld Mam yn cael ei gollwng i lawr i'r twll du a finnau'n gwybod na welwn i mohoni byth wedyn. Pan agorais fy llygaid roedd Michael D. Jones yn gwasgu fy llaw yn dyner, ac yn parablu rhyw eiriau annealladwy. Roedd y dyn yn annwyl, ac yn gywir, ond doedd e ddim yn nabod Mam. Sut y gallai e ddeall ein gofid ni?

Dydw i'n cofio fawr ddim am yr angladd. A rydw i'n diolch am hynny. Dydw i ddim am gofio. Poenus oedd y daith yn ôl i Lain-las a neb yn yngan gair, 'y Nhad a'r bechgyn yn hollol fud. Cyrraedd y tŷ a rhyw hanner dwsin o gymdogion wedi paratoi gwledd yn y gegin orau. Te parti a Mam wedi marw. Fedrwn i ddim dioddef yr olygfa – y lliain lês gwyn a'r llestri blodeuog. Nid ein pethau ni oedden nhw. Felly i ffwrdd â fi allan at Dic, heb ddweud gair wrth neb. Y ceffyl bach oedd yr unig un oedd yn deall.

Roedd yn aros amdanaf. Neidiais ar ei gefn heb drafferthu am gyfrwy, dim ond rhoi ffrwyn yn ei ben. Clywais Nhad yn galw arnaf i ddod 'nôl, ond yn rhy hwyr. Roeddwn yn carlamu tua'r unigeddau a'r rhubanau mwrnin yn hedfan yn y gwynt. Ymlaen ac ymlaen nes cyrraedd y garreg lefn. Yna safodd Dic yn bwt. Roeddwn bob amser yn cymryd hoe ar y garreg lefn, ac fe wyddai Dic hynny o'r gorau. Eisteddais ar y garreg, a theimlo'n rhan o'r unigeddau. Rhwbiodd Dic ei drwyn oer yn f'ysgwydd, a rywsut fe aeth agosatrwydd a chydymdeimlad y creadur bach direswm yn ddyfnach na chydymdeimlad pobl bwysig fel y Parchedig Michael D. Jones.

Roedd yr unigeddau a'r distawrwydd llethol yn fy meddalu, yn fy helpu i ymollwng. Torrodd yr argae a dyma fi'n crio a chrio, nes i'r dagrau oedd wedi crynhoi ers deuddydd lifo, yn igian crio nes i mi anghofio popeth am amser a dyletswydd.

Yn sydyn clywais sŵn carnau'n dynesu. William oedd yno. Eisteddodd yntau hefyd ar y garreg lefn, a'i fraich amdanaf. A dyma ni'n crio ein dau heb sibrwd gair. Eistedd yn llonydd nes i'r nos gau amdanon ni.

Erbyn cyrraedd Llain-las roedd y cymdogion wedi ymadael, ac roedd tawelwch dros bob man, tawelwch annaturiol. Tawelwch yn llawn o hiraeth.

Es yn syth i'r gwely, heb ddweud 'Nos da' wrth neb. Roedd blinder yn fy llethu, a chysgais tan y bore yn ddideimlad a difreuddwyd.

Pennod 11

Wyddyn i ddim beth oedd unigrwydd tan i Mam farw. Roedd hiraeth yn fy llethu ar brydiau, a byddwn yn anghofio am waith a dyletswydd, ac yn eistedd i gofio a chrio. Roedd digon o waith yn fy nisgwyl, gormod yn wir, a minnau mor ddibrofiad a thrwsgl ynglŷn â'r rhan fwyaf o'm dyletswyddau.

Ond yr unigrwydd oedd yn fy llethu'n lân; mae unigrwydd yr aelwyd yn wahanol iawn i unigrwydd y Paith. A'r rhan fwyaf o'r amser dim ond fi oedd gartre – y fi a'r creaduriaid.

Roedd Dyfrig yn yr ysgol, ac wrth ei fodd yno, a Nhad a'r bechgyn allan ar y fferm, yn ceisio dofi'r Paith, drwy'r dydd, bob dydd. Byddent yn mynd allan yn y bore bach a'u tocyn bwyd gyda nhw, a welwn i mohonyn nhw wedyn tan fachlud haul. Weithiau byddwn yn perswadio Dyfrig i aros gartre, dim ond er mwyn i mi gael cwmni, a byddai'r unigrwydd a'r hiraeth yn lliniaru rhyw gymaint.

Deuai'r Indiaid i lawr i'r dyffryn, ar dro, yn un fintai gref, ac ni fyddai ddim yn ddiogel pan fydden nhw o gwmpas. Roedd eu safonau moesol yn wahanol iawn i safonau'r Cymry. Iddyn nhw, nid lladrad oedd cymryd iâr neu ddafad, ond cymryd eu heiddo. Onid y nhw oedd meistri a pherchenogion holl anifeiliaid y Paith, a hynny ymhell cyn i'r dyn gwyn ddod yn agos i'r lle? Ac felly onid y nhw oedd yn berchen ar bob dim a welent ar hyd y dyffryn? Y dyn gwyn oedd wedi lladrata eu tir nhw a saethu eu creaduriaid a hynny weithiau er mwyn tipyn o hwyl! Mi fyddai'r Indiaid beunydd a byth yn cyflawni gweithredoedd o'r fath.

Serch hynny, roedd Nhad yn amheus iawn ohonyn nhw, ac yn fy siarsio i gadw draw oddi wrthyn nhw.

'Cofia, Nel fach, paid ag agor y drws iddyn nhw, a phaid
â siarad â nhw. Dod i gardota maen nhw, ac os na chân nhw
gardod, mi fyddan nhw'n siŵr o ladrata rhywbeth.'

Ond un diwrnod ryw fis ar ôl i Mam farw, dyma weld
cymylau o lwch yn esgyn i'r awyr. Roedd yr Indiaid yn
dynesu. Drwy drugaredd roedd Dyfrig gartre y diwrnod
hwnnw, a rhedodd i gael gafael yn Gladstone a'i lusgo i'r
tŷ, rhag i'r Indiaid ei ladrata.

Roedd y llwyth i gyd ar daith a'r hen bennaeth, Gallech,
yn eu harwain. Edrychent yn urddasol a balch ar gefn eu
ceffylau, a phawb wedi eu haddurno â phlu estrys ac yn
gwisgo *poncho* neu *tziripa*. Erbyn hyn roedd Dyfrig a minnau
wedi bolltio'r drws ac yn gwylio drwy'r ffenestr – y ddau
ohonom prin yn anadlu, yn y gobaith y byddai'r Indiaid yn
mynd i ffwrdd gan gredu nad oedd neb o gwmpas.

Ond doedd Gladstone ddim yn deall, a dyma fe'n cyfarth
yn stwrllyd, a dyma hwythau, yr holl lwyth, yn bloeddio:

'Poco bara, poco bara.'

Roedd yr holl ddyffryn yn atsain gan y bloeddio a'r
sgrechian. Fel y soniais eisoes arferai Mam roi bara iddyn
nhw bob tro y galwent heibio, ac mi fyddent hwythau'n
rhoi anrhegion yn lle'r bara. Rhoddent geffyl am ddwy
dorth fawr. Dyna sut y daeth y Cymry i feddu ar gymaint o
geffylau chwim.

Dal i weiddi wnâi Gallech a'i deulu; daeth rhai o'r plant
at y tŷ a chnocio'n ddigywilydd gan roi ambell i gic i'r drws
hyd yn oed. Roedd Gladstone yn wallgo wyllt erbyn hynny
a Dyfrig yn crio'n afreolus. Gymaint oedd yr halibalŵ, o'r
tu mewn a'r tu allan, fel y bu'n rhaid i mi agor y drws i
weld llond y buarth o Indiaid lliwgar pluog, yn gweiddi
'Poco bara' nerth eu pennau.

Doedd gen i'r un dorth yn y lle, ond roedd y toes yn
codi'n barod i'w dorthi a'i bobi. Dim ond un crystyn bach
sych oedd gen i, a dyma fi'n dangos hwnnw iddyn nhw. Yn
lle distewi a chymryd y crystyn yn dawel, dyma nhw'n
dechrau crochlefain, 'Maman, Maman, Maman'.

'Mae Maman wedi marw,' meddwn yn eu hiaith nhw.

Distawodd y gweiddi, aeth pawb yn fud, yn hollol fud. Disgynnodd y fintai gyfan oddi ar eu ceffylau, yn ddynion, gwragedd a phlant, a cherdded 'mlaen yn araf tuag ata i, gan blygu eu pennau'n ddefosiynol. Yn rhyfedd doedd arna i ddim ofn o gwbl wedi hynny. Yna, dyma nhw'n dechrau cadw sŵn eto, ond y tro yma sŵn dolefus tebyg i ochneidio dwfn. Deellais mai galaru roedden nhw ar ôl Mam, yn eu ffordd gyntefig eu hunain.

Wedi'r cwyno a'r griddfan dyma nhw'n gafael yn eu cyllyll, a thorri'u cnawd nes eu bod nhw'n gwaedu, yna cymysgu'r gwaed â llwch o'r llawr a rhwbio'r cyfan yn eu cyrff a'u hwynebau. Rhwng y paent, y gwaed, y llwch a'r plu roedd golwg erchyll arnynt. Ac roedd eu hofn ar Dyfrig, ond teimlwn i ryw falchder cyfrin fod y bobl baganaidd hyn yn cydymdeimlo mor ddidwyll â ni, a'u bod hwythau hefyd yn gweld eisiau Mam ac yn hiraethu amdani.

Ar ôl y galaru daeth y pennaeth ei hunan ymlaen ataf a gafael yn dirion yn fy llaw, ac meddai'n dawel (a dyna lwc fy mod yn deall ei iaith):

'Y fechan, bydd holl lwyth y Tuhuelche yn barod i dy helpu di bob amser. A byddaf i, Gallech, yn ffrind annwyl i ti, tra bydda i byw.'

Ar hyn, mi dynnodd ei *boncho* oddi ar ei war, a'i wisgo amdanaf 'fel arwydd o gyfeillgarwch bythol'.

Cefais fy synnu gymaint gan y weithred hon, a'r anrheg annisgwyl nes i mi fethu ag yngan gair, i ddiolch iddo, hyd yn oed. Yna heb air pellach dyma nhw'n marchogaeth eu ceffylau eto, ac i ffwrdd â nhw ar garlam, yn ôl i unigeddau'r Paith, y llwch yn codi'n gymylau, a'r pennaeth heb ei *boncho*.

Doedd dim llawer o hwyl gweithio arnaf ar ôl cynnwrf y bore, ond roedd yn rhaid ailgydio yng ngorchwylion y dydd. Byddai'n rhaid cael y bara allan o'r ffwrn cyn nos, a rhaid oedd paratoi swper i Nhad a'm brodyr erbyn yr hwyr. Byddai coginio swper yn hawdd ar ddiwrnod pobi, dim ond rhoi'r cig a'r tatws a'r pwdin reis i fud bobi yn y ffwrn ar ôl crasu'r bara.

Ar ôl i Mam farw gorfu i mi ddysgu godro'r gwartheg i gyd hefyd, saith ohonyn nhw, ac roedd hynny'n cymryd oriau o'm hamser. Anaml iawn y byddai dynion y Wladfa yn godro, yn bwydo'r moch a'r lloi, nac yn tendio yr un anifail heblaw'r ceffylau. Gwaith y gwragedd oedd hynny, ond fe fyddai William yn rhoi help llaw os byddwn yn dal ati pan ddeuai adre o'r tir. Brawd caredig oedd William, ac ni fyddai byth yn gyndyn o'm helpu o gwmpas y tŷ.

Ar y diwrnod arbennig hwn, roeddwn wedi gorffen y cyfan cyn i'r dynion dod adre, ac yn ysu i ddweud y stori wrthyn nhw. Roedd Dyfrig wedi bod yn gwisgo'r *poncho* drwy'r prynhawn, gan roi plu ieir o gwmpas ei ben 'run fath â'r Indiaid, a marchogaeth ei geffyl, King. Carlamai'n wyllt o gwmpas y fferm, y *poncho* yn hofran yn y gwynt, gan weiddi 'Poco bara, poco bara'.

Pan ddaeth y dynion adre, dyma Dyfrig a minnau'n adrodd yn gynhyrfus stori'r Indiaid, y gweiddi, y galaru a derbyn y *poncho*.

'Fydd y Pennaeth byth yn diosg ei *boncho*, heb sôn am ei roi'n anrheg i blentyn – peidiwch â gwamalu.'

Dyna'r ymateb yr oeddwn wedi ei ddisgwyl. Felly, i ffwrdd â fi i wisgo'r *poncho* a cheisio cerdded yn urddasol o'u blaenau. Roedd yn llusgo'r llawr, gan mai un fechan oeddwn i, ac roedd Gallech dros ei chwe throedfedd.

Roedd Nhad yn fud, ond gorfu iddo'n credu, gan na fedrai neb amau tystiolaeth y *poncho*.

'Fydd dim angen i ti ofni'r Indiaid byth mwy, Nel, rwyt ti wedi cael braint.'

A gwir oedd y gair, yr oedd hi'n fraint. Ac rydw innau'n dal i wisgo'r *poncho*.

Ellen Davies (Nel Fach y Bwcs), merch Llain-las,
ar ddydd ei phriodas, yn 32 oed.

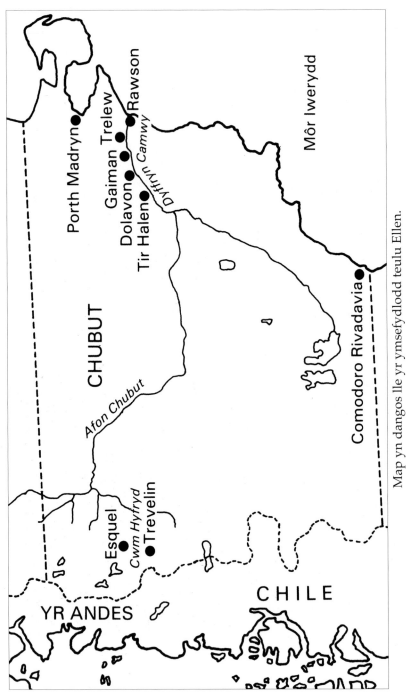

Map yn dangos lle yr ymsefydlodd teulu Ellen.

Tir anial y Paith – fel y mae yn 2007, heb newid dim!

Afon Camwy.
Doedd hi ddim bob amser mor heddychlon â hyn!

Llain-las, cartref Ellen a'i theulu ger y Gaiman, fel y mae yn 2007. Mae gwaelod y muriau'n prysur ddadfeilio oherwydd yr halen yn y ddaear.

Bedd Hannah Davies, mam Ellen, yn y Gaiman.
Er cov am Hannah, priod John Davies, Llain-las,
yr hon a vu varw Ionawr 30 1882.
Mae'r englyn coffa sydd ar y garreg i'w weld ar dudalen 82.

John Davies y Bwcs, tad Ellen.

Ffynnon a ffwrn Llain-las yn 2007 –
y ddwy wedi adfeilio tipyn ers dyddiau Nel yn blentyn.

Dau o drysorau'r teulu –
Jwg Beca fach ac wy estrys wedi'i addurno.

Teulu Llain-las.
Cefn: y tri brawd, William, Dyfrig a John;
Yna: Ellen, John Davies, ei thad, a Sarah, gwraig John;
Yn y blaen: ffrind Ellen.

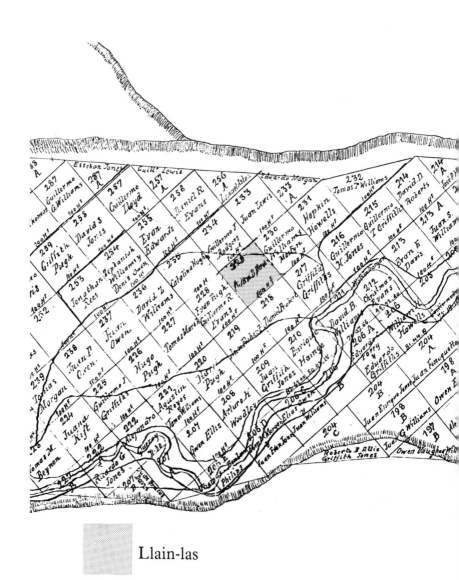

Llain-las

Map yn dangos ffermydd y Wladfa tua 1883.

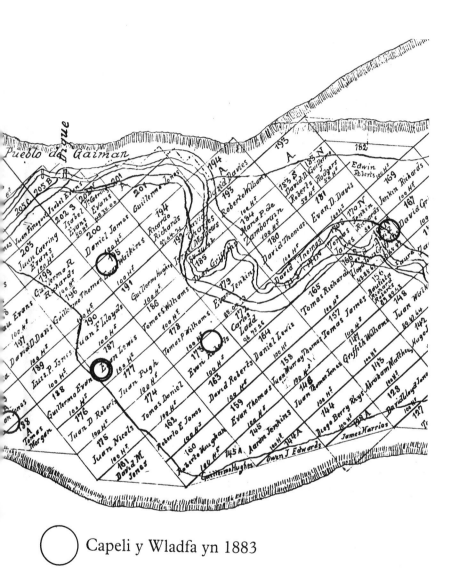

Capeli y Wladfa yn 1883

Ysgol y Gaiman.
Mae'r cylchoedd yn dangos Nel a'i brawd, John.

Capel Bryn-crwn ger y Gaiman.

Yn llawysgrifen Ellen ar y llun mae'n dweud, 'Fy hen Ysgolfeistr, T. J. Pritchard'.

Ar gefn y llun gwreiddiol roedd Ellen wedi ysgrifennu, 'Fy Hen Gyfaill, Jonathan Ceredig Davies'.

Teulu Llain-las yn cychwyn i'r capel ger y Gaiman.
Ellen sydd yn y canol gyda William a John wrth ei hochr, Dyfrig ar y ferlen fach, a John Davies a'i ail wraig, Hannah, yn y gambo.

Pennaeth yr Indiaid o flaen y 'toldo'.

Eluned Morgan, ffrind Ellen,
yn 18 oed (1886).

Ellen wrth ei gwaith.

Un o drysorau pennaf y teulu – Poncho Pennaeth yr Indiaid –
yn cael ei wisgo yma gan William John, mab Ellen a thad Eiry.

Dyfrig, brawd ieuengaf Ellen, yn Colesberg, De Affrica.
Ar gefn y llun gwreiddiol roedd Ellen wedi ysgrifennu, 'Fy anwyl
Frawd wedi cefnu pob rhyw ystormydd'.

Brodyr Ellen, John a William.

Llythyr oddi wrth William o Wynberg ger Cape Town
yn Ne Affrica i'w dad, 10 Medi 1900.

'. . . Nid ydyw yn hawdd iawn cael gwaith yma. Y mae yma
lawer wedi bod am visoedd heb ddim gwaith. Ve wnaeth Davies
vi vyned at yr head Maneger of the C G Railway [gan ddweud] y
byddwn yn sicr o gael gwaith dim ond govyn gan mai Cymro
oedd yr head Maneger . . . Yr wyv yn meddwl llawer amdanoch i
gyd yna ac mi vuasau yn dda gennyv pe gallwn ddod yn ol
yvoru nesav . . .'

Pennod 12

Llusgai bywyd yn ei flaen ac roedd y gofid yn dal i bwyso. Sawl gwaith y clywais gan gymdogion a ffrindiau:

'Dim ond amser sy'n mynd i leddfu'r hiraeth'.

Ond doedd amser na'r un dim arall wedi gwella'r boen, a daliwn innau i holi pam. Pam? Pam? Yn ddiderfyn.

Cofiwn am hen bennill y byddai Mam yn ei fwmian canu o hyd ac o hyd – hyd syrffed; a dyma finnau'n awr yn gwneud yr un peth yn union:

> Hiraeth mawr, a hiraeth creulon
> Sy' bob dydd yn torri 'nghalon,
> Pan fwyf dryma'r nos yn cysgu
> Fe ddaw hiraeth ac a'm deffry.

Cyn ymadael â'r Wladfa, galwodd y Parchedig Michael Jones i'n gweld – dyn annwyl, mwyn a edrychai'n debyg iawn i Moses. Roedd llun o Moses yn hongian ar wal ein cegin orau. Dim ond fi oedd gartre ac fe ddwedodd rywbeth rhyfedd iawn wrthyf:

'Mae gofid yn puro'r enaid, 'ngeneth i; cymer gysur, mae pob gofid yn cilio'.

Pam mae'n rhaid i bregethwyr siarad mor annaturiol ac annealladwy?

Mae'n debyg ei fod yn ceisio fy nghysuro, ond doedd geiriau fel'na ddim yn gysur. Doeddwn i ddim yn eu deall. Gwyddwn beth oedd puro, defnyddiwn halen i buro cig, ond beth oedd ystyr 'puro enaid'? Rywsut roedd ffordd gyntefig yr Indiaid o gydymdeimlo yn fwy didwyll ac yn fwy dealladwy na geiriau'r pregethwr mawr.

Pan ddywedais wrth Nhad am ymweliad Dr Michael Jones, roedd e mor ddiolchgar ac mor falch fod un o wŷr mwyaf Cymru wedi ymweld â'n cartref ni. Ches i ddim esboniad gan Nhad chwaith ar ystyr y geiriau 'puro enaid'. Doedd yntau ddim yn eu deall, gan ei fod yn edrych tua'r llawr. Dyna'i arfer bob tro pan fyddai mewn penbleth, ac yn methu rhoi ateb.

Dysgais yn gyflym sut i gadw tŷ a gwneud gwaith y fferm. Roedd gennym gymdogion penigamp a fyddai'r un ohonyn nhw'n dod yn waglaw i'n gweld. Fyddwn i byth wedi gallu ymdopi oni bai am gymdogion a ffrindiau.

Caem ymwelwyr eraill hefyd. Am fy mod wedi gorfod gadael yr ysgol mor ifanc, byddai fy hen athro T. G. Pritchard yn galw'n rheolaidd i roi gwersi i mi. Ac iddo ef – ac i R. J. Berwyn wrth gwrs – y mae fy niolch pennaf am yr ychydig addysg a gefais. Roedd yn ŵr diwylliedig iawn, a chefais aml i wers ganddo 'am gopïo gweithiau pobl eraill yn lle meddwl drosof fy hun'.

Ac felly o ddydd i ddydd, o wythnos i wythnos llusgodd yr amser, a minnau yn dal i ddysgu, er yn methu'n aml. Ysgol ddrud ydy ysgol profiad.

Byddai Nhad, chwarae teg iddo, yn fy nghanmol yn gyson er gwaetha'r ffaith fod y bara, ar dro, yn fflat fel pancwsen, a'r hufen yn gwrthod troi'n ymenyn.

'Does neb tebyg i ti, Nel fach, dal ati, a fe gei di fynd am dro i'r Hen Wlad, 'mhen rhyw flwyddyn neu ddwy. Ac fe gei di ddysgu canu'r piano hefyd.'

Roedd geiriau Nhad yn eli i'r galon, ac mi fyddwn yn dyheu a breuddwydio am y profiad hwnnw. Onid oedd popeth yn berffaith yn yr Hen Wlad, a phawb yn wyn eu byd? Doedd dim sychder yno, dim Paith, dim ond gwyrddlesni a thir ffrwythlon ac roedd pawb yn gwisgo am y crandia, a phawb yn siarad Cymraeg.

Ond fe aeth 'blwyddyn neu ddwy' Nhad yn bum mlynedd a chwe blynedd, a'r gobaith am fynd i Gymru'n pellhau. Ac er bod yr hiraeth am Mam yn dal i gnoi, ymhen rhai blynyddoedd roeddwn wedi dygymod â byw hebddi. Ydy, *mae* amser yn lleddfu hiraeth.

Ychydig iawn o help a gawn gan y dynion. Gwaith

israddol oedd gwaith tŷ, gwaith i wragedd, a doedd gwŷr y Wladfa ddim yn credu mewn rhoi help llaw yn y gegin, oni bai y byddai gwirioneddol raid. Roedd hyd yn oed Dyfrig yn dysgu i efelychu'r dynion yn gyflym iawn. Ond cefais, gyda threigl y blynyddoedd, lawer iawn o hwyl gyda merched a bechgyn y dyffryn. Roedden ni'n byw yn y dyffryn uchaf ym Mryn-crwn, a theithiwn innau filltiroedd ar gefn Dic i ymarfer gyda'r côr, i ymweld â ffermydd lle roedd hwyl a chanu fin nos; cadw gwigwyl ar lan afon Camwy, paratoi at yr Eisteddfod, a'r holl weithgareddau oedd ynghlwm wrth y Capel. Roedd Nhad yn dipyn o fardd, ond enillodd e 'rioed anrhydeddau eisteddfodol. Roedd ei ffrind, Glan Caeron, yn ei guro bob tro.

Doedd cariadon ddim yn brin. Yn wir, roedd merched Cymraeg fel aur yn y Wladfa, yn enwedig merched profiadol i gadw tŷ, ac roedd gwragedd gweddwon yn cael croeso mawr. Un tro ymddangosodd hysbyseb ar gân yn *Y Drafod* (papur Cymraeg y Wladfa) – dyn yn hysbysebu am wraig, ond doedd yr awdur ddim yn ddigon dewr i roi ei enw wrthi chwaith.

> Un barchus, hoff o berchyll
> Yn weddol hardd, nid ddwl hyll,
> Un gynnil, hoff o ganu,
> Hynaws, ddoeth, nid dynes ddu;
> Un fedrus, gref i odro,
> O ynni llawn at drin llo,
> Un heini, heb fawr henoed,
> Hogan iawn dan ddeugain oed!

Ac yn wir rhai felly oedd y gwragedd – merched gweithgar, dewr, yn magu teuluoedd mawrion, heb fawr o obaith gwella'u byd.

Roedd amryw o fechgyn yn fy llygadu, ond roedd yn well gen i John na'r un ohonyn nhw, ac roedd yntau'n hoff ohonof innau hefyd. Byddai'n cario anrhegion i mi byth a beunydd – anrhegion cywrain o waith coed wedi eu cerfio'n gelfydd ganddo fe ei hunan. Cefais fodrwy ganddo hefyd, ond ni allwn addo ei briodi, yn un peth roeddwn yn rhy ifanc, ac roeddwn hefyd wedi addo i Nhad na fyddwn i byth yn priodi a gadael y bechgyn ac yntau yn Llain-las, heb neb i edrych ar eu holau.

Un bore, heb unrhyw rybudd, a ninnau ar frecwast, dyma Nhad yn dweud yn hollol ddidaro, a'i geg yn llawn brechdan,

'Rydw i'n bwriadu ymweld â Chymru 'mhen rhyw fis. Rydw i'n credu y dylai Dyfrig orffen ei ysgol yn yr Hen Wlad. Hoffet ti ddod gyda ni, Nel?'

Ces fy syfrdanu am funud. Mynd i Gymru? Cael gweld Mam-gu? Dysgu canu'r piano? Fedrwn i ddim credu fod y fath newid yn bosibl. Gwyddwn ei fod wedi derbyn arian da am ei wenith y flwyddyn honno. Ac er ei fod wedi sôn am fynd ddegau o weithiau, feddyliais i erioed y deuai'r freuddwyd yn ffaith. Dim ond mis i baratoi!

'Pwy sy'n mynd i warchod Llain-las?'

'Mae gan Johnnie gariad. Fe all e a Sarah Jane ofalu am Llain-las. Rhaid iddyn nhw briodi ar unwaith.'

Roedd Nhad wedi penderfynu, ac felly roedd yn rheidrwydd ar bawb ufuddhau. Ond yn ddistaw bach, roedd Johnnie a Sarah Jane yn fwy na pharod i blygu i'r drefn.

Roedd y paratoi yn un rhuthr carlamus. Cefais fenthyg peiriant gwnïo gan wraig Mull Hall a bu Sarah Jane a minnau'n gwnïo ddydd a nos am yn agos i fis: ffrogiau a dillad isa i ni'n dwy, trowsusau, siacedi a chrysau i'r dynion. A rhaid oedd gwneud dwy siwt a phedwar crys i Dyfryg, gan ei fod e'n mynd i Gymru am flwyddyn a mwy.

Ac yna cawsom briodas. Merch amddifad oedd Sarah Jane, a doedd ganddi neb yn perthyn iddi, heblaw am un ewythr. Bu farw ei mam ar ei genedigaeth, a bu ei thad farw pan nad oedd hi ond pedair oed. Cynhaliwyd y wledd briodas yn Llain-las, a rhaid oedd coginio i hanner cant o westeion – rhostio pump oen, cael *asado* yn yr awyr agored a phawb yn llawenhau.

Doedd dim amser i feddwl nac ystyried, ond pan ddaeth yr amser i ymadael am Gymru, cydiodd rhyw ddiflastod hiraethus ynof, ac roedd Dyfrig hefyd yr un mor bendrist. Pwy oedd yn mynd i warchod Gladstone rhag yr Indiaid? Pwy a ofalai am Dic? Pwy a roddai flodau ar fedd Mam?

Ond roedd Cymru'n galw a bant â ni. Hwylio ar y llong fach o Borth Madryn, ac ugeiniau o ffrindiau yno i ddymuno'n dda i ni. Roedd John yno, a chefais gusan swil ganddo, wedi i Nhad droi'i gefn. Roedd Eluned Morgan yn teithio yr un pryd, a mawr oedd y cynnwrf, dagrau'n gymysg â chwerthin, hwyl yn gymysg â hiraeth.

Cyrraedd Buenos Aires ymhen yr wythnos, aros yn y ddinas fawr am wythnos arall a chael agoriad llygad. Roedd y ffyrdd yn llawn cerbydau a cheffylau, yr adeiladau'n enfawr, a phlant bach troednoeth, carpiog yn begera am fwyd a phres. Roedd yn gas gen i'r lle, a fedrwn i ddim dianc yn ddigon buan.

Hwylio eto ar long fawr gan obeithio cyrraedd Prydain ymhen rhyw naw wythnos. Dyna'r tro cyntaf i mi weld llong mor hardd, a'r gwynt yn llenwi'i hwyliau. Ond ar ôl wythnos dawel ddigynnwrf, a phawb yn mwynhau, gwnaeth y Capten ddatganiad pwysig un bore. Roedd twymyn wedi torri allan ar fwrdd y llong, ac roedd pawb i gadw draw wrth y cleifion ac aros ar y dec uchaf.

Ond doedd Eluned Morgan ddim yn barod i ufuddhau i'w orchymyn a dyma hi'n casglu rhyw hanner dwsin o ferched ifainc at ei gilydd, tair ohonom yn Gymry, a gofyn a fydden ni'n barod i'w helpu i weini ar y cleifion gan nad oedd doctor na nyrs ar y bwrdd.

'Gwrandewch,' meddai, 'rydw i am i chi ddeall eich bod yn mentro eich bywydau, ond os na wnaiff rhywun fentro fydd 'na neb ar ôl i gyrraedd pen y daith.'

Yr unig gof sydd gen i am y fordaith erchyll honno ydy cwynfan y cleifion, y budreddi, prinder dŵr glân, diffyg moddion, y nosweithiau di-gwsg, a'r gwasanaethau angladdol bob bore, wrth daflu cyrff y meirwon i'r môr.

Erbyn hynny roeddwn yn rhy flinedig i sefyll ar fy nhraed, ac yn y gwely y treuliais y diwrnodau olaf cyn glanio. Oni bai am Eluned Morgan a'i gwaith diflino yn gweini ar y cleifion, a'i gallu i drefnu'r gweddill ohonom, gan gynnwys y Capten, byddai llawer rhagor wedi marw. Roedd hi'n ferch ymroddedig, ac yn arweinydd naturiol.

Dyma ni'n cyrraedd Lerpwl ar las y bore a synnu gweld cannoedd ar gannoedd o longau yn yr harbwr. Roedd y sŵn a'r gweiddi'n fyddarol, a Dyfrig a minnau'n gwrando mewn rhyfeddod, heb ddeall yr un gair o'u hiaith.

Pennod 13

Cymru! O'r diwedd! Ar ôl taith hir a blinderus, fe gyrhaeddon ni Felindre yn Nyffryn Teifi. Er ein bod yn siarad yr un iaith, teimlwn yn wahanol, yn ddieithr ac yn swil. Teimlai Dyfrig hynny'n waeth na finnau, ac roedd y ddau ohonom yn gweld eisiau ein ceffylau'n fawr. Yn y Wladfa rhoddai'r ceffylai i ni annibyniaeth a rhyddid. Roedden nhw'n gyfrwng i'n cludo i dawelwch yr unigeddau, ymhell oddi wrth y byd a'i bethau. Ond yng Nghymru roedd pobl ym mhobman – gormod o bobl; a'r rheini i gyd yn eich holi a'ch stilio, ac eisiau gwybod eich busnes. Pam? Pwy? Sut? Ble? yn ddiddiwedd. Roeddwn i'n blino ar eu holi busneslyd ac yn dyheu am ddianc i ryw lecyn tawel ar fy mhen fy hun.

'Elen,' meddai Nhad yn chwyrn – a phan alwai 'Elen' arnaf gwyddwn fod yn rhaid i mi wrando.

'Elen, rhaid i ti fod yn fwy serchog, a dangos dy fod yn gwerthfawrogi'r holl garedigrwydd rydyn ni'n ei dderbyn. Rho wên ar dy wyneb weithiau.'

Y gwir oedd fy mod i ar ôl yr holl ddyheu am Gymru, yn teimlo'n dra siomedig, ac roedd hiraeth llethol arnaf am Batagonia, am Lain-las, a'r hen ffordd syml o fyw.

Ond roedd un ddyletswydd bwysig yn f'aros. Roedd yn rhaid i mi weld Mam-gu. Doedd dim syniad gen i ym mhle roedd Penrhiw-pâl. Roedd pobman mor bell oddi wrth ei gilydd yng Nghymru. Taith ddwyawr yn y Wladfa a byddwn wedi teithio o un pen i'r dyffryn i'r llall, a phawb yn nabod pawb. Ond doedd neb yn Felindre yn nabod Mam-gu.

Fodd bynnag, un diwrnod cefais fenthyg merlen, ac i ffwrdd â fi. Doedd Penrhiw-pâl ddim mor bell wedi'r cyfan, ac fe ddes o hyd i Laindelyn, cartre Mam-gu, heb unrhyw drafferth. Bwthyn bach isel gwyngalchog oedd Llaindelyn, a'i ddrws ar agor led y pen. Clymais y ferlen wrth yr iet a chnocio'n ofnus ar y drws. Dyma wraig fechan mewn ffedog fras yn dod i'r golwg gan edrych yn syn arnaf am rai eiliadau, cyn mentro'n ara' tuag ata i, a sibrwd 'Hannah'. Cydiodd yn dynn amdana i gan wylo'n dost.

'Mam-gu annwyl,' meddwn innau, 'Nel ydw i, merch Hannah, wedi dod yr holl ffordd o Batagonia i'ch gweld chi.'

Daeth ati ei hun ymhen tipyn, a dyna ddechrau sgwrsio rhwng dagrau a chwerthin, rhannu profiadau, rhoi hanes y teulu, a galaru ar ôl Mam.

Doedd Mam-gu ddim yn gallu darllen nac ysgrifennu, ac ni chawson erioed lythyr ganddi yn ei llawysgrifen ei hunan, dim ond ar dro trwy law cymydog. Theimlais i erioed unrhyw agosatrwydd ati tan y funud honno; mae'n anodd teimlo'n agos at rywun a chithau'n byw saith mil o filltiroedd i ffwrdd, a heb ei gweld erioed. Ond daeth rhyw gynhesrwydd drosof o'i chyfarfod, a theimlwn o'r diwedd fod gennyf wreiddiau yng Nghymru.

Ac o hynny ymlaen, gwelais Gymru o'r newydd. O berthyn i Mam-gu roeddwn bellach yn perthyn i Gymru hefyd. Ac yn Llaindelyn gyda Mam-gu y treuliais y rhan fwyaf o'r amser wedyn. Roeddwn wrth fy modd yn ei chwmni a deuai Dyfrig atom yn aml, aml. Erbyn hynny roedd wedi cychwyn yn Ysgol Ramadeg Castellnewydd Emlyn, ac yn casáu pob munud o'i amser yno. Saesneg oedd y prif bwnc, a dysgid pob pwnc arall drwy gyfrwng y Saesneg. A doedd Dyfrig druan ddim yn siarad nac yn deall mwy na rhyw hanner dwsin o eiriau Saesneg i gyd.

Un diwrnod daeth Nhad drosodd i Laindelyn i dorri'r newydd ei fod yn bwriadu mynd i'r 'ffynhonnau' i brofi'r dŵr. Doedd gen i ddim syniad am beth yr oedd yn sôn.

'Mynd i Lanwrtyd, Nel – rwyt tithe'n dod hefyd. Mi wnaiff les i ti.'

'Lles i beth?' meddwn i'n bwdlyd.

'Fe gei di gwrdd â gwŷr a gwragedd bonheddig yno, a dysgu sut i fihafio.'

Ar ôl nabod Mam-gu doedd gen i ddim awydd cwrdd â 'gwŷr a gwragedd bonheddig'.

'Ga i ddysgu canu'r piano yno?'

Roedd hynny fel tiwn gron gen i, ac atgoffwn Nhad o'i addewid bob cyfle a gawn.

'Fe gawn weld, ond rydw i'n golygu prynu organ i fynd 'nôl i William, ac fe gei di ddysgu ar honno. Rydw i'n addo i ti.'

Felly mynd oedd raid, a bodloni i'r drefn.

Roedd Llanwrtyd yn lle crand iawn, yn llawn o dai crand, a merched crandiach fyth. Teimlwn yn ddistadl a hen-ffasiwn iawn yn eu canol, yn fy nillad plaen o'm gwneuthuriad fy hun.

Yn nhŷ John Thomas y cerddor a'r cyfansoddwr enwog yr oeddem yn lletya. Roedd y lle'n llawn o ymwelwyr, a bob nos byddai yno ganu a hel straeon tan berfeddion nos, a John Thomas wrth ei fodd yn arwain y canu. Roedd yno hwyl bob nos ar ôl swper. Ond doeddwn i ddim yn hoffi cerdded o gwmpas yn ddiamcan yn ystod y dydd a 'phrofi'r dŵr' oedd yn arogli fel ŵy clwc.

Yn ffodus iawn cefais waith gan Mrs Thomas i weini wrth y byrddau, a chael fy nhalu yn y fargen – hanner coron yr wythnos. Arian da iawn, digon i fi fyw'n annibynnol, a chyfle rhagorol i ddysgu tipyn o Saesneg yr un pryd. Fedrwn i ddim llai na sylwi fod rhai gwragedd a fedrai siarad Cymraeg yn rhugl, yn dewis siarad Saesneg â'i gilydd.

Roedd fy niffyg gwybodaeth o'r iaith Saesneg yn broblem ar brydiau. Cofiaf am un digwyddiad yn arbennig. Roedd gŵr a gwraig fonheddig, bonheddig dros ben, o Lundain yn digwydd bwyta ar fwrdd a oedd dan fy ngofal i. Roedd y wraig yn fy nghyhuddo o ryw gamwedd, ond wyddwn i ddim beth, am nad oeddwn i'n deall yr un gair a ddywedai.

'Sori, madam, sori, madam,' meddwn drosodd a throsodd. Wyddwn i ddim am beth roeddwn i'n sori, ond teimlwn ei bod yn rhaid i mi ddweud rhywbeth.

'James,' meddai wrth ei gŵr, 'this girl does not understand English.'

'Girl, can't you speak English?' meddai'n sarhaus.

Fe ddeellais gymaint â hynny, a doeddwn i ddim yn hoffi ei agwedd.

Ffromais.

'No,' meddwn innau wedi fy nghynhyrfu erbyn hyn, 'but I speak Welsh, Spanish and Tuhuelche, ac mae'n gas gen i Saeson ffroenuchel, na allant siarad dim ond eu hiaith eu hunain.' Wnaethon nhw ddim fy neall, dim peryg, ond fe sylweddolon, rwy'n tybio, fod gen innau fy hunan-barch hefyd.

Ond fe glywodd Mrs Thomas fi.

'Gwranda, Elen fach,' meddai, gan hanner gwenu, 'fel'na rydw inne'n teimlo hefyd, ond mae'n dda wrth eu harian nhw, a rhaid dioddef rhyw gymaint weithiau, er mwyn y busnes.'

Ar ôl hynny cefais godiad yn fy nghyflog! Gwraig annwyl oedd Mrs Thomas ac yn byrlymu o hiwmor.

Fy mhrif bryder bryd hynny oedd fy nhad. Parai ofid tost i mi drwy gadw cwmni i un ferch arbennig drwy'r dydd a phob dydd. Sarah Hannah oedd ei henw ac roedd hynny hyd yn oed yn fy mrifo hefyd gan mai Hannah oedd enw Mam. Un diwrnod fe'u gwelais yn cerdded law yn llaw, yn chwerthin ac yn edrych i lygaid ei gilydd. Cynhyrfais drwof, nes i mi eu cyhuddo o ymddwyn fel plant. Ac meddai hithau'n hollol hunanfeddiannol:

'Mae'ch tad a fi'n deall ein gilydd, ac rydw i'n eich cynghori i fod yn ddistaw a pheidio â busnesa.'

Y fi'n busnesa! Y fi oedd wedi edrych ar ei ôl ers dros wyth mlynedd. Y faeden ddigywilydd!

'Nhad, oes gennych chi ddim i'w ddweud?' Ond edrych

tua'r llawr wnâi hwnnw. Gwyddwn y funud honno fod yna ryw ddrwg yn y caws ac roeddwn yn iawn wrth gwrs.

Drannoeth aeth y ddau i ffwrdd i rywle. Gwrthodais siarad gair â Nhad cyn iddyn nhw fynd. A phan glywais ef yn ei galw wrth yr enw 'Hannah', dyna ddarfod am unrhyw obaith cymod rhyngom. Roedd yn amlwg ei fod wedi colli'i ben yn lân, a doedd neb ond Hannah yn cyfri dim yn ei fywyd, er ei fod yntau'n hen ddyn 'mhell dros ei hanner cant. Ches i ddim dimai ganddo cyn ymadael, ond drwy lwc roedd gennyf waith, ac am y tro cyntaf erioed teimlais yn annibynnol, ac yn feistres ar fy mywyd fy hun.

Daethai hi'n fis Awst, roedd gen i addewid gwaith tan ddiwedd Medi. Ond cyn i'r gwaith ddod i ben derbyniais llythyr tyngedfennol. Roedd Nhad a'i fenyw yn bwriadu priodi. Ac roedd gwahoddiad i mi i'r briodas! Wyddwn i ddim beth i'w ddweud, nac i'w wneud, ond roeddwn yn hollol bendant nad awn i'n agos at y lle. Ym Mhenmorfa, Sir Aberteifi, oedd y briodas. Doedd gen i ddim syniad ym mhle roedd y lle, a doedd gen i ddim awydd gwybod chwaith.

Roeddwn wedi fy siomi, ac yn teimlo'n swp sâl. Ceisiodd Mrs Thomas fy nghysuro a'm perswadio i fynd, ond wnes i ddim hyd yn oed ateb y llythyr. Fedrwn i ddim meddwl am ddynes arall yn cymryd lle Mam. A beth a ddigwyddai i ni fel teulu? Oedd Nhad a'i wraig yn bwriadu mynd 'nôl i'r Wladfa? Oeddwn i'n barod i rannu Llain-las â'r ddynes haerllug yna? Penderfynais o'r cychwyn cyntaf na fedrwn i byth mo'i derbyn na'i dioddef.

Ymhen rhyw wythnos arall, daeth ail lythyr yn dweud y byddem i gyd yn troi 'nôl am Batagonia ddechrau Tachwedd. I gyd? Roedd yn amlwg ei fod yn byw bywyd bach clòs, hunanol – bywyd a oedd yn cynnwys neb ond y fe a'i wraig ddel, ffasiynol. A rhaid i mi gyfaddef, roeddwn i'n cael cryn bleser o'i dychmygu hi, doli ben seld, yn ymdopi â bywyd llwm y Wladfa, a theimlwn yn go siŵr bod Nhad wedi bod yn rhaffu celwyddau wrthi. Dim ond un peth oedd i'w wneud, sef talu ymweliad â Mam-gu. Felly ffwrdd â fi ar y trên am Gastellnewydd Emlyn; cyfarfod Dyfrig yno a cherdded ein dau i fyny i Benrhiwpâl, taith o ryw bedair milltir.

Roedd Dyfrig wedi bod yn y briodas, a'i unig adwaith ef i'r halibalŵ i gyd oedd: 'Mae'n edrych yn fenyw ddigon neis.'

Neis? Fedrwn i ddim credu fy nghlustiau.

A Mam-gu wedyn, fe synnais ati hi:

'Nel fach, paid â chynhyrfu fel'na. Mae angen dynes ar ddyn fel dy dad. A rhaid i ti beidio â'i chymharu â dy fam. Ddaw neb fyth yn agos at dy fam.'

Roedd pawb yn f'erbyn.

'Af i ddim nôl i Batagonia ragor – does gen i ddim cartre mwyach. Does dim lle i ddwy ddynes yn Llain-las.'

'Rydw i'n mynd nôl beth bynnag,' meddai Dyfrig. 'Rydw i wedi cael hen ddigon ar Gymru, a llond bol ar y carchar mae'n nhw'n ei alw'n ysgol. Pobl yn byw ar bennau'i gilydd, ac os nad ydych chi'n gallu siarad Saesneg, maen nhw'n credu eich bod chi'n dwp.'

'Ond Dyfrig, roeddet ti wedi addo aros am ddwy flynedd.'

'Rydw i'n mynd 'nôl i'r Wladfa,' meddai'n bendant. 'Patagonia yw 'nghartre i.'

Patagonia oedd fy nghartre innau hefyd. Mam-gu oedd yr unig un a fedrai fy nenu i aros yng Nghymru, ond roedd Mam-gu yn hen, a beth ddeuai ohonof petai'n marw? Na, roedd yn well gen i Batagonia na Chymru. Yno roedd fy nheulu; yno roedd fy ffrindiau, ac yno roedd John hefyd. Ond fyddai Llain-las byth yn gartref i mi mwyach, a gwraig arall yn llywodraethu yno.

Ymhen wythnos daeth Nhad i dŷ Mam-gu. Daeth yn hollol ddirybudd, heb ei wraig. Wnes i mo'i longyfarch na sôn yr un gair amdani HI.

Roedd yn gyfarfyddiad digon annymunol. Myfi'n anghwrtais, ddywedwst, ac yntau'n edrych tua'r llawr.

'Mae'n wraig annwyl iawn, Nel, cred fi.'

'O!' medde fi, a chael gwaith dweud cymaint â hynny.

'Rhaid i ti edrych arni fel ail fam.'

'Dim byth, dim ond un fam all neb ei chael.'

Trois ar fy sodlau a'i adael yn syllu ar ei draed. Roedd wedi mynd erbyn i mi ddod 'nôl i'r tŷ.

Er gwaethaf y trybini i gyd, penderfynais fynd 'nôl i Batagonia. Roedd gen i docyn dwy-ffordd, a'r Wladfa oedd fy ngwir gartre – dyna'r unig le y teimlwn hiraeth amdano. Roeddwn wedi penderfynu hefyd y byddwn yn chwilio am waith. Ond pa waith? Priodi oedd dyletswydd pob merch ym Mhatagonia, ond doeddwn i ddim yn barod i briodi, ddim eto beth bynnag. Doedd dim gwestai a thai bwyta yno i mi gael gweini ar y byrddau. Doeddwn i fawr o gwc chwaith, ond roeddwn yn medru gwnïo'n ddi-fai – onid oeddwn wedi cynllunio a gwneud dillad i mi fy hunan, ac i Nhad a'r bechgyn oddi ar i Mam farw?

Caled oedd ffarwelio â Mam-gu. Bu farw ei gŵr yn ddyn ifanc, bu farw ei hunig blentyn mewn gwlad estron, a Dyfrig a minnau oedd yr unig dylwyth agos a welsai oddi ar i'w merch ymadael am Batagonia ryw chwarter canrif yn ôl. A dyma minnau'n ei gadael yn unig a digysur. Ac roedd gen i hen deimlad annifyr yn cnoi oddi mewn i mi, na welwn i mohoni byth eto. Dyna'r profiad mwyaf chwerw i mi ei wynebu oddi ar ddiwrnod claddu Mam.

Roedd y daith 'nôl i Batagonia yn hollol ddidramgwydd – dim storm, dim twymyn – a'r cwmni ar y cyfan yn ddigon cyfeillgar. Cadwai Nhad a'i wraig yn glòs iawn, a minnau'n cadw'n ddigon pell oddi wrthyn nhw. Roedd Dyfrig yn amlwg wedi ei derbyn, a galwai hi'n Anti Hannah. Gwnâi hithau'n fawr o hynny, gan wybod sut i'm brifo. Penderfynais o'r dechrau ei chadw o hyd braich, ac roedd hynny'n poeni Dyfrig.

'Gwranda, Nel,' meddai, 'rwyt ti'n cosbi dy hunan yn llawer mwy nag wyt ti'n ei chosbi hi. Fedri di ddim dadwneud yr hyn sydd wedi ei wneud. Ystyria a bydd yn gall.'

A minnau'n credu 'mod i'n bihafio y tu hwnt o gall, cefais fy siomi'n enbyd. Roedd Nhad wedi addo cymaint i mi – gwersi ar y piano, dillad newydd o siop, gwersi mewn Saesneg, ac organ i fynd 'nôl i William. Ond doedd ganddo ddim amser nac arian i neb na dim ond iddi hi. Chafodd Mam erioed y fath foethau.

Roeddwn yn falch i lanio a gweld y Paith unwaith eto lle roedd llond y lle o ffrindiau yn ein croesawu ym Mhorth Madryn. Clywn leisiau pawb yn gweiddi croeso, a llais William yn uwch na neb.

'Ddaeth Nhad ag organ i fi?'

'Naddo,' gwaeddais 'nôl, 'ond fe ddaeth â hen ffliwt iddo'i hunan.'

Pennod 14

Edrychwn ymlaen at weld ymateb y wraig newydd i'w chartre ar y Paith. Roedd hi'n ddigon beirniadol o lymder y tir ar y ffordd i fyny at y fferm, ond roedd gwaeth yn ei disgwyl.

Roedd Johnnie a Sarah Jane wedi adeiladu tŷ iddyn nhw eu hunain ar dir Llain-las – tŷ bychan, dros dro yn unig. A diolch am hynny, fyddai dim lle i bawb yn Llain-las, ac roedden nhw'n disgwyl eu plentyn cyntaf ymhen rhyw ddeufis. Roedd Llain-las yn lân ac yn dwt a Sarah Jane wedi paratoi pryd da o fwyd i'n disgwyl. Fe wnaeth HI ymdrech deg i fod yn serchog, ond ar ôl i Nhad ei thywys o gwmpas y tŷ a'r fferm, holodd mewn llais digon fflat, 'Ble mae'r dre agosa? Bydd yn rhaid i mi fynd i siopa fory am lenni a dodrefn newydd.'

Meddwn innau, ac yn falch o gael dweud:

'Mi fyddwch chi'n lwcus o gael tre yn nes na Buenos Aires, ac mae honno fil o filltiroedd i ffwrdd.'

Edrychai Nhad ar flaen ei 'sgidiau fel arfer ym mhob cyfyngder, ond doedd dim awydd nac amynedd gen i i wrando ar ei chynlluniau uchelgeisiol. Allan â fi i chwilio am Dic, oedd yn gweryru ar y buarth – wedi dod i fyny o waelod y fferm i'm cyfarch. Rwy'n sicr ei fod yn synhwyro fy mod i wedi dod adre. Felly i ffwrdd â fi ar ei gefn, gan garlamu i dorri'r newyddion a rhannu 'ngofidiau â'm cymdogion. At Mrs Jones, Rhymni, yr es yn gyntaf i arllwys fy nghwd fan'no.

'Nel,' meddai'n dawel, 'rwyt ti wedi suro drwyddot. Treia ddeall, Nel fach. Meddylia amdani'n dod o foethusrwydd ei hen gartre i le fel Llain-las?'

'Be sy'n bod ar Lain-las?'

'Fe ddylet ti wybod, Nel, ar ôl bod yng Nghymru.'

'Fe ddyle hithe wybod hefyd nad oes lle iddi yn Llain-las, ein cartre ni.'

'Nel annwyl, ystyria. Ceisia ddeall. Mae byw yn y wlad felltith yma ac ymladd y Paith yn ddigon anodd pan fydd pawb yn garedig a chariadus at ei gilydd. Bydd ofalus, Nel, hi fydd yn dioddef fwya yn y pen draw, nid ti. Rwyt ti'n nabod y Paith; fe all y Paith ei threchu hi ac mae e'n feistr caled.'

'Be wna i, Mrs Jones?' holais, a'r dagrau'n go agos.

'Dos i ddysgu crefft. Wyt ti'n wniadyddes benigamp.'

'Ymhle? Does neb yn y Wladfa all fy nysgu.'

'Nac oes, 'nghariad i, ond rwy'n siŵr y gall Lewis Jones dy helpu, mae e'n nabod pobl fusnes ym Muenos Aires. Fe fydd yn rhaid i ti fynd fan'no i ddysgu'n iawn. A chofia un peth arall, Nel, rhywbeth pwysig iawn – cofia fod eiddigedd ac atgasedd yn effeithio gymaint yn y pen draw ar y naill ochr ag ar y llall.'

Teimlwn fod pawb yn f'erbyn. Oedd 'na rywfaint o fai arna i tybed? Atseiniai geiriau Mam yn fy nghlustiau; geiriau a glywais ganddi lawer gwaith.

'Un benderfynol, styfnig wyt ti, Nel, rhaid iti ddysgu maddau.'

Roedd hi'n iawn, ond haws dweud na gwneud.

'I ffwrdd â mi wedyn at deulu'r Berwyn i ddweud fy nghwyn fan'no, a chael mwy o gydymdeimlad yn enwedig gan y bechgyn a'r merched.

'Sut un ydy hi, Nel?' a chael tipyn o hwyl yn ei dynwared; fel roedd hi'n codi'i bys bach wrth ddal cwpan te, a galw Nhad yn 'cariad bach'. Yno, cytunai pawb y dylwn adael y cartre i ddysgu crefft, a dod 'nôl wedyn i'r Wladfa i fod yn wniadwraig grwydrol. Roedd pawb yn sicrhau y byddai mwy na digon o waith i mi.

Cefais un newydd siomedig iawn y noson honno. Siom ar ben siom. Roeddwn wedi amau fod rhywbeth o'i le pan welais nad oedd John, fy nghariad, ym Mhorth Madryn i'm croesawu'n ôl. Roedd wedi hwylio am Gymru ryw fis ynghynt, ac mae'n debyg fod y ddwy long wedi pasio'i gilydd rywle ar y môr mawr.

Cefais fwy nag un llythyr oddi wrtho tra oeddwn yng Nghymru, ond ni soniodd 'run gair am ei fwriad i ymweld â'r Hen Wlad, dim ond hiraethu am fy ngweld 'nôl ym Mhatagonia. Roedden nhw'n llythyrau cynnes, cariadus. Wrth gwrs mi wyddwn am ei uchelgais i fynd i Gymru i gael addysg, ac os yn bosibl dilyn cwrs mewn coleg, a mynd yn bregethwr. Ond syndod a gofid oedd deall bod ei freuddwydion yn cael eu gwireddu, heb i minnau fod yn rhan ohonynt.

Yn hwyr iawn y noson honno mi ddychwelais yn bendrist i Lain-las lle roedd rhagor o dristwch yn f'aros. Roedd Dyfrig yn eistedd ar garreg y drws, a'i ben rhwng ei ddwylo, yn amlwg mewn poen.

'Dyfrig bach, be sy'n bod? Wyt ti'n sâl?'

'Ydw – yn sâl iawn.'

'Pam nag ei di i'r gwely?'

'Wna i ddim gwella fan'ny. Mae Gladstone wedi mynd.'

'Mynd i ble?'

'Be wn i, mae'n debyg ei fod ar goll ers deufis.'

'Yr Indiaid, yn siŵr iti. Fe ddaeth 'nôl o'r blaen, ac fe ddaw eto.'

'Na ddaw, mae e'n hen gi erbyn hyn, a does ganddo mo'r nerth i ddianc a chrwydro gannoedd o filltiroedd dros y Paith. O, beth ges i 'i adael e?'

'Fe gei di gi arall eto, Dyfrig bach.'

'Dydw i ddim eisiau ci arall. Mi fyddai hynny'n sarhad ar Gladstone.'

Dyfrig druan. Piti na fyddai Nhad yn teimlo'r un teyrngarwch tuag at Mam.

Drannoeth, ben bore, cyn i neb godi, mi gyfrwyais Dic, ac i ffwrdd â fi i Blas Hedd, cartre Lewis Jones. Gelwais ar y ffordd ym mynwent Gaiman, ac yno wrth fedd Mam, arllwysais fy ngofidiau i gyd, fy siom a'm dicter, y cyfan oll yn gymysg â'r hiraeth a'r dagrau. Cefais ryddhad, rhyw dawelwch meddwl anesboniadwy, a theimlwn yn gryfach ac yn fwy hyderus i wynebu'r dyfodol ansicr.

Tŷ pert oedd Plas Hedd, a'r tu mewn yn harddach na'r tu allan. Doedd yr un tŷ i'w gymharu ag ef yn y Wladfa – lloriau marmor, dodrefn cain, a phiano mawr yn y gornel, a'r merched yn gallu ei ganu'n hyfryd. Fe fuont hwythau hefyd yn byw mewn tŷ bach digon cyffredin ar y cychwyn cyntaf, ac yn gwybod beth oedd caledi fel pawb arall. Roedd y tŷ mawr crand yn dipyn o destun siarad, ac yn dipyn o ddirgelwch hefyd. Ond roedd Nhad yn bendant mai cenfigen oedd yn peri i bobl siarad, a'u lwc nhw oedd meddu tŷ fel'na.

Mi gefais groeso mawr yno, a chyfle i ddweud fy neges a'r rheswm dros ymadael â Llain-las. Roedd eu cydymdeimlad yn ddidwyll, ac addawodd Lewis Jones roi pob help imi. Byddai'n mynd i Buenos Aires ymhen y mis, ac roedd yn sirchau y câi le i mi i ddysgu gwnïo yn un o'r siopau mawr yno.

Ni ddywedais 'run gair wrth Nhad. Codais fy mhac o Lain-las, ac fe es i a Dic i fyw at Johnnie a Sarah Jane yn y bwthyn bach to gwellt a chlai. Roedd f'angen arnyn nhw, wedi geni eu merch fach – y berta a welsoch chi 'rioed. Bu magu Gwen o help mawr i mi anghofio John, ac i faddau rhyw gymaint i Nhad. Ceisiais fy ngorau i fod yn gwrtais tuag ati hithau hefyd. O leiaf, dysgais ddal fy nhafod, er bod hynny'n gryn dasg ar brydiau.

Ymhen rhyw dri mis ar ôl dod 'nôl o Gymru, roeddwn ar y ffordd unwaith eto, ar fy mhen fy hun y tro yma, yn anelu am y ddinas fawr. Roedd ofn arnaf. Ofn y dieithrwch a'r unigrwydd a gweddïwn yn barhaus am nerth i wynebu'r anawsterau. Mae gweddi yn gallu bod yn gysur, yn enwedig i rywun mor unig â fi, a bu'n help hefyd i wynebu treialon y flwyddyn enbydus honno ym Muenos Aires.

Roedd amodau gwaith yno'n drychinebus – deg ohonom yn cysgu mewn ystafell fechan dywyll ar lawr uchaf y siop – a thri gwely rhwng deg. Rhannwn wely â dwy arall –

dwy bladres dew oedd yn chwerthin ac yn rhannu cyfrinachau bob nos am oriau. Roeddwn yn gallu siarad Sbaeneg yn eitha da, ond roedd Sbaeneg y rhain mor slic a chyflym fel y cawn waith i'w deall. Roedd fy Sbaeneg i'n wahanol, yn fwy Cymreig ei acen a'i naws.

Doedden ni ddim yn cael tâl am ein gwaith, dim ond ein cadw, a chadw digon rhyfedd oedd e hefyd. Bara a choffi i frecwast, uwd i ginio, tatws a mymryn o gig i swper – yr un fath o ddydd i ddydd yn ddiddiwedd. Roedden ni'n gorfod gweithio saith niwrnod yr wythnos, ond gwrthodais i'n bendant weithio ar y Sul. Bûm bron â chael y sac yn y fan a'r lle, ond gan i mi addo gweithio ddwy awr y dydd yn ychwanegol, cefais bardwn.

Roedden ni'n codi am chwech bob bore, cychwyn gweithio am hanner awr wedi chwech, cael rhyw hanner awr i ginio, gweithio 'mlaen tan chwech y nos neu wyth yn fy achos i, er mwyn cael y Sul yn rhydd. Ac roedd e'n amser blinderus a diflas.

Weithiau ar y Sul byddwn yn mynd at ddrws yr eglwys – heibio i ugeiniau o blant bach carpiog, troednoeth a eisteddai wrth y fynedfa yn begera am geiniog. Ond mynd yno i wrando y tu allan a wnawn; roedd ofn arnaf fynd mewn ar ôl clywed cymaint o ddifrïo ar y Pabyddion drwy'r blynyddoedd.

Yn aml iawn byddwn yn gweithio tan ddeg y nos, yn gweithio dwy awr yn ychwanegol, a chael tâl am wneud. Gwneud rhwyllau botymau oedd fy ngwaith i, a hynny hyd at syrffed, ond dyna'r unig ffordd y medrwn ennill ychydig at fy nghadw. Rhaid oedd cynilo digon hefyd i brynu peiriant gwnïo, neu fedrwn i byth gael gwaith yn y Wladfa.

Cawn lythyrau'n gyson oddi wrth y bechgyn a Sarah Jane, ac weithiau ddarn bach o arian oddi wrth William. Pwt byr heb fawr o hanes a gawn gan Nhad o bryd i'w gilydd, a hwnna'n diweddu bob amser fel hyn:

'Cofia weddïo'n ddi-baid.
Ein cofion atat,
dy dad a'th fodryb Hannah.'

Pan oeddwn yn ysgrifennu'n ôl byddwn yn osgoi ysgrifennu 'fy Modryb Hannah', ac yn cychwyn fel hyn bob amser, 'Annwyl Nhad a'i wraig'.

Ond ches i'r un gair oddi wrth John.

Fe ddaeth y flwyddyn anhapus honno i ben o'r diwedd. Er bod yr amodau gwaith yn druenus o wael, roedd safon y gwaith yn uchel a theimlwn fy mod yn barod i fynd 'nôl adre, i wynebu'r dasg o fod yn deilwres grwydrol.

'Nôl adre, fodd bynnag, roedd tasg anos o lawer yn fy aros: sut i ymdopi â byw yn Llain-las.

Pennod 15

Digon trafferthus fu cyrraedd Porth Madryn yn cario
peiriant gwnïo er nad oedd gen i fawr o ddim byd arall i
ymboeni â nhw. Roedd y rhwyllau botymau wedi talu'r
ffordd. Wrth gynilo pob ceiniog, mi fedrais brynu'r peiriant
– un ail-law, mae'n wir, ond roedd yn gwnïo'n ddi-fai – heb
fynd ar ofyn neb. Roeddwn yn gwbl benderfynol o beidio â
gofyn i Nhad am 'run ddimai goch y delyn. Danfonais air
at Dilys Berwyn i'w hysbysu pryd roeddwn yn debygol o
lanio, ond pan gyrhaeddais roedd Nhad yno hefyd yn
disgwyl amdanaf.

Cyn holi fy hynt hyd yn oed, dywedodd Nhad mewn
llais awdurdodol, 'Rwyt ti'n dod adre i Llain-las'. Edrychai
ym myw fy llygaid, a gwyddwn bod rhaid i mi ufuddhau.

Ar y ffordd adre, dros yr hen lwybr llychlyd, caregog,
oedd ganmil gwell na phalmant y dre, cefais hanes y teulu
ganddo. Johnnie a Sarah yn dal i fyw yn eu bwthyn llwm ac
yn disgwyl plentyn arall. Roedden nhw erbyn hynny'n
annibynnol wedi i Nhad roi rhan o dir Llain-las iddyn nhw.
Roedd William yn dal i grwydro – chwilio am aur oedd ei
antur diweddaraf, ond heb lwyddiant. Ffarmio gartre roedd
Dyfrig, yntau hefyd yn anesmwytho, yn cwyno ar ei fyd, ac
yn dueddol i ddilyn yn llwybrau William. Soniodd e ddim
am ei wraig a wnes innau ddim gofyn.

Roeddwn yn hynod falch o weld Llain-las unwaith eto –
roedd blwyddyn yn amser hir i· fod oddi cartre. Ond fe
gefais ysgytwad – roedd popeth mor ddi-raen ac anniben –
y clos heb ei sgubo, y ffenestri yn drwch o lwch, a baw
moch ac ieir dros bob man. Cefais fwy o sioc pan welais fy
llysfam. Roedd yn edrych yn wirioneddol wael, ei hwyneb
yn welw-felyn, ac mor denau â styllen. Ac yn waeth na'r
cwbl, roedd golwg ddiflas ddigalon arni fel petai wedi cael

digon ar fyw. Golwg ddigalon oedd ar Nhad hefyd ac meddai mewn llais isel:

'Dyw Hannah ddim yn teimlo'n rhyw dda iawn – mae'r gwres yn ei threchu. Rho help llaw iddi, da lodes.'

A dyma dorchi llawes, a mynd ati i glirio'r llanast – mae'n gas gen i annibendod. Bûm wrthi'n clirio, golchi, cwcio, a sgwrio am ddyddiau. Ond roeddwn i'n hollol benderfynol i gychwyn ar fy ngwaith fel gwniadwraig. Roeddwn wedi addo cychwyn ym Mherllan Helyg yr wythnos ganlynol; cychwyn ar fy liwt fy hun a mynnu fy rhyddid.

Roedd Mrs Davies (fedrwn i byth ei galw'n ddim byd arall) yn fwy na pharod i adael y cyfan i mi. Roedd ei nerth wedi pallu'n llwyr, ac roedd yn ddiolchgar am bob help. Druan ohoni.

'Fedri di ddim aros gartre am ryw fis neu ddau nes bod Hannah yn gwella?' meddai Nhad gan edrych ar ei draed.

'Na fedraf, ond fe ddof i adre i fwrw'r Sul, a gwneud tipyn o waith yr adeg honno.'

'Diolch, Nel fach.' Druan ohono yntau hefyd.

Mor wahanol, mor drist o wahanol, i'r ddau gariad a ddaeth i Batagonia flwyddyn a hanner yn ôl. Roedd byw ar y Paith yn llethu ei hysbryd hi, ac yn ei threchu gorff ac enaid. Rhaid i rywun gael ei eni ar y Paith cyn y caiff yr afael drechaf arno – fel arall y Paith yw'r meistr yn y pen draw, yn enwedig ar y gwan o galon.

Yna fe sefydlwyd rhyw fath o batrwm. Byddai Dyfrig yn fy hebrwng i a'r peiriant gwnïo bob bore Llun i wahanol gartrefi yn y dyffryn, a phob Sadwrn byddwn yn ei throi am adre i lanhau, pobi a chorddi. Roedd yn waith caled, ond deliais ati. Roedd Mrs Davies i'w gweld yn gwanhau, ac yn ymollwng i'w salwch. Cynigiai'r cymdogion bob math o gyffur a moddion i geisio'i gwella, ond ni fynnai ddim ohonynt. Gwrthodai fynd i'r capel, gwrthodai ymweld â chymdogion, a gwrthodai wneud dim yn y tŷ, ond yr hyn a oedd raid. Collasai ei balchder, a rhaid i mi ddweud ei bod yn dawel ddiolchgar am fy help.

Daliwn ati i'm sefydlu fy hunan fel gwniadwraig, a'r syndod oedd fy mod yn cael mwy o waith nag y medrwn ei dderbyn.

'Mhen tua chwe mis ar ôl dechrau ar fy ngwaith, a minnau'n gweithio yn ardal Tre Rawson, bellter o Lain-las, daeth neges yn hwyr un noson yn gofyn i mi fynd adre, ond heb ddweud pam. Methais fynd y noson honno, ond cefais fenthyg merlen brynhawn drannoeth, ac i ffwrdd â fi.

Erbyn i mi gyrraedd, fodd bynnag, roedd Mrs Davies wedi marw ac wedi ei chladdu. Ym Mhatagonia cleddir y meirw drannoeth eu marwolaeth.

Fedra i ddim rhagrithio a dweud fod hiraeth arnaf ar ei hôl, ond daeth ton o dosturi drosof. Fe'i cofiwn yn ferch ifanc olygus (doedd hi ond rhyw ddeuddeng mlynedd yn hŷn na fi) a wynebodd wlad newydd yn ffyddiog hyderus, a chael y fath siom. Fe dorrodd ei chalon. Fe'i lladdwyd gan y Paith. Ond i ni sydd wedi ein magu yn y wlad, mae rhyw atyniad anesboniadwy yn perthyn i'r lle – mae rhyw fawredd yn perthyn iddo sy'n eich hudo i'w garu a'i barchu. Gwae'r neb sy'n gwrthod ei barchu.

Yna, yn ôl â mi i fyw i Lain-las, yn feistres yno unwaith eto, gan gario 'mlaen gyda'm gwaith, drwy wnïo mwy o gartre. Dyna pryd y cefais y syniad o wnïo cwilt clytiog gan ddefnyddio darnau o ddillad y gwladfawyr cyntaf. Gan fy mod yn teithio o dŷ i dŷ, o un pen i'r dyffryn i'r llall, hawdd iawn oedd dod o hyd i dameidiau o frethyn, a defnyddiau eraill. Cefais hwyl di-ben-draw yn chwilota a chynllunio.

Ac am y tro cyntaf er claddu Mam, teimlais fod bywyd yn werth ei fyw. Roeddwn yn hapus. Roedd y naw degau yn amser braf yn y Wladfa; poblogaeth y Cymry dros dair mil erbyn hyn, y capeli wedi cynyddu, crefydd yn ffynnu, a digon o gymdeithasu ymysg y bobl ifainc. Roedd y bechgyn yn anturus iawn, a William ymysg y mwyaf anturus. Antur fawr oedd y daith pan aeth mintai o dan arweiniad dyn o'r enw Fontana dros y Paith i gyfeiriad Chile, a darganfod gwlad newydd. Safent ar fynydd, a elwid ganddynt yn Grib Goch, ac meddai un ohonyn nhw, 'Drychwch, fechgyn, dyna gwm hyfryd islaw.' A dyna'i enw byth er hynny – 'Cwm Hyfryd'.

Fûm i erioed yno, gan ei fod yn rhy bell i ffwrdd, bedwar can milltir dros y Paith, ond fe fu William a Dyfrig yno, gan feddwl cymryd tir a setlo yno i ffarmio. Ond roedd y ddau yn ormod o grwydriaid i aros yn unman yn barhaol.

Roedd William yn dal i ganlyn yr eneth o Chile. Masnachwr oedd ei thad a byddai William yn teithio cyn belled â Buenos Aires, dros fil o filltiroedd i ffwrdd i'w chyfarfod. Roedd wedi gwirioni'n lân arni ac ni wnâi neb arall y tro.

Roedd John yn dal i ffwrdd yng Nghymru, a derbyniais un pwt o lythyr oddi wrtho. Ond naw wfft i John, roedd digon o fechgyn ar ôl yn y dyffryn, a'r rhan fwyaf ohonynt yn chwilio am wragedd. Mi gefais fwy nag un cynnig i briodi, ond fe fyddai hynny'n golygu gadael Nhad a Llain-las, a finnau wedi addo unwaith eto i edrych ar ei ôl. A heblaw hynny, doeddwn i ddim yn awyddus i'm clymu fy hunan wrth y tir, a hwnnw'n dir a oedd yn eich hawlio'n gyfan gwbl. Profiad rhy gyffredin o lawer oedd claddu gwragedd ifainc yn y Wladfa. Efallai hefyd nad oedd neb i'w gymharu â John yn fy ngolwg; roeddwn yn dal i feddwl amdano, er i mi wneud fy ngorau i beidio. Ond roeddwn yn ifanc yng nghanol cymdeithas ifanc ac yn mwynhau bywyd i'r eithaf; yn mwynhau fy rhyddid; yn symud fy mhac o dŷ i dŷ, a chael modd i fyw yng nghanol cyfeillion; yn cynllunio a gwnïo dillad ar gyfer priodasau, a chael gwahoddiad i bob priodas.

Yna'n hollol ddirybudd daeth John adre – yn weinidog yr efengyl, ac yn barod i gymryd gofal eglwys. Ond nid yr un John oedd e – doeddwn i ddim yn ei adnabod. Roedd addysg wedi ei lwyr newid, a doedden ni ddim bellach yn siarad yr un iaith, nac yn deall ein gilydd fel cynt. Ond roedden ni'n dal yn ffrindiau heb fod yn ormod o ffrindiau.

A gwyddwn i sicrwydd, heb i neb ddweud wrthyf, fod ganddo gariad yng Nghymru. Plygais i'r drefn.

Ym mis Mawrth yn y flwyddyn 1899 cawsom dipyn o sgytwad fel teulu. Daeth William adre o'i fynych grwydriadau a gwraig i'w ganlyn. Roedd wedi priodi ei Anna (nid Hannah y tro yma) yn Buenos Aires, ac am gartrefu yn Llain-las dros dro. Doedden nhw ddim wedi penderfynu ym mhle roedden nhw'n mynd i fyw, ond gwyddent yn bendant nad oedden nhw'n mynd i aros ym Mhatagonia am nad oedd yno ddyfodol. Doedd dim gwahaniaeth ganddyn nhw i ble yr aent – i Ganada, De Affrica, neu Awstralia. Roedden nhw'n barod i fynd i rywle ond iddynt gael mynd o Batagonia. Roedd Anna'n ferch ddel iawn, gyda'i llygaid mawr duon, yn ddigon hoffus hefyd, ond heb fedru gair o Gymraeg, ac yn anobeithiol am gadw tŷ. Rhagor o boen a gofid, a mwy o waith i mi.

Pennod 16

Dechreuodd y gaeaf yn gynnar y flwyddyn honno – blwyddyn ola'r ganrif. Ddechrau Mai fe ddaeth y glaw, glaw mân i ddechrau, glaw trymach wedyn, a glawio wnaeth hi drwy'r mis, ddydd a nos, a'r dydd mor dywyll â'r nos. Erbyn Mehefin roedd tir y dyffryn yn un gors fawr, a'r creaduriaid druain at eu boliau yn y gwlybaniaeth. Y pryder oedd y byddai Camwy'n torri dros ei glannau ac yn boddi'r dyffryn, ac roedd y dynion i gyd wrthi nos a dydd yn adeiladu cloddiau i gadw'r llifogydd draw.

Roedd teithio bron yn amhosibl, y bwyd yn prinhau, a'r glaw yn dal i ddisgyn yn ddidostur. Doedd dim modd mynd i'r capel, nac i ymweld â ffrindiau a chymdogion, a lledodd tristwch dros bob man. Roedd rhai hyd yn oed yn darogan diwedd y byd.

Ar nos Sul y pymthegfed o Orffennaf, noson fythgofiadwy, trodd y glaw yn ddilyw, torrodd glannau Camwy, a chyn pen fawr cuddiwyd y dyffryn cyfan gan lyn anferthol. Carlamai bechgyn dewr o un tyddyn i'r llall gan weiddi:

'Ffowch am eich bywyd – ffowch i'r bryniau, mae'r dilyw wedi dod.'

Roedd rhai yn gyndyn i wrando, a gorfu iddynt gael eu hachub mewn cychod. Ffoi wnaethon ni, p'run bynnag, a hynny ar ras wyllt. Roedd gyda ni dair wagen yn Llain-las. Fe gymerodd Johnnie, Sarah Jane a'r ddau blentyn un wagen a'i llenwi ag angenrheidiau bywyd – bwyd, blancedi a rhai celfi. Roedd William ac Anna mewn un arall, a Nhad yn y drydedd. Roedd Dyfrig yn marchogaeth ei geffyl, a minnau ar gefn Dic, a'r ceffylau at eu boliau yn y dŵr. Awr gawson ni i bacio'r cyfan, a gyrru'r anifeiliaid i dir uwch gan obeithio y byddem yn ddigon lwcus i'w gweld wedyn. Gwisgais y *poncho* (*poncho*'r pennaeth) a chario cymaint o fwyd a dillad ag y medrwn mewn sach ar fy nghefn.

Roeddwn wedi gofalu rhoi llestri gorau Mam, y Beibl mawr, a'r peiriant gwnïo yn y wagen.

Rhuthro tua'r bryniau, a'r ceffylau bron â methu tynnu'r llwythi, clywed plant yn crio, creaduriaid yn brefu, clywed canu 'O, Fryniau Caersalem', a'r dŵr yn berwi o'n cwmpas. Wrth edrych yn ôl gwelwn greaduriaid truenus yn nofio yn y lli, ac yn cael eu cario tua'r môr. Mi glywn un cartre ar ôl y llall yn cael ei hyrddio gan rym y llifogydd.

Mi ddihangodd rhyw dair mil ohonom am ein bywydau. Hanner ffordd i fyny'r bryn gwelais ryw dwmpath gwyn ar y llwybr o 'mlaen. Sefais, a gweld bod hogen fach wedi syrthio i'r llawr o wagen rhywun. Roedd yn crio ac yn wlyb diferol – roedd pawb yn wlyb diferol o ran hynny. Fe'i gwthiais dan y *poncho*, a gyrru ar garlam.

Roedd yn amhosibl dod o hyd i'w rhieni y noson honno, a'r beth fach yn rhy ifanc ac wedi dychryn gormod i ddweud dim – dim ond crio. Gyda'r wawr, fore trannoeth, clywyd bloedd yn atsain o un cwr i'r llall:

'A oes rhywun wedi gweld Meri, hogen fach ddwy-flwydd oed?'

Felly y cafodd Meri afael yn ei mam. Pan dorrodd y wawr, welais i erioed, na chynt na chwedyn y fath olygfa drychinebus. Roedd y dyffryn i gyd yn un llyn mawr, ac ar wyneb y dyfroedd roedd cymaint o'r tai yn chwilfriw; roedd Capel Bryn Crwn wedi syrthio o flaen fy llygaid – y capel y buon ni'n ei adeiladu garreg wrth garreg. Fe fynnodd William fynd 'nôl cyn belled ag y medrai a gwelodd anifeiliaid Llain-las yn nofio ar wyneb y dŵr ar eu taith i'r môr a'r ieir yn swatio ar y to ryw ddwy droedfedd uwchben y dŵr. Daeth 'nôl yn bendrist heb fedru achub dim.

Ond yn wyrthiol, er yr holl golledion, roedd pawb yn fyw, a thair mil ohonom yn gorfoleddu. Chlywais i erioed y fath ganu – chlywais i erioed 'O, Fryniau Caersalem' yn cael ei chanu gyda'r fath arddeliad. Er mai dim ond rhyw hanner y ffoaduriaid oedd yn Gymry – lleisiau'r Cymry oedd i'w clywed gryfaf.

Y bore cyntaf hwnnw ar y llethrau noeth, a'r glaw yn dal i ddisgyn, dyma Lewis Jones yn ein galw ynghyd i gyfarfod gweddi. Y cyfarfod diolchgarwch rhyfeddaf y bûm ynddo erioed – roedd fel diwygiad. Pawb yn plygu glin, a phawb yn fyw, yn gweddïo'n uchel a chanu emynau'n ddi-ddiwedd. Y rhan fwyaf ohonom wedi colli'r cyfan, ac eto'n diolch. Sylweddolais o'r newydd rhodd mor werthfawr ydy bywyd.

Yna aethpwyd i'r afael â'r gwaith; a thorchi llewys. Y dynion wrthi'n casglu coed a cherrig, a cheisio codi rhyw lun o gysgod, a'r merched yn ceisio cynnau tannau yn y gwlybaniaeth, er mwyn cael rhywfaint o gynhesrwydd a medru coginio os yn bosib. A'r glaw yn dal i ddisgyn. Roedd gwartheg a defaid yn crwydro o gwmpas, a neb yn gwybod pwy oedd piau dim. Brefai'r gwartheg am gael eu godro; roedd y plant yn crio, a phawb yn gweiddi ar ei gilydd; chlywais i erioed y fath sŵn erchyll.

Rhaid oedd ceisio gwneud menyn a chaws, a hynny heb offer pwrpasol, ond angenrhaid ydy mam dyfais, a llwyddwyd yn rhyfeddol. Oni bai am gynnyrch y creaduriaid fe fyddem wedi trengi.

Y Sul cyntaf, a phob Sul y buom yno, cynhaliwyd gwasanaethau crefyddol – pregeth yn y bore, Ysgol Sul yn y prynhawn, pregeth a Chymanfa Ganu yn yr hwyr, a phawb yn ymuno.

Trwy'r cyfan, a thros y cyfan, roedd hi'n dal i fwrw, a'r glaw yn disgyn fel dŵr o stwc. Ac roedden ninnau fel sipsiwn, ond yn gytûn, yn gwneud y gorau o'r gwaethaf, a cheisio osgoi meddwl am yfory.

Buom felly am wythnosau. Ond o'r diwedd peidiodd y glaw, a dechreuodd y dyfroedd glirio. Fe fentrodd rhai o'r bechgyn, a William yn eu plith, mewn cychod digon gwantan i lawr mor bell â'r dyffryn isaf. Daethant nôl â hanesion torcalonnus. Roedd y Gaiman ar chwâl, ac roedd Trelew, a Thre Rawson yn un â'r môr.

Erbyn hyn roedd ein hysbryd yn ddigon isel, roedd y

diolchgarwch cyntaf hwnnw'n pylu, y bwyd yn brin, a'n gofid am y dyfodol yn ein llethu.

Ond daw popeth i ben yn ei dro, ac yn araf bach fe giliodd y dyfroedd. Mentrodd y dynion i lawr ar droed, yn gyntaf. Doedd hi ddim yn ddiogel i fynd mewn wagenni a throliau – gan y byddent yn siŵr o suddo yn y mwd.

Anghofia i byth mo'r diwrnod y mentrais yn ôl i Lain-las. Roedd Dic i fyny at ei fol mewn llaid ac yn cael gwaith rhoi un droed o flaen y llall. Roedd yn wan hefyd, wedi byw am wythnosau heb fawr o gynhaliaeth, heb ddim i'w fwyta ond tyfiant llwm y bryniau. Roedd y dynion wedi clirio rhyw gymaint o'r clai melyn gludiog i wneud llwybr at y tŷ. Roedd y llifogydd wedi gadael rhyw bedair troedfedd o'r clai yma dros bob man. Ond roedd Llain-las yn sefyll yn gadarn ar ei draed, ac roedd hynny ynddo'i hunan yn destun diolch, o gofio fod dros gant o gartrefi wedi'u chwalu, a dim ond ambell goeden i ddangos lle bu'r tŷ.

Sgubwyd tŷ Johnnie i ffwrdd a bu rhaid iddyn nhw ddod aton ni i fyw, nes ein bod i gyd fel moch mewn twlc.

Roedd Sarah Jane o help mawr, er bod ganddi ddau o blant bach yn disgwyl wrthi. Ond roedd Anna'n crio'n ddi-baid, ac yn bygwth mynd 'nôl i Chile, nes bod hyd yn oed William yn colli'i amynedd â hi.

Ond y torcalon pennaf oedd prinder bwyd. Doedd yr un creadur ar wahân i'r ceffylau ar ôl. Dim un iâr na chyw – roedd pob dafad, mochyn a buwch wedi diflannu gyda'r llif. A dim ond clai melyn oedd ym mhobman. Y rhan fwyaf o'r dodrefn, llestri a dillad gwely wedi'u difetha. A llyfrau Nhad – y llyfrau roedd e'n meddwl cymaint ohonyn nhw yn bwdin melyn. Druan o Nhad, dyna'r ergyd waethaf.

Roedd y drewdod yn annioddefol ar brydiau. A'r rhyfeddod oedd ein bod i gyd yn syndod o iach drwy'r cwbl.

Yr ail ddiwrnod ar ôl dod adre aeth William a Dyfrig allan i hela a dod 'nôl â phedair ysgyfarnog ac un wanaco. Cyneuwyd tân, rhostio'r cig a chael digon o gynhaliaeth am bythefnos. Roedd rhai ffermydd wedi gallu achub eu gwartheg, ac roedd pawb yn garedig, ac yn barod i rannu llaeth ac ymenyn gyda'u cymdogion. Diolch am hynny.

O dipyn i beth cliriwyd y llaid, a chlywid yr adar yn canu unwaith eto ar ôl bod yn hollol fud am wythnosau.

Roedd y dodrefn cadarnaf yn sefyll, a daeth Llain-las yn gartre i ni unwaith eto. Ond erbyn hynny roeddem mor dlawd ag oeddem ar y cychwyn cyntaf, dros chwarter canrif yn ôl. Ond roedd gen i un cysur – o leiaf roeddwn wedi gallu achub fy mheiriant gwnïo.

Pennod 17

Roedd Nhad yn bendant nad oedd e'n mynd i ffarmio byth eto ac yntau erbyn hyn yn tynnu at ei drigain, ac yn teimlo'n wan yn gorfforol ac ysbrydol. Concrwyd yntau gan y Paith.

'Rhaid gwerthu Llain-las a mynd 'nôl i Gymru. Rydw i'n rhy hen. Fe all y bechgyn wneud fel y mynnon nhw. Rydw i'n mynd.'

'Beth amdana i, Nhad?'

'Mi fydd yn rhaid i tithe ddod hefyd – i edrych ar f'ôl i.'

A chafwyd pwyllgor. Roedd Johnnie a Sarah Jane yn disgwyl eu trydydd plentyn ac yn awyddus i ymfudo i Ganada, i wlad o diroedd bras, a dim llifogydd. Roedd amryw eraill o'r gwladfawyr yn bwriadu gwneud yr un peth. Ac roedd William a Dyfrig yn benderfynol o fynd i Dde Affrig i gloddio am aur.

'Mi fyddwn wedi gwneud ein ffortiwn cyn pen blwyddyn.'

'Beth am Anna? Wyt ti erioed yn mynd i adael honno ar ôl?'

'Fe fydd yn rhaid i ti, Nel, edrych ar ei hôl hi. Feder hi ddim dod gyda ni. Mae'n disgwyl babi ddechrau'r flwyddyn.'

A dyna gychwyn ffrae – y ffrae fwyaf enbyd a fu erioed yn ein teulu ni. Nhad yn anghydweld yn ffyrnig, ac yn pregethu am ddyletswydd a theyrngarwch, Anna'n crio, heb wybod yn iawn pam, a minnau'n styfnigo. Pam oedd yn rhaid i mi edrych ar ôl Anna? A sut bynnag, doeddwn i ddim wedi trefnu fy nyfodol fy hun eto.

'Dim ond dros dro, Nel fach – dim ond hyd nes i mi wneud digon o arian. Fe ddo i'n ôl i Gymru wedyn a phrynu ffarm yno.'

Ac aeth ymlaen a'i drefniadau; Nhad a minnau'n dweud y drefn ac Anna'n dal i grio.

Teimlwn yn drist a di-ffrwt, y cweryla, y tlodi a'r unigrwydd wedi fy llethu'n lân. Ychydig iawn o ymweld a chymdeithasu oedd yn y dyffryn ar ôl y llifogydd, a doedd neb yn galw am wniadwraig. Roedd y defnyddiau a gedwid at eu gwneud yn ddillad wedi eu difetha'n llwyr. Ac wrthi'n adeiladu, trwsio, a glanhau roedd pawb.

Roedd yn gyfnod digalon. Ac i ychwanegu at y digalondid bu farw Dic. Pan godais un bore, yno roedd e'n gorwedd yn ymyl drws y tŷ wedi rhoi fyny'r ysbryd, ac wedi marw. Buasai'r llifogydd yn ormod iddo – dim bwyd ar y bryniau, dim ond hesg a drain yn gynhaliaeth iddo, a'r glaswellt heb dyfu eto yn Llain-las. Roedd yntau wedi mynd yn hen.

Collais ffrind – ffrind y medrwn ymddiried fy mywyd iddo. Fe'i claddwyd yn barchus yn yr ardd yn ymyl y tŷ, a sylweddolais y byddai'n haws i mi ar ôl i Dic fynd wneud y penderfyniad dyrys a awn yn ôl gyda Nhad i Gymru ai peidio.

Ymhen rhyw chwe mis ganwyd bachgen bach i Sarah Jane, ac ymhen rhyw wythnos wedyn ganwyd bachgen i Anna hefyd. Galwyd y naill yn Daniel a'r llall yn John, y ddau wedi'u henwi ar ôl eu tad-cu, John Daniel.

Roedd mwy na digon o waith rhwng popeth yn Llain-las, a'r lle'n orlawn o bobl a babis, a'r sgrechian yn fyddarol ar brydiau.

Erbyn hyn roedd William a Dyfrig wedi cwblhau eu trefniadau ac yn hwylio i Dde Affrig ymhen y mis. Roedd Anna'n dal i grio, a minnau'n dal i geryddu. Yng nghanol y paratoi a'r trafferthu, cefais bwl o ddiflastod ac iselder, a theimlais mai gwell fyddai i minnau fynd 'nôl i Gymru hefyd. Fyddai 'run perthynas gennyf ar ôl yn y Wladfa mwyach. Ar awr wan, addewais i William yr awn ag Anna a John bach yn ôl i Gymru gyda ni. Duw a ŵyr pam y gwnes i hynny – bu'n edifar gennyf lawer gwaith.

Roedd Johnnie a Sarah Jane a'u plant yn gwneud trefniadau i fynd i Ganada, ac roedd Llain-las ar werth. Profiad chwerw fu ffarwelio â William a Dyfrig. Mynd lawr fel teulu i Borth Madryn i'w gweld yn hwylio – John bach yn fy mreichiau i ac Anna yn hongian wrth William. Druan ohoni, estron heb ddeall ein hiaith, heb ei gŵr yn gefn iddi. Roedd hwnnw wedi hwylio i bellteroedd daear.

Daeth ton o hiraeth drosof, a gwyddwn yn nyfnderoedd fy enaid na welwn i byth bythoedd mohonyn nhw wedyn. Roeddwn yn berffaith sicr o hynny – gwasgais John bach yn dynn yn fy mreichiau nes i hwnnw floeddio crio hefyd. Syllais yn drist i'r pellter nes i hwyliau'r llong ddiflannu dros y gorwel.

Cafodd Nhad becyn o lythyrau o Gymru – wedi cyrraedd ar y llong. Roedd un wedi ei gyfeirio i mi ac arno ysgrifen hollol ddieithr. Agorais ef – llythyr byr; dwy frawddeg yn unig:

Bu farw eich Mam-gu ddydd Gwener diwethaf. Claddwyd hi ym mynwent Llangunllo y dydd Mawrth canlynol.
Yr eiddoch yn gywir,
William Jones.

Doedd ynddo ddim gwybodaeth bellach, na hyd yn oed ddyddiad arno. Doeddwn i ddim yn nabod yr un William Jones chwaith. Roedd siomiant a gofid o hyd yn fy erlid yn ddiddiwedd.

Roedd y ffaith fod Mam-gu yng Nghymru yn atyniad, ac yn un o'r rhesymau pam roeddwn i'n barod i wynebu bywyd yng Nghymru. Doedd dim gronyn o gariad gen i tuag at y wlad; Mam-gu oedd Cymru i mi. A nawr dyna hi wedi mynd. Be wnawn i? Y gwir plaen oedd nad oedd fawr o bwys gen i be wnawn i.

Ond roeddwn wedi addo i William yr edrychwn ar ôl Anna a'i phlentyn, a rhaid oedd cadw fy ngair. Roeddwn wedi rhyw hanner gobeithio y byddai Anna wedi newid ei meddwl, ac wedi penderfynu mynd 'nôl at ei phobl, ond na, roedd hi'n benderfynol o ddod gyda ni i Gymru, doed a ddelo. Onid oedd William yn bwriadu dod 'nôl i Gymru ymhen y flwyddyn? Ac yn bwriadu prynu fferm? Doedd ganddi 'run gair o Saesneg, a dim ond ychydig frawddegau pitw o Gymraeg. Roedd gen i broblem.

Ond y broblem fwyaf oedd ymadael â Llain-las a Phatagonia. Roeddwn erbyn hynny'n ddeg ar hugain oed a heb awydd o gwbl i ailgychwyn mewn gwlad estron. A pheth arall, doeddwn i ddim yn Gymraes go iawn; Archentwraig yn siarad Cymraeg oeddwn i bellach. Ym Mhatagonia roedd dau ddosbarth o bobl – y parchus a'r amharchus, a phawb fwy neu lai yn ddigon tlawd. Ond yng Nghymru, roedd 'na dlodion a byddigions, a'r tlodion i gyd yn codi'u hetiau i'r byddigions. Doedd neb yn codi het i neb yn y Wladfa.

Na, doedd fawr o awydd arna i fynd 'nôl i Gymru. Fe allwn aros ym Mhatagonia a phriodi ffarmwr – cefais fwy nag un cynnig. Ond o gofio'r bywyd garw a gafodd Mam, a'i chynghorion i beidio â gadael i'r Paith fy meddiannu, doedd arnaf fawr o awydd aros yma chwaith. Ond rhaid oedd plygu i'r drefn. Ac ar ôl i Nhad a'r bechgyn ymadael fyddai gen i 'run perthynas o gwbl yn y Wladfa – dim un, er mai Patagonia oedd fy ngwir gartre, yma roedd fy ngwreiddiau, fy ffrindiau, a bedd Mam.

Felly y bûm i mewn gwewyr meddwl am wythnosau, nes i Nhad ddweud yn ddigon chwyrn yn y diwedd:

'Rwyt ti'n dod gyda mi i Gymru, a dyna ddigon ar y petruso a'r gwamalu. Pacia dy fagie ar unwaith.'

Ac felly y bu. Pythefnos arall ac roedden ninnau – Nhad, Anna, John bach a minnau'n barod i gychwyn.

Y peth olaf a wnes oedd mynd â blodyn ar fedd Mam. Eisteddais yno am dros awr, a theimlais yn sicr ei bod yno gyda mi, a'i bod yn cymeradwyo fy mhenderfyniad i fynd nôl i'r Hen Wlad. Darllenais yr englyn ar ei charreg fedd am y tro olaf. Dysgais ef ar fy nghof cyn troi'n ôl:

Erys o'i hôl, wres ei haeledd – a chov
 O'i chyviawn hardd vuchedd.
A'r Ion da yn y diwedd
A'i geilw i barch o glai bedd.

RHAN 2

Ffarwél Archentina

Pennod 1

Roeddwn yn gadael y cyfan oedd yn annwyl i mi – fy nghyfoedion, y capel a'r wlad, er mor ddiffaith oedd.

Roedden nhw yno i gyd ym Mhorth Madryn yn ffarwelio â ni, ffyddloniaid Capel Bryn-crwn, fy ffrindiau, Johnnie fy mrawd a'i deulu bach; pob un â'i anrheg a'i gyngor.

'Peidiwch â'n hanghofio; dewch nôl atom eto,' ac ymlaen, ac ymlaen yn ddiddiwedd.

Ac roedd John yno. Roedd hynny'n syndod pleserus, er na wyddwn yn iawn beth i'w ddweud wrtho; wyddai yntau ddim beth i'w ddweud wrthyf innau chwaith. Ond fe wthiodd anrheg fechan i'm llaw, gan sibrwd.

'Caf dy weld yng Nghymru, Ellen. Rwyf wedi addo y byddaf yn mynd 'nôl yno 'mhen y flwyddyn.'

Addo i bwy, tybed? Roedd ein perthynas wedi oeri fyth oddi ar iddo ddod 'nôl i'r Wladfa o Gymru, a gwyddwn i sicrwydd yn ôl ei ymarweddiad fod ganddo rywun arall yr oedd yn ei hoffi'n well na fi. Ac eto! A pham fy nghyfarch fel 'Ellen'? Ble'r aeth y 'Nel fach' gynnes, agos-atoch? Ond nid dyma'r amser i chwalu meddyliau ac esgor ar obeithion.

Roedd Nhad fel hogyn yn trefnu'r cistiau – pedair i gyd, un i bob un ohonom.

Roedd Hannah wedi dianc o flaen pawb i'r llong, ac yn wylo'n dawel. Rywsut roeddem i gyd yn ei galw'n Hannah bellach ac nid Anna. William ddechreuodd yr arferiad cyn iddo ymadael am Dde Affrica.

'Mi fuaswn yn hoffi meddwl dy fod yr un enw yn union â Mam,' meddai. A dyna fu.

Druan â Hannah. Doedd fy ngofid bach i yn ddim i'w gymharu â'i gofid hi. Doedd ganddi mo'r syniad lleia i ble'r oedd hi'n mynd. Doedd hi erioed wedi ymweld â Chymru. Ni siaradai'r un gair o Saesneg, a dim ond ychydig iawn o

Gymraeg. Roedd hi byth a beunydd yn cymysgu rhwng 'diolch' a 'dim diolch'. Roedd hyn yn gwneud bywyd yn ddigon anodd iddi ar brydiau ac yn achosi cryn drafferth a hwyl i ninnau.

Roedd yn tynnu at bedwar mis oddi ar i William a Dyfrig ymadael am Dde Affrica i wneud eu ffortiwn, a dim ond un llythyr byr wedi'n cyrraedd, a hwnnw'n llythyr digon diflas. Roedd Rhyfel y Boer yn ei anterth erbyn iddynt gyrraedd yno, ac am fod William yn enedigol o Gymru gorfu iddo ymuno â byddin Prydain Fawr. Doedd dim rhaid i Dyfrig ymuno, ei ddymuniad e oedd dilyn William. Archentwr oedd Dyfrig, fe gafodd e ei eni yn y Wladfa. Roedd deall mai milwyr oeddynt yn loes inni fel teulu a'r 'ffortiwn' arfaethedig yn pellhau o ddydd i ddydd.

O'r diwedd dyma'r llong yn hwylio, y rhubanau'n gollwng, y cadachau gwyn yn chwifio, y dagrau'n llifo a phob cysylltiad â'r Wladfa drosodd.

Sefais ar y dec, syllais yn hiraethlon ar y tir, y Paith didostur, ac anghofiais am y caledi a'r cyni. Ni chofiwn ond am y cynhesrwydd a'r caredigrwydd, a'm ffrindiau na welwn byth mohonynt eto. Roeddwn i'n ymadael am byth, gwyddwn hynny i sicrwydd; roedd y ddawn gennyf i synhwyro'r dyfodol.

Roedd ffarwelio â Johnnie, fy mrawd, a'i deulu bach yn fy mrifo i'r byw. Roeddynt hwythau wedi cael hen ddigon ar y tlodi a'r chwysu, ac wedi penderfynu mynd i Ganada i ddechrau bywyd o'r newydd. Roedd yn rhaid cychwyn o'r dechrau eto yn Llain-las ar ôl y llifogydd. Roedd y tir wedi suro, a'r halen a gariwyd i lawr gyda'r dyfroedd wedi treiddio i mewn i'r pridd. Oni bai fod Johnnie yn heliwr medrus, ac yn adnabod y Paith mor drylwyr, ni fyddai ef, ei wraig a'u dau blentyn fyth wedi gallu dal 'mlaen i fyw yno. Byddent wedi clemio.

Ar ôl cynaeafu cnydau da o wenith yn y gorffennol, roedd yn amhosibl paratoi'r tir i'w hau. Doedd yr un creadur ar ôl yn Llain-las, heblaw'r ci a'r ceffylau – y ceffylau a lusgai'r wagenni tua lloches y bryniau adeg y dilyw, ond doedd neb o'r Cymry yn bwyta cig ceffyl yn y Wladfa.

Roedd Capel Bryn-crwn wedi ei 'sgubo i ffwrdd, ond daliai'r aelodau i addoli ac am fod Llain-las yn dal ar ei draed, wedi gwrthsefyll y storom, cynhelid y cyfarfodydd yno ar y Sul. Deuai pawb â'u bwyd i'w canlyn, a byddai'r 'briwfwyd gweddill', a hyd yn oed ambell dorth gyfan yn cael ei gadael ar ôl i'r teulu. Roedd pob briwsionyn yn dderbyniol. Gadawodd Nhad ryw gymaint o arian i Johnnie ar yr amod na ddefnyddiai yr un ddime ohonynt; arian ymfudo oeddynt, a gwyddai Johnnie mai'r arian hynny oedd ei ddihangfa rhag tlodi ac, o bosib, newyn. Roedd yna blentyn arall ar y ffordd hefyd, Duw a'u helpo.

Sefais ar y dec, a theimlo unigrwydd yn bwn arnaf. Chwiliais am dawelwch yng nghanol yr halibalŵ, ond doedd dim llonydd i'w gael. Rhuthrai pawb fel gwylliaid, pawb yn chwilio am le i orwedd a pherchenogi ei le cysgu.

Llong fechan oedd yr *Annie Morgan*, un o'r llongau hwyliau bach a gludai nwyddau o'r Wladfa i Buenos Aires. Doedd dim cysur i deithwyr; ŷd, gwlân ac anifeiliaid oedd yn bwysig. Rhwng pobol a'u busnes i wneud y gorau o'r gwaethaf. Rhaid oedd cysgu ar lawr ar fatresi caled, a gofalu peidio â chwyno na chwyrnu. Roedd yn daith anghysurus a dweud y lleiaf. Yn agos i fil o filltiroedd, gan gymryd bron i bythefnos i gyrraedd pen y daith, a hynny os byddai'r elfennau'n caniatáu.

Fedrwn i ddim uno yn y rhuthr, doedd dim ots gen i ym mhle y cysgwn, ac roedd Hannah yn siŵr o fod wedi bachu lle iddi ei hunan a Johnnie bach. Swatiais yng nghornel pellaf y dec – doedd dim cadair ar gyfyl y lle. Erbyn hyn roedd y tir wedi diflannu o'r golwg yn y pellter, y nos yn cau amdanom, a hiraeth yn fy llethu. Ceisiais gysuro fy hun trwy ddychmygu'r bywyd braf a'm disgwyliai yng Nghymru, ond doedd dim yn tycio. Roedd y ffaith yn aros, er gwaethaf pob dychymyg, mai Patagonia oedd fy nghartref, Archentina oedd fy ngwlad – yno mae fy ngwreiddiau, yno mae fy ffrindiau, yno mae bedd fy mam. Ceisiais ysgwyd fy hun o'r felan; erbyn hyn roeddwn wedi mynd yn rhy bell i feddwl troi'n ôl.

Clywais lais yn treiddio o berfedd y tywyllwch.

'Nel, ble'r wyt ti?'

'Dyma fi, Nhad.'

'Beth yn enw pob rheswm wyt ti'n 'i wneud fan hyn?'

'Chwalu meddylie.'

'Wyt ti'n llawer rhy hoff o dy gwmni dy hunan yn ddiweddar. Mwstra wir, cofia rydyn ni i gyd yn dibynnu arnat ti,' meddai â rhyw bigyn bach yn ei lais.

Os oedd pigyn yn ei lais e, roedd pigyn yn fy mron innau.

'Ie, dyna'r drwg, rydw i wedi cael hen ddigon ar bawb yn dibynnu arna i. William yn trosglwyddo Hannah a'i blentyn i'm gofal, a chithe'n disgwyl i mi ofalu ar eich ôl chithe. Does gen i ddim hawl i fywyd fy hunan.'

'Nel fach, paid â siarad fel'na, paid byth â siarad fel'na. Clyw, rydw i yma'n gefen iti, ac mi fyddwn ni'n dau yn gysur i'n gilydd.'

Roedd ei lais wedi meddalu ychydig erbyn hyn, ond doeddwn *i* ddim wedi meddalu.

Roeddwn i'n tanio erbyn hyn.

'A be wnaethoch chi? Priodi ar y cyfle cyntaf gawsoch chi. A gadael i minne ffeindio fy ffordd fy hunan yn yr hen fyd creulon yma. A hynny ar ôl i mi aberthu 'mywyd ifanc i gadw tŷ i chi a'r bechgyn am saith mlynedd.'

'Nel fach,' meddai, yn isel iawn ei lais erbyn hyn, 'ddigwyddith hynna byth eto.'

'Na wnaiff, gobeithio. Ac un peth arall, Nhad. Rydw i wedi cael syrffed ar glywed "Nel fach dere, Nel fach cer" drwy'r dydd, bob dydd. Galw arnaf fel pe bawn yn ast fach wedi cael ei disgyblu i ufuddhau. O hyn ymlaen rydw i am gael fy ngalw wrth f'enw iawn, f'enw bedydd – Ellen.'

'Iawn 'merch i, iawn, os wyt ti'n dweud.'

'Rydw i *yn* dweud. A pheth arall, Patagonia pia'r enw "Bwcs". Ar ôl i Johnnie ymfudo i Ganada, fydd 'na neb o'n teulu ni ar ôl yn y Wladfa. Felly, o hyn ymlaen, Ellen Davies fydd f'enw i, a John Davies fyddwch chithe. Mae'r enw "Bwcs" wedi ei alltudio i'r Paith. Ydych chi'n deall?'

'Ydw, Ellen, deall yn iawn. Rydw i'n edrych 'mlaen i ddechrau bywyd newydd mewn gwlad newydd. Ti a fi, Ellen.'

Doedd gen i ddim calon i'w ateb, a doedd gen i ddim o'i ffydd ef yn y dyfodol chwaith.

Pennod 2

Cyrraedd Buenos Aires yn flinedig a swrth. Hannah yn sâl ar hyd y daith, yn cyfogi'n ddi-baid, ac yn gwrthod bwyta, dim ond sipian ychydig o ddŵr. Doedd y bwyd ddim yn help chwaith; y cig yn rhy hallt i'w fwyta, y cawl â braster yn nofio ar ei wyneb, a phupur du yn drwch ynddo, er mwyn rhoi tipyn o flas arno. Roedd Johnnie bach yn flin gydol y daith, ac yn amlwg yn diharpo. Doedd y bwyd ddim yn ffit i gi, heb sôn am blentyn.

Roedd cyrraedd Buenos Aires yn rhoi gwefr i mi, gwefr oedd yn llawn hen atgofion diflas. Er hynny, roeddwn yn awyddus i ailgerdded ar hyd yr hen lwybrau. Yn ôl yr awdurdodau roedd gennym dridiau, efallai mwy, cyn ymuno â'n llong. Llong gargo oedd hi, llong stêm, llong gyflym, medden nhw. Ond erbyn hyn roeddwn wedi hen ddysgu i beidio â dibynnu ar beth roedden 'nhw' yn ei ddweud. Llong yn cludo gwlân oedd hi, ac roedd lle i ryw ddwsin o deithwyr arni hefyd. Roedd yn rhatach teithio felly, a gwyddai Nhad am bob tric i arbed y geiniog.

Erbyn hyn, doeddwn i ddim yn hidio ffeuen sut y byddem yn teithio, ac fe ddaeth hen syniad bach slei i mi fwy nag unwaith, y syniad o aros yn Buenos Aires i chwilio am waith, ond roedd y cyfrifoldeb a wthiwyd arnaf gan William yn gwahardd hynny. Roedd Hannah a'i phlentyn yn dibynnu arna i, ac mewn awr wan teflais fy rhyddid i'r pedwar gwynt. Roedd Nhad yn graddol olchi'i ddwylo o'r holl fusnes.

'Ddylet ti erioed fod wedi addo iddo. Os nad oedd e'n gallu edrych ar eu holau, fe ddylai fod wedi eu gyrru 'nôl at eu tylwyth yn Chille.' A throdd ei gefn yn ddiamynedd gan godi ei ysgwyddau mewn protest fud.

Ond roeddwn wedi penderfynu gwneud y gorau o'r gwaethaf, a gwneud yn fawr o'r tridiau yn Buenos Aires. Roeddem yn aros mewn llety rhad a di-raen nid nepell o'r lanfa. A chan mai Sbaeneg oedd iaith pawb yno, doedd dim angen i mi fod yn dafod i Hannah.

Roedd Hannah, y plentyn a minnau'n cysgu, bwyta a byw yn yr un stafell fechan foel. Y bore cyntaf yno, codais yn fore, gan ddweud wrthi y byddwn yn mynd mas ac na fyddwn 'nôl tan yr hwyr. A dyma hi'n dechrau crio, bloeddio crio, nid y snwffian tawel arferol.

'Rydw i'n sâl, sâl iawn, a fedra i ddim edrych ar ôl Johnnie. Mae pawb yn gas wrthyf i,' meddai.

'Paid â siarad yn hurt, Hannah. Rydw i yma i edrych ar dy ôl di,' meddwn i, mor dawel a chysurlon ag y medrwn.

'Rydw i eisiau William, fedra i ddim byw heb William.'

'Wel fedri di ddim cael William,' meddwn, gan ddechrau colli f'amynedd erbyn hyn. 'Mae hwnnw yn Ne Affrica'n chwarae sowldiwrs.'

Gyda bod y geiriau allan roedd yn edifar gennyf, ac addewais ddod 'nôl yn gynnar yn y prynhawn i fynd â Johnnie mas. Ond roeddwn yn benderfynol o gael ychydig oriau i mi fy hun i grwydro'r ddinas ac i hel atgofion.

Ac am y tro cyntaf yn fy mywyd penderfynais deithio mewn tram. Roedd gen i rai milltiroedd cyn cyrraedd canol y ddinas, a dyma fentro arni gan obeithio y byddai gennyf ddigon o bres i dalu amdano. Roedd tri thram yn sefyll yn amyneddgar ar y sgwâr, a dewisais yr un â'r ceffyl du, llamsachus ei olwg, oedd yn ei dynnu. Un tebyg iawn i un o geffylau Llain-las. Agorais y drws yn betrusgar ac i mewn â fi. Edrychodd y gyrrwr yn amheus arnaf, a gofyn mewn llais cras.

'I ble?'

Atebais innau gan sgwario f'ysgwyddau.

'I ganol y ddinas,' meddwn wedyn.

'Aros lle'r wyt ti,' meddai mewn llais awdurdodol.

Ac yno y bûm yn aros am tua hanner awr; yntau wedi

cloi drws y tram erbyn hyn, a minnau heb ddihangfa. Ond pan ddaeth gŵr a gwraig arall i'r tram, o'r diwedd penderfynodd y boi gychwyn ar y daith. Ac fe gefais dipyn o syndod wrth wrando ar y ddau'n siarad. Roeddwn i'n canmol fy hunan fy mod i'n siarad, darllen a deall Sbaeneg yn ddigon da erbyn hyn. Wedi'r cyfan, roeddwn wedi byw yn Buenos Aires am flwyddyn gron, ac yn gorfod siarad Sbaeneg â Hannah bob gair bob dydd. Ond fedrwn i yn fy myw ddeall eu sgwrs.

Ond roedd gen i bethau pwysicach i'w gwneud na siarad â nhw. Doeddwn i ddim wedi bod 'nôl yn Buenos Aires oddi ar i mi adael, ddeuddeng mlynedd yn ôl. Roedd cymaint wedi newid, mwy o bobl, mwy o gerbydau a mwy o sŵn. Roedd yn gynnar yn y bore, cyn wyth o'r gloch, a welais i 'run buwch ar y stryd, fel yn y dyddiau gynt. Yr arferiad yr adeg honno oedd gyrru'r gwartheg drwy'r stryd, eu godro yn y fan a'r lle, a byddai'r gwragedd yn mynd allan â'u piseri i'w llenwi â'r llaeth ffres. Dyna'r unig ffordd o sicrhau llaeth heb ei suro, achos yn y gwres llethol byddai'r llaeth ffres hwnnw wedi cawsu cyn nos. Dyna pryd y dechreuais i yfed te heb laeth; roedd llaeth sur yn codi cyfog arnaf. Ond roeddwn i'n siomedig iawn o weld diflaniad y gwartheg, a mentrais ofyn i'r wraig yn y tram o ble'r oedden nhw'n cael eu llaeth y dyddiau hyn.

'Wn i ddim,' meddai, a dyna ddiwedd ar y sgwrs. O leiaf, mi ddeellais gymaint â hynny.

Ond roedd y mulod bach yno. Roedden nhw'n dal ati, yn trotian yn ddi-baid, lawr a lan, lan a lawr o stryd i stryd, a'r dyn â'i chwip yn gofalu na fyddent yn cael hoe hyd nes i'r gwaith ddod i ben. A'u gwaith? Gyda help y mulod hyn byddai'r ffermwyr yn corddi. Byddai'n arferiad ganddynt arllwys hufen sur i mewn i ddau biser mawr, rhoi'r piseri mewn bagiau lledr, eu clymu wrth y mul, un bob ochr a'u gyrru 'nôl a mlaen, weithiau am oriau, a'r hufen yn lwtsian nes iddo droi'n fenyn. Ei gyweirio wedyn ar ochr y ffordd a'i werthu'n ffres i'r cwsmeriaid.

Ond fydden ni, bobol y Wladfa, byth yn corddi yn y ffordd gyntefig yna; bydden ni'n troi a throi a throi'r hufen mewn buddai, weithiau am awr gyfan. Cyndyn yw'r hufen i droi'n fenyn mewn gwlad boeth, ond mwy cyndyn fyth oedd y Cymry i ollwng eu hen arferion Cymreig.

Ond dyma'r ceffyl yn sefyll yn stond a ninnau ar fin cyrraedd y stryd fawr, Avenida Julioq, y stryd a enwid i goffáu sefydlu Archentina fel gwlad annibynnol, a hynny ar 9 Gorffennaf 1828. Aeth y dyn a'i wraig mas. Eisteddais innau heb symud.

'*Afuera*,' meddai'r gyrrwr yn surbwch, a dal ei law am yr arian yr un pryd; ond doeddwn i ddim yn barod i fynd allan.

'*Afuera*,' meddai'n uwch y tro yma, a phenderfynais mai gwell fyddai ufuddhau. Rhoddais iddo bron y cyfan o'r pres oedd gen i, gan ddisgwyl newid.

'*Gracias*,' meddai, gan ddangos rhes o ddannedd pwdr a gwenu am y tro cyntaf. Rhoddodd chwip i'r ceffyl ac i ffwrdd â nhw mewn cwmwl o lwch, gan fy ngadael innau'n dal fy llaw am y newid. Dysgais wers arall; rhaid oedd dadlau a bargeinio *cyn* cychwyn ar daith mewn tram yn Buenos Aires.

Doedd gen i ddim ffydd yn y Sbaenwyr; Pabyddion oedden nhw, bob copa walltog. Roedden ni wedi dioddef digon, a gormod, ganddyn nhw yn y Wladfa. Roedden nhw byth a beunydd yn dannod i ni mai nhw, a neb arall, oedd yn berchen ar bob cornelyn yn Ariannin, gan gynnwys y Wladfa, ac yn gwatwar ein hacen Gymraeg wrth siarad Sbaeneg. Trwy lwc, roedd digon o Gymry dylanwadol yn Nyffryn Camwy i herio eu hawdurdod a'u crefydd.

Cefais fy ngollwng i lawr gyferbyn â Plaza; doedd dim gatiau yno ddeuddeng mlynedd yn ôl, dim ond cae agored, y gwartheg a'r mulod yn pori yno, a'r rheini'n cael eu bugeilio gan blant bach troednoeth. Ond erbyn hyn doedd dim un creadur i'w weld, a choed a blodau wedi cymryd eu lle. Yn yr hen ddyddiau, deuwn i lawr yma bron bob dydd

Sul ac eistedd ar y glaswellt yn rhythu ar y gwartheg, gan hiraethu am y saith buwch a adewais ar ôl yn Llain-las. Er 'mod i yng nghanol tref fawr roedd rhyw heddwch anesboniadwy yma – yr heddwch nas ceir ond yn y wlad ymysg creaduriaid y ffarm. Yma y deuwn i ddarllen fy Meibl, fy Llyfr Tonau, a mwmian canu wrthyf f'hun. Yma hefyd y deuwn i ddarllen fy llythyrau o gartref, eu darllen a'u hailddarllen, a'u darllen wedyn, ac i sgrifennu pwt 'nôl at fy nheulu, ac at fy ffrindiau, mewn pensil piws. Fedrwn i ddim fforddio prynu inc, a fedrwn i ddim fforddio'r amser chwaith i ddarllen a sgrifennu unrhyw adeg arall o'r wythnos.

Roedd y Sul yn rhydd, fi oedd piau'r Sul – a hynny am fy mod wedi sefyll yn gadarn dros f'egwyddorion a gwrthod torri'r Sabath. Os oedd fy mrodyr yn ddigon dewr i herio llywodraeth Ariannin, yn ddigon dewr i fynd i garchar am wrthod gwneud ymarfer milwrol ar y Sul, teimlwn ei bod yn rheidrwydd arna innau hefyd wrthsefyll y tordyn tew oedd yn fy nghyflogi, a mynnu'r Sul yn rhydd.

Ar y Sul, y Plaza oedd fy nihangfa. Yno ymysg y gwartheg y profwn y llonyddwch nas cawn ymysg pobl. Y llonyddwch hwnnw i fyfyrio a synfyfyrio, ac amser i ddod i delerau â mi fy hun.

Ond roedd pethau wedi newid. Roedd yn well gennyf y mulod a'r gwartheg na'r blodau. Er hynny, roedd yma un gwelliant. Roedd yma seddau, a doedd dim rhaid eistedd ar y glaswellt fel cynt.

Eisteddais yno yn yr haul cyn mynd 'mlaen i chwilota a stwyrian. Ond tra oeddwn yn eistedd yno daeth dwy ferch digon copa-dil i rannu'r sedd â mi. Ac er mawr syndod, dyma'r ddwy yn tynnu sigarennau allan o baced, tanio matsien a smygu. Fedrwn i ddim coelio fy llygaid. Roedd ambell fachgen mwy ffasiynol na'i gilydd wedi dechrau ar y sigarennau yn y Wladfa. Roedd hynny'n creu tipyn o hwyl a thynnu coes; pibell neu gnoi baco oedd y ffasiwn yno. Ond merched yn smygu? Roedd y peth yn ymylu ar fod yn anfoesol.

Edrychais yn gilwgus arnynt, pesychais yn swnllyd, gan gogio fod y mwg yn llenwi fy stumog. Codais yn urddasol a cherdded yn benuchel i ffwrdd. Hwythau'n pwffian chwerthin eu dwy. Doedd e ddim yn atgof i'w drysori.

Pennod 3

Fy mhrif bwrpas y bore hwnnw oedd ymweld â'r siop a'r tŷ gwnïo, lle bûm yn brentis am flwyddyn gron ddeuddeng mlynedd yn ôl. Dyna'r flwyddyn fwyaf melltigedig a dreuliais erioed.

Ond mae'n rhaid imi gyfaddef, er gwaetha'r dioddef, i mi ddysgu sut i wnïo, i dorri allan, ac i orffen dilledyn yn hollol broffesiynol – diolch i Enrico Tevedo, ei wraig lygad-barcud, a'i was bach cario-pob-clep, Roberto.

Ar ôl chwe mis cefais ddyrchafiad i fod yn dorrwr dillad, ond heb gyflog, dim ond fy nghadw. Ac oni bai am ambell gelc yn llythyr William, fy mrawd, fyddai 'da fi ddim dime goch y delyn ar f'enw.

Byddai gan y merched oedd yn rhannu stafell â mi storïau carlamus am y Bòs – Cerdo fyddem yn ei alw yn ei gefn, a rêl hen fochyn oedd e hefyd. Rwy'n cofio Maria, hogen fach ddel iawn, yn cael dyrchafiad sydyn, cael mynd i weithio yn y siop a chael cyflog da.

'Pam Maria?' meddwn i'n ddiniwed. Rhagor o bwffian chwerthin, a siarad â'u llygaid, a doeddwn innau fawr callach.

Ond fe synhwyrais fod yna berygl o du'r Cerdo, a byddwn yn ymwybodol ofalus o beidio gwenu arno ar unrhyw adeg, dim ond edrych yn fwrllwch a chario 'mlaen â 'ngwaith.

Ond fe ddes i wybod ystyr y chwerthin a'r ensyniadau cyn diwedd fy mhrentisiaeth. Yr wythnos olaf un oedd hi a minne'n gweithio'n hwyr bob nos i orffen ffrog briodas. Fe gawn dâl am wneud hyn, ac roedd yn werth yr ymdrech. Ac ar nos Iau, tua deg o'r gloch, a minne ar ben fy hun, daeth y Cerdo i mewn. Roedd yn hynod o debyg i fochyn hefyd – yn fawr ac yn dew, a'i fol yn hongian yn llac fel pe bai'n rhan o'i goesau ac nid o'i gorff. Roedd ganddo drwch o wallt du, seimllyd, a mwstás yn cuddio ei wefl uchaf, a llygaid bach yn union fel llygaid mochyn. Daeth i'r stafell yn llechwraidd.

Roeddwn ar fy nhraed ar y pryd. Cydiodd ynof yn sydyn a'm hamgylchynu â'i freichiau nerthol. Gwasgodd fi yn erbyn y wal, a'i hen ddwylo budr yn crwydro i bob man ond lle dylen nhw, a'i wefusau gwlyb, drewllyd, yn chwilio am fy ngwefusau i. Fedrwn i ddim symud. Ceisiais weiddi, ceisiais sgrechian, ond doedd gen i ddim llais. Ceisiais gicio, ond roedd ei goesau a'i freichiau yn fy nal fel feis.

Teimlwn fy hun yn llewygu, ond trwy ryw wyrth llwyddais i ryddhau un fraich, ac â'm holl nerth rhoddais dro i'w hen drwyn a rhoi plwc i'w fwstás yr un pryd. Rhoddodd waedd, a dweud dan ei anadl, '*Diablo!*'

Gollyngodd fi'n rhydd, ond nid cyn rhwygo fy mlows. Daeth fy llais 'nôl yn ddigon clir i'w alw yn 'Cerdo' – yr hen fochyn budr.

Roeddwn yn crynu fel un yn dioddef o'r palsi, ond er gwaethaf y sioc a'r dyrnodio, teimlwn mai fi oedd y concwerwr yn y pen draw. Rhoddodd hynny ryw foddhad imi, rhoi rhyw deimlad cynnes o'r tu mewn i mi. Gwyddwn hefyd yn reddfol, hyd yn oed pe bawn yn aros ymlaen am flwyddyn arall, na ddeuai yr un helbul i mi byth wedyn o gyfeiriad y Cerdo. Ond y Mochyn gafodd y gair olaf. Roeddwn yn ymadael y Sadwrn canlynol, ond chefais i mo'r tâl oedd yn ddyledus i mi am gynllunio a gweithio'r ffrog briodas. Chefais i ddim tystysgrif chwaith i brofi fy mod i wedi gorffen fy mhrentisiaeth yn llwyddiannus. Roeddwn yn dibynnu ar yr ychydig arian i dalu am fy mhàs yn ôl i'r Wladfa, ond doedd colli'r dystysgrif yn poeni dim arna i. Roedd pawb yn f'adnabod yn y Wladfa, ac mi fyddai Nel fach y Bwcs yn siŵr o waith yno.

Hen atgofion anghynnes felly oedd yn cordeddu yn fy mhen ar y ffordd i'r siop. Roeddwn yn benderfynol o ymweld â'r lle unwaith eto, cyn ffarwelio ag Ariannin. Hen ysfa ddieflig o bosib.

Doedd gen i ddim arian i brynu defnydd o unrhyw fath – gofidiwn am hynny, achos roedd ei ddewis o ddefnyddiau y gorau'n y wlad. Cyrhaeddais y stryd, ond methu dod o hyd i'r siop. Siom! Ond yn sydyn gwelais siop ddefnyddiau, hynod lewyrchus yr olwg, ac o syllu uwchben y drws gweld yr enw Enrico Tevedo. Ie, dyna hi.

Roedd y ffenestri bychain wedi diflannu, gyda ffenestri mawrion yn eu lle; un ffenest yn dangos pob math o ddefnyddiau drudfawr – sidan, merino, ac yn y blaen, a cherflun o ferch mewn gwisg briodas yn llenwi'r ffenest arall. A minnau'n dal i ail-fyw y noson y bûm innau'n gwnïo ffrog briodas yn yr union siop yma, a'r profiad hwnnw yn dal i suro f'ysbryd.

Cerddais i mewn yn betrusgar. Canodd cloch yn y pellter, tu hwnt i'r siop; daeth hogen fach ddel i'r golwg, a chofiais am Maria. Gofynnais am rîl o edau lin, a phan oeddwn ar fin talu, dyma fe, y dyn ei hun, Enrico Tevedo, y Mochyn, yn cerdded i mewn o'r cefn. Edrychais yn syth i'w lygaid, yn herfeddiol, yn eofn, a chefais bleser slei o sylwi fod ei ben bron yn foel, a bod ei fwstás du trwchus yn awr yn llwydaidd denau. Roedd y bol yr un fath o hyd. Edrychodd yntau arnaf innau am eiliad neu ddwy, a gwelais adnabyddiaeth yn ei lygaid bach cyfrwys. Daliais i edrych arno. Syrthiodd ei olygon, ac edrychodd ar i lawr. Ddwedodd ef na mi yr un gair – ond gwyddwn yn hollol siŵr fod atgofion o'r noson chwerw honno yn fyw yn ei gof.

Cefais newid gan yr eneth ddel. Dwedais 'Gracias', a cherdded allan yn benuchel, ond yn y drws cymerais gip 'nôl, gan wenu arno mor wawdlyd a dirmygus ag y medrwn. Y Mochyn! Roeddwn yn falch 'mod i'n gwisgo fy nillad gorau y diwrnod hwnnw.

Ar fy ffordd 'nôl i'r lojin, rhaid oedd imi gerdded bob cam; doedd gen i ddim digon o bres i dalu am fy ngharic. Penderfynais alw i weld yr Eglwys Babyddol. Awn yno ar y Sul i eistedd ar y grisiau y tu allan, a gwrando ar y canu, yn debyg iawn i'r Indiaid yn gwrando ar y canu y tu allan i Gapel Bethel yn y Gaiman. Erbyn heddiw roeddwn yn fwy hyderus, ac ni fedrwn lwyr gytuno â Nhad a gredai mai pagan oedd pob Pabydd. Er mai dydd Gwener oedd hi, roedd yr eglwys yn llawn, a phobl digon tlodaidd yr olwg ar eu penliniau'n gweddïo. Roedd eraill wrthi'n cyfrif eu paderau. Dyna'r tro cyntaf i mi weld hynny. Roeddwn wedi clywed am y ddefod wrth reswm – 'prawf o baganiaeth' oedd barn bendant Nhad am yr arfer, ond roedd yn ymddangos yn ddefod ddigon diniwed i mi.

Sefais yn syfrdan y tu mewn i'r drws, wedi fy ngwefreiddio gan ysblander y lle: y ffenestri lliw, y cerfluniau mawr, cerflun o'r Crist ei hun ar y Groes yn gwisgo'r goron ddrain, a'r hoelion i'w gweld yn ei draed a'i ddwylo. Nid paganiaid oedd y bobl yma, a theimlais gywilydd o'm hen syniadau cul – cywilydd fy mod wedi gwrando ar fy nhad, a hiraeth am na faswn wedi mentro i'r eglwys pan oeddwn yn crwydro'r ddinas yn unig a digysur ddeuddeng mlynedd yn ôl. Cofiais mai Pabydd oedd Hannah hefyd, er nad oeddwn erioed wedi dangos iddi fy mod yn gwybod. Addewais i William pan ddaeth â hi i Lain-las y tro cyntaf hwnnw, yn wraig ifanc briod, na ddwedwn wrth undyn byw ei bod yn Babydd. Ac er mawr glod iddi hithau hefyd, ddangosodd hi erioed mewn gair na gweithred ei bod yn Babydd. Deuai gyda ni i Gapel Bryn-crwn, âi drwy yr un stumiau â ni, er na ddeallai yr un gair o'r gwasanaeth.

Cofiais yn sydyn fy mod wedi addo mynd â Johnnie bach am dro, a rhuthrais oddi yno. Roedd plant bach yn dal i fegera ar risiau'r eglwys – plant bach troednoeth a charpiog fel cynt. Teflais geiniog i'w canol, ac roedd eu gweld yn sgrialu a chweryla am yr un geiniog honno yn destun tosturi.

Cyrhaeddais y tŷ lojin yn flinedig a di-hwyl mewn pryd i fynd â Johnnie mas. Roedd Nhad yn fy nghyfarfod ar ben y drws, â golwg wyllt arno.

'Ellen, ble yn y byd mawr wyt ti wedi bod?'

'Pam? Be sy?'

'Mae Hannah yn ddwl-bared-bost. Mae hi wedi colli ei phwyll.'

'Colli ei phwyll? Amhosibl,' meddwn i, yn methu credu.

'Ar fy ngwir, Ellen.'

'Be sy'n gwneud i chi gredu hynny?'

'Mae ar ei gliniau ar lawr yn cyfrif ei phaderau.'

Pennod 4

Nid ar ei gliniau yr oedd Hannah, ond yn hanner gorweddian ar lawr, y paderau yn ei dwylo, ei llygaid ynghau, ac yn mwmian geiriau annealladwy. (Deellais wedyn mai Lladin oedd yr iaith). Wedi'r cyfan, cafodd ei chodi'n Babydd o'r crud, priodwyd hwy mewn eglwys Babyddol yn Buenos Aires, a hynny'n gwbwl groes i ddymuniad William. Ond doedd William fawr o gapelwr, a gwaith cymharol hawdd oedd perswadio llanc mewn cariad i ufuddhau i ymbil ei gariadferch.

Rhaid bod ei chariad at William yn frwd a didwyll, cyn iddi nid yn unig gefnu ar ei gwlad a'i thylwyth, ond ar ei chrefydd hefyd. Oddi ar inni ymadael â'r Wladfa roedd ei hiraeth ar ôl William wedi cynyddu'n aruthrol, gymaint nes iddo effeithio ar ei hiechyd, a hyd yn oed mynd mor bell ag esgeuluso ei phlentyn bach! William oedd ei holl fyd.

A dyna lle'r oedd hi mewn gwewyr yn galw ar ei Duw. A minnau yr adeg honno, er mawr gywilydd imi, yn methu derbyn y ffaith mai 'run oedd ein Duw ni a Duw'r Pabydd. Daeth Nhad i mewn i orlenwi'r stafell gyfyng, a dyma hwnnw, fel pe tai'n mynnu cystadlu â Hannah, yn gweddïo nerth ei ben.

'O Arglwydd yr holl ddaear, achub Hannah rhag ysbrydion y fall. Dyro nerth inni wrthsefyll temtasiynau'r diafol.'

Fedrwn i ddim dal rhagor. Ffrwydrais!

'Nhad, byddwch ddistaw, rhag cywilydd i chi. Nid dyma'r amser i weddïo, a chau eich llygaid ar y presennol. Mae Duw yn helpu'r rheini sy'n helpu eu hunain.'

'Ond be fedra i 'i wneud?'

'I gychwyn, ewch â Johnnie bach mas.'

'Mas i ble?'

'I rywle o fan hyn.'

Roedd y bychan hwnnw yn eistedd ar y gwely ac yn boechan ei chalon hi. Roedd yn amlwg nad oedd wedi ei fwydo ers oriau. Roedd hi fel bedlam yno, a rhaid oedd gweithredu.

'Nhad, ewch i chwilio am rywbeth iddo i'w fwyta, a hynny ar unwaith. A pheidiwch â dod 'nôl am o leia awr. Brysiwch!'

Ac er syndod, ufuddhaodd heb ddweud bw na be. Yn bendant roedd fy nhad yn heneiddio, neu ni fyddai byth wedi plygu mor ufudd i'r drefn, a chefais eiliad o bryder wrth i mi sylweddoli hynny.

Ond doedd dim amser i hel meddyliau. Hannah oedd fy mhryder a'm cyfrifoldeb ar y foment.

'Hannah, cwyd ar dy draed ar unwaith a stopia'r sterics a'r randibŵ 'na.'

Ufuddhaodd Hannah hefyd. Roeddwn yn wraig o awdurdod! A synhwyrais fuddugoliaeth!'

Nel, mae'n rhaid i mi gyfaddef y gwir wrth rywun. Mae'n rhaid i mi.'

'Reit, mas ag e. Rwy'n gwrando.'

Edrychodd ym myw fy llygaid a dweud gyda phendantrwydd a hyder, nodweddion oedd yn ddieithr iawn iddi hi,

'Ellen, rydw i'n Babydd.'

'Wyt, mi wn – dyna i gyd sydd gyda ti i'w ddweud?'

'Sut yn y byd . . ?' Methodd ddweud mwy.

'Fe ddwedodd William wrtha i, cyn i chi erioed briodi.'

Roedd sôn am William yn ormod iddi, a dyma ailddechrau gweiddi ar *Pater Noster*, a chyfri'r paderau unwaith eto.

'Hannah,' meddwn mor amyneddgar ag y medrwn, 'gwranda arna i. Rhaid i ti, os wyt am ddod gyda ni i Gymru, guddio'r paderau, a'u cyfri yn y dirgel; rhaid i ti hefyd guddio'r groes rwyt ti'n ei gwisgo am dy wddf. Dyw Cristnogion 'run fath â ni ddim yn gwneud pethe fel'na.'

'Ond, Ellen, rydw i *yn* Gristion.'

Oedd, wrth gwrs, yr oedd hi'n Gristion. A chofiais am yr Indiaid. '*Cristianos*' oedden nhw'n galw'r Pabyddion, y Sbaenwyr a fu mor greulon wrthynt. 'Y Brodyr' oedd eu henw ar y Cymry; a rywsut yn fy meddwl bach i doedd *Cristianos* ddim yn gyfystyr â Christnogion.

Cododd ton o drueni drosof; trueni dros Hannah, trueni dros Johnnie bach, trueni drosom i gyd. Beth ddeuai ohonom? Ac yn gymysg â'r trueni hwn, cododd dicter ei hen ben hyll hefyd. Dicter at William.

William fy mrawd, a fu mor ffeind a charedig wrthyf dros y blynyddoedd, yn gallu achosi'r fath ofid a chwithdod i'w deulu. Sut yn y byd mawr y medrodd eu gadael? Eu gadael ar drugaredd ei deulu, y byddai'n well ganddynt hebddynt; eu gadael i fynd i wlad estron, saith mil o filltiroedd i ffwrdd, a hithau druan fach heb ddeall yr iaith ac, yn waeth na'r cyfan, yng nghwmni pobol oedd yn dilorni ei chrefydd.

Yn sydyn daeth syniad i mi o ganol y caddug.

'Hannah, fyddai hi ddim yn well pe baet ti a Johnnie'n aros yma yn Buenos Aires? Dyma dy wlad di, dyma dy bobl di, y bobl sy'n siarad yr un iaith â thi.'

'Nage, Chile yw 'ngwlad i.'

'Ond, Hannah, mae Buenos Aires yn nes at Chile nag yw Cymru, ac mi fedri di fynd i Chile yn hawdd iawn oddi yma.'

'Dwi ddim eisiau mynd i Chile.'

'Ond, Hannah, beth am dy dad a'th fam? Yno mae dy gartre di.'

'Nage, gyda William mae 'nghartre i, ac mae e'n dod 'nôl i Gymru.'

'Ond, Hannah, beth os . . ?'

Ches i ddim gorffen y frawddeg cyn ei bod yn bloeddio gweiddi.

'Mae William *yn* dod 'nôl – mae'n *rhaid* iddo.'

'Does dim *rhaid* gwneud dim yn yr hen fyd yma, Hannah, dim ond marw.'

Mi fase'n gallach i mi fod wedi cau fy ngheg. Rhoddodd y gair 'marw' esgus arall am ragor o wylofain a rhincian dannedd.

Roeddwn wedi cael hen ddigon erbyn hyn. Fedrwn i ddim dioddef rhagor, ac allan â fi o sŵn y nadu a'r sterics. Ond wrth fynd allan dwedais yn chwyrn, heb rithyn o gydymdeimlad yn fy llais,

'Da thi, cuddia'r paderau a'r groes neu mi fydd yn *rhaid* iti aros yn Buenos Aires.'

Es allan i ben drws i gael chwa o wynt; roedd awyrgylch yr ystafell fechan gaeth yn llethol, ac wylofain Hannah yn dal i chwyrlïo yn fy mhen. Roedd y dyfodol yn fy nychryn. Ie, ei pherswadio i aros yma fyddai'r ateb synhwyrol, yn wir, yr unig ateb. Roedd hi'n gyfarwydd â'r ddinas; yma y cafodd ei haddysg mewn ysgol Babyddol. Yn ôl a ddeellais oddi wrth William, roedd ei thad yn farsiandïwr cyfoethog, ac yn awyddus i'w ferch, ei unig ferch, gael yr addysg orau. Roedd ei brawd hefyd mewn ysgol arall i fyddigions nid nepell oddi wrth ei chwaer. Dod i adnabod ei brawd wnaeth William gyntaf, roedd y ddau'n cystadlu yn erbyn ei gilydd mewn ras geffylau. William a orfu, fe ddaeth yn arwr iddi, ac fe syrthiodd yn bendramwnwgl mewn cariad ag e yn y man a'r lle. A doedd hi ddim yn debygol y byddai'n syrthio allan o gariad chwaith.

Yn sydyn, daeth syniad arall imi; beth pe baen ni'n dwy yn aros yn Buenos Aires? Gwyddwn fod celc go lew gan Hannah. Roedd hi wedi gwarchod yn ofalus ran helaeth o'r arian a roddodd ei thad iddi fore'r briodas. Rhoddodd ran ohono i William a Dyfrig i'w hwyluso ar eu hantur wallgo' i Dde Affrig. Roedd hi'n ferch ofalus-glòs o'i harian, ni wariai ond ar hynny oedd raid, ac roedd ganddi ddigon o ddillad costus, ffasiynol i bara iddi am ei hoes.

Ond fedrwn i ddim byw ar arian Hannah. Mi fyddai'n rhaid i mi gael gwaith a byddai'n rhaid i Hannah a'i phlentyn ymlwybro'n ôl at ei theulu yn Chile. Ond roedd anhawster ynglŷn â hynny hefyd; roedd hi wedi torri pob cysylltiad â'i theulu o'r diwrnod y priododd â William. Arhosodd ei thad yn Buenos Aires i wneud yn siŵr eu bod yn priodi, a hynny mewn Eglwys Babyddol. Aeth i'r gwasanaeth, ac ar derfyn y seremoni rhoddodd swm o arian iddi gan ddweud ei fod ef a'i mam wedi gorffen â hi am byth. Doedden nhw byth bythoedd eisiau ei gweld hi wedyn. Ond doedd dim ots gan Anna, fel y'i gelwid yr adeg honno, roedd William yn fwy na digon iddi.

Chlywodd hi yr un gair oddi wrth ei rhieni na chynt na chwedyn. Fe wadodd hithau hefyd ei theulu, ei gwlad a'i chrefydd ac, yn ôl pob ymddangosiad, heb rithyn o gydwybod na hiraeth.

Tan heddiw.

Sefwn ar ben drws yn pendroni a synfyfyrio pan welais Nhad a Johnnie bach yn cerdded tuag ata i. Chwarddais yn uchel wrth weld y bychan yn gocyn coch ar ysgwyddau fy nhad, ac yn cnoi ar dorth oedd bron cymaint ag ef ei hun. Roedd y plentyn ar ei gythlwng.

'Dim ond un siop oedd ar agor, a dim ond bara oedd 'da nhw i'w werthu. Pawb yn cael *siesta*.'

Wrth gwrs, *siesta*, yr arfer o orwedd bob prynhawn i orffwys. Fedrwn i ddim deall eu harferion, esgus i ddiogi oedd hyn i mi; doedd gan bobl y Wladfa ddim amser i fynd i'r gwely bob prynhawn. Roedd ganddyn nhw reitiach gwaith i'w wneud.

'Ydy *hi* wedi dod at 'i hunan?'

'Nag ydy.'

'Yn enw popeth, Ellen, mae'n rhaid ei . . .'

'Gwrandewch, Nhad, mae Hannah yn wirioneddol sâl, a rhaid inni ei thrin yn ofalus, yn ofalus iawn.'

'Mae wedi colli arni ei hunan, roedd hi wrthi'n cyfri paderau.'

'Pabydd yw Hannah, Nhad.'

'Pabydd? Pam na fasai rhywun wedi dweud wrtho i am hyn?' meddai, a'i lais yn codi yn uwch ac yn uwch.

'Roedd arni ofn dweud.'

'A beth am William? Hwnnw hefyd, fy mab fy hunan wedi fy nhwyllo.'

'Wnaeth neb eich twyllo, Nhad. Ofynnoch chi iddi erioed beth oedd ei chrefydd? Naddo, doedd 'da chi ddim diddordeb.'

'Ond roedd hi'n dod gyda ni i'r Capel. Beth pe bai pobol Bryn-crwn yn dod i wybod am hyn?'

'Dyna chi eto, Nhad, poeni am farn pobol. Beth yw'r ots be maen nhw'n ei ddweud? Mwy na thebyg welwch chi na hithau mo Bryn-crwn byth eto.'

'Rhaid i aelodau Clos-y-graig beidio â chlywed am hyn.'

'Rhaid i chi ddim poeni, wnaiff Hannah ddim halogi'r capel hwnnw â'i phaderau chwaith.'

'Rydw i *yn* poeni, Ellen.'

'Rwyf am geisio ei pherswadio i aros yma, a dychwelyd i Chile at ei theulu, os yn bosib.'

'Da iawn wir, Ellen, syniad da. Dyna'r unig ateb, treia dy orau, 'merch i.'

Yna saib, cyn imi daro'r ergyd.

'A rydw innau'n bwriadu aros yma gyda hi.'

Edrychodd arna i'n hurt. Roedd ei geg ar agor, ond ni ddaeth unrhyw sŵn allan. Aeth i edrych yn hen yn sydyn. Sylwais fod ei ysgwyddau'n crymu a'i lygaid yn bŵl. Teimlwn drueni drosto.

'O wel, fe gawn weld,' meddwn innau mor sionc fy llais ag y medrwn.

'Ellen, paid byth â 'ngadael i, fedra i ddim byw hebot ti. Ti yw'r unig un sydd ar ôl 'da fi mwyach.'

Troais ar fy sawdl, fedrwn i ddim trystio fy hun i'w ateb, ac i ffwrdd â fi am dro i gael heddwch i feddwl, a cheisio rhoi trefn ar fy mywyd fy hun.

Pennod 5

Crwydrais ar fy mhen fy hun gan bendroni a hel meddyliau. Yn lle teimlo tosturi dros fy nhad, fel y dylai merch ufudd a diolchgar ei wneud, mae'n debyg, cydiodd rhyw deimlad anniddig ynof, teimlad oedd yn ymylu ar fod yn wrthryfelgar. Pam y dylwn i dreulio gweddill fy mywyd yn forwyn fach iddo fe, ac yn geidwad fy chwaer-yng-nghyfraith a'i phlentyn.

Roeddwn i dros fy neg ar hugain erbyn hyn ac wedi cyrraedd y stad amharchus honno a elwid yn 'hen ferch'. Roedd Nhad wedi rhyw led-awgrymu hynny'n ddiweddar, rhyw hanner cellwair; cnoais fy nhafod rhag ateb, ond fe deimlais y sarhad i'r byw.

Ar ôl marw Mam, offrymais fy ieuenctid cynnar yn gyfan gwbl i'w wasanaethu ef a'm brodyr. A be wnaeth e? Priodi ar y cyfle cyntaf a gafodd. Dwy flynedd barodd y briodas honno, bu farw ei ail wraig o hiraeth a siom. Hiraeth ar ôl ei theulu a Chymru, a siom o ganfod llymder a thlodi bywyd y Wladfa. Yna, 'nôl wedyn i Lain-las ar ôl profi annibyniaeth, i ailgydio yng ngwaith y tŷ a'r ffarm a bod ar ei alwad ef a'r tri bachgen. Ond fe ddeliais afael yn fy mheiriant gwnïo; roedd hwnnw'n esgus ac yn rheswm hefyd i ddianc o'r llyffetheiriau o bryd i'w gilydd, ac yn fodd o ennill ambell geiniog at fy nghadw. Ond fûm i erioed yn annibynnol tra oeddwn yn byw yn Llain-las, roedd caethiwed fy nheulu a'r ffarm yn gafael ynof fel gefel.

Rheswm bodolaeth menywod ym Mhatagonia oedd magu plant, moch a lloi; chwysu i baratoi bwyd; glanhau, pobi, corddi, gwneud caws, bwydo'r moch a'r lloi yn ddiddiwedd, ddydd ar ôl dydd, ar ôl dydd, a hynny yn y gwres mawr. A llawer gwaith diolchais i'r Bod Mawr, yn

dawel bach, 'mod i'n rhydd oddi wrth gyfrifoldeb plant.
Roedd gweld mamau ifainc yn syrthio dan bwysau gwaith
a geni yn loes i'r galon. Dyna a laddodd Mam yn wraig
ifanc.

A dyma fi erbyn hyn yn 'hen ferch' ac ar fy ffordd i
Gymru i edrych ar ôl Nhad weddill ei oes. Gwyddwn fod
Nhad yn disgwyl teyrngarwch llwyr oddi wrthyf.
Gwyddwn fod William yn dibynnu arna i i fod yn gefn ac
yn gysur i'w wraig a'i blentyn.

Roeddwn wedi fy nal ym magl ffawd unwaith eto, ac
roeddwn yn llawn tosturi drosof fy hunan.

Pam oedd rhaid imi? Roedd Nhad ymhell dros ei drigain
erbyn hyn, a go brin y byddai'n priodi eto, ac fel y
dywedodd heddiw ddiwethaf, 'Paid byth â ngadael i, Ellen,
fedra i ddim byw hebot ti.'

A Hannah? Beth amdani hi? Roedd fy nicter at William
yn cynyddu'n ddyddiol. Pa hawl oedd ganddo i droi'i gefn
ar ei deulu bach, a hwylio i ben draw'r byd i gloddio am
aur?

Roeddwn yn sicr yn fy meddwl erbyn hyn fod ei awydd
am antur yn drech na'i deyrngarwch at ei deulu. Siom
chwerw oedd sylweddoli hynny, ac roedd y teimlad o
ddigofaint a ddaeth i mi ddiwrnod y ffarwelio yn cryfhau'n
ddyddiol, a'r teimlad arall, anesboniadwy hwnnw na
welwn i byth mohono ef na Dyfrig byth wedyn, yn cnoi yn
fy stumog.

Doedd fawr o awydd byw yng Nghymru arna innau
chwaith. Pan oeddwn yno ar wyliau, dros ddeuddeng
mlynedd yn ôl bellach, pobl oeraidd, anghynnes oedd y
Cymry ar y cyfan – mor wahanol i'r cynhesrwydd a'r
cyfeillgarwch oedd yn ffynnu ymysg y Gwladfawyr.
Gwyddwn y byddwn yn hiraethu ar hyd fy oes ar ôl
eangderau gwyllt y Paith, y crwydro ar gefn fy ngheffyl
Dic, a'r cyfeillachu yn y capel a'r côr. Rhaid cyfaddef mai
Archentwraig oeddwn, nid Cymraes; Archentwraig yn
siarad Cymraeg. Ond rhaid cael mwy nag iaith i'ch clymu

wrth wlad, ac ofnwn na fyddai hynny'n ddigon i'm gwneud yn un ohonyn nhw.

Roedd y syniad o aros yn Buenos Aires yn cryfhau gyda phob cam. Beth pe bawn i'n aros yma dros dro, perswadio Hannah hefyd i aros gyda mi, ac ymhen amser, efallai rai misoedd, hwylio am Gymru wedyn. Siawns y byddai Rhyfel y Boer wedi gorffen erbyn hynny ac y byddai William wedi penderfynu ar ei ddyfodol yntau.

Roeddwn wedi cerdded ymhell erbyn hyn, ac yn ddiarwybod fe ddaeth y nos. Mae'r nos yn disgyn yn sydyn yn Archentina.

Cerddais yn bendrist yn ôl i'r llety ond roeddwn wedi penderfynu ar gynllun erbyn hyn, a gwyddwn y byddai'n rhaid i mi fod yn styfnig o benderfynol i'w gyflawni. Doedd Hannah ddim yn abl i deithio mor bell a hithau'n cyfogi mor druenus ddydd ar ôl dydd, ac ni fyddai na meddyg na nyrs ar fwrdd y llong. Byddai'n rhaid i mi berswadio Nhad hefyd a dangos iddo mor amhosibl y byddai ei gadael ar ei phen ei hun gyda'r plentyn, a minnau wedi tynghedu gerbron William yr edrychwn ar eu holau. Fe gadwn y tocynnau teithio, a byddai hynny'n ernes i Nhad y deuwn ar ei ôl ryw ddydd.

Felly dyma baratoi am storom – rhagor o ddagrau, rhagor o sgrechian, a rhagor o bregethu am ddyletswydd a pharch plant at rieni. Ond roeddwn yn teimlo'n gadarn a phenderfynol – rhaid oedd i'r cynllun lwyddo.

Pan gyrhaeddais y lojin roedd pob man yn dawel a digyffro. Dim sôn am Nhad, ond roedd Hannah a Johnnie yn gorwedd ar y gwely, y ddau'n cysgu'n drwm. Gwenais wrth weld Johnnie yn dal yn dynn yn yr hanner torth. Druan bach, byddai'n rhaid iddo fyw ar y dorth honno tan y bore. Gyda lwc, cawn laeth ffres iddo, ond codi gyda'r wawr i'w brynu. Byddwn yn paratoi digon o fwyd iddo wedyn am y dydd. Rhyw ddwyawr oedd yn llaeth yn dal heb suro, heb ei ferwi.

Roedd Hannah yn edrych yn frawychus o wael, ei

hwyneb yn welw-drist, a rhyw wawr felen ar ei chnawd. Roedd ei hwyneb a'i gwddf yn denau a rhychiog, a phob asgwrn i'w weld ar ei hysgwyddau. Rhyfedd oedd hynny, hefyd, gan fod ei chorff yn cadw'n ddigon graenus. Nid dyma'r eneth dlos a adawodd William yn fy ngofal, a theimlais ryw euogrwydd, teimlo fy mod wedi methu yn fy nyletswydd.

Es i chwilio am Nhad. Cefais afael ynddo yn ei stafell wely, stafell fechan tua'r un maint â chut ieir, ac yn arogli'n debyg iawn hefyd. Dyna lle roedd e ar erchwyn y gwely yn darllen ei Feibl.

'Wel, wnest ti lwyddo?'

'Naddo.'

'Pam?'

'Mae hi'n cysgu.'

'Wel, deffra hi, yn eno'r tad.'

'Wnaiff hi ddim aros, Nhad, oni bai . . .'

'Oni bai beth?'

'Oni bai fy mod inne'n aros hefyd,' ebe fi mor dawel a digyffro â phosibl.

Syllodd arna i am eiliad, a'i geg yn llydan agored.

Yna ffrwydrodd.

'Paid â siarad mor ddwl, lodes. Wyt tithe wedi colli dy synhwyre hefyd?'

'Dyna'r unig ffordd mas o'r cawdel, Nhad.'

'Ffwlbri noeth!'

'Gwrandewch arna i, Nhad, mae Hannah mewn cyflwr difrifol. Feder hi byth bythoedd deithio i Gymru yn ei stad bresennol.'

'Ellen, gwranda di arna i,' ac erbyn hyn roedd yn gweiddi, nerth ei ben, 'elli *di* ddim aros gyda hi, a dyna ddigon ar y siarad gwamal 'na.'

'Pam?'

'Pam? Os na elli di ddeall hynna bach, rwyt ti'n dwpach na'r cyffredin. Sdim rhagor i'w ddweud.'

Na, doedd dim modd ymresymu â Nhad. Yn wir,

doeddwn i ddim wedi cael sgwrs agos-atoch, ddeallus, gydag e ers blynyddoedd.

Byth oddi ar iddo ddod â'i ail wraig i Lain-las cododd rhyw agendor rhyngom, a chwalwyd pob cyfathrach agos, dadol. Gofyn cwestiwn ac ateb oedd y sgwrs gan amlaf, yn ddigon boneddigaidd, hyd nes y byddai'n gwylltio. Ac yna taranu am rai munudau, a byddwn innau'n pwdu. Âi diwrnodau heibio weithiau, heb ddweud bwm wrth ein gilydd. Diwrnodau poenus oedd y rheini, ond *fe* fyddai'n gorfod ildio'r rhan amlaf. Lawer gwaith dywedodd Mam wrthyf, a minnau ond yn blentyn,

'Trueni, Nel fach, dy fod mor debyn i asyn.'

Ac roedd ysbryd yr asyn wedi fy meddiannu yr adeg honno, a ffwrdd â fi at Hannah, gan gau'r drws yn swnllyd herfeiddiol ar f'ôl. Rhaid oedd cael honno i gytuno'n gyntaf, neu mi fyddai'n amen arna i a'm cynlluniau.

Roedd Hannah ar ddi-hun erbyn hyn ac yn crio'n dawel. Roedd Johnnie yn dal i gysgu, diolch i'r drefn.

'Wyt ti'n teimlo'n well, Hannah?'

'Dim llawer.'

'Gymeri di rywbeth i'w fwyta?'

'Dydw i ddim eisiau gweld bwyd.'

'O'r gorau, gwranda, mae 'da fi gynllun. Beth feddyli di o'r syniad hwn?'

'Dydw i ddim eisiau clywed. Rydw i wedi blino, rydw i'n sâl.'

'Gwranda, Hannah, mae'n *rhaid* iti wrando.'

Trodd ei hwyneb at y wal, a dal i grio, ychydig yn fwy swnllyd erbyn hyn. Dyma finne'n codi fy llais a mynd 'mlaen i siarad, yn benderfynol o ddweud fy nweud. A hynny heb gyffroi'n ormodol.

'Fe arhoswn ni'n dwy yma yn Buenos Aires – ti a fi a Johnnie bach. Fa ga i waith gwnïo mewn siop, a falle y gelli dithe fynd 'nôl 'mhen amser i Chile at dy deulu.'

Rhoddodd sgrech annaearol – doedd tymer Nhad yn ddim o'i gymharu â sterics Hannah. Roedd brws gwallt ar y bwrdd yn ymyl y gwely; taflodd hwnnw â'i holl nerth, trawodd fi yn fy nhalcen, a gwaeddais gyda'r boen. Deffrôdd Johnnie, a dyma hwnnw hefyd yn sgrechian. Sôn am Bedlam!

O'r diwedd tawelodd y storm ryw gymaint, a dwedodd yn hollol bendant,

'Mae'n rhaid i Johnnie a fi fynd i Gymru. Rydw i wedi addo i William y byddwn yn disgwyl amdano yno. Rhaid i fi gadw 'ngair i William. Fe elli di aros yn Buenos Aires, os wyt ti'n dewis.'

Doedd 'da fi ddim ateb. Sylweddolais fod fy nghynlluniau mawreddog i'n deilchion. Roeddwn yn sownd yn y fagl. Sylweddolais hefyd o'r newydd y byddai Hannah a'i phlentyn fel maen melin am fy ngwddf am flynyddoedd i ddod.

Pennod 6

Doeddwn i ddim yn eneth naturiol hapus; gafaelodd rhyw hunandosturi a chwerwder ysbryd ynof pan fu farw Mam. Ac er ceisio fy ngorau i'w daflu i ffwrdd, mynnai lynu wrthyf fel gelen. Fûm i erioed yn gartrefol mewn cwmni oedd yn hoffi sbort a sbri, chwerthin a randibŵ. Hoffwn gwmni ffrind, a sgwrs ddeallus, ac roedd bod yng nghwmni John yn falm i'r enaid. Cerddem law yn llaw am filltiroedd ar hyd llwybrau'r Paith mewn dealltwriaeth berffaith, weithiau'n trin problemau llosg y dydd, weithiau'n canu, weithiau mewn distawrwydd, ond bob amser mewn cytgord. A phan gofleidiem wrth ffarwelio, byddai ysgryd pleserus yn cripian i lawr fy meingefn. Mi fyddwn wedi priodi John, a hynny heb betruso, pe daethai'r cynnig.

Ond ddaeth e ddim.

Ac fel dwedodd ei chwaer wrthyf un tro,

'Mae'n rhaid i bregethwr gael gwraig amgenach na merch sy'n medru godro a bwydo moch.'

Anodd oedd derbyn y gwirionedd, a bu gweld ein cyfeillgarwch yn oeri, ac amau fod ganddo gariad arall, yn loes imi. Ond fe ddaeth i lawr bob cam i ffarwelio â mi, i lawr o ganol ei brysurdeb, a dweud mewn llais uchel yng ngŵydd pawb y caem gydgyfarfod eto yng Nghymru, a hynny'n fuan.

Roedd arnaf ofn gobeithio na breuddwydio bellach. Ond fe roddodd anrheg fechan yn fy llaw wrth ymadael. Cefais lawer o anrhegion ganddo o dro i dro, anrhegion syml o waith coed, wedi eu gwneud a'u cynllunio ganddo fe ei hunan. Paciais y cyfan a gefais ganddo'n ofalus i'w gludo i Gymru – llwy garu, ffrâm bictiwr, bocs i ddal tlysau, pethau syml fel'na, ac yn werthfawr iawn i mi.

Llyfryn bach a gefais ganddo y tro hwn, llyfryn yn cynnwys ei hoff farddoniaeth, a rhai penillion wedi eu cyfansoddi ganddo ef ei hun hyd yn oed, a'r cyfan mewn ysgrifen copor-plât a lluniau blodau'n harddu pob tudalen. Doeddwn i ddim wedi cael cyfle na llonydd i'w hastudio eto. Ond un prynhawn penderfynais fynd am dro ar fy mhen fy hun unwaith eto. Roeddwn wedi cael hen ddigon ar Hannah a'i styfnigrwydd, ac ar fy nhad a'i ddiffyg cydymdeimlo a'i hunanoldeb. A dyma fi'n cipio'r llyfryn bach o'r drôr, ac i ffwrdd â fi i chwilio am le tawel i'w ddarllen, 'ymhell o boen y byd a'i bla', gan obeithio y cawn gysur a gobaith o'i ddarllen. Doeddwn i ddim am ei rannu ag undyn byw.

Cerddais am tua milltir gan chwilio am le tawel, ond roedd y ddinas wedi deffro erbyn hyn, ac roedd y prysurdeb a'r halibalŵ yn fyddarol. Doedd dim gobaith cael llonyddwch. Cyrhaeddais sgwâr fechan, ac yno roedd eglwys â goleuni gwan yn llewyrchu drwy'r ffenestri. Cerddais yn betrusgar at y drws; roedd hwnnw led pen ar agor. Cymerais yr hyfdra i gael cip y tu mewn. Roedd yno dawelwch a miwsig organ, ond rywsut doedd y miwsig yn amharu dim ar y tawelwch, roedd fel pe bai'n rhoi dyfnder iddo. Cefais y teimlad 'mod i'n sangu ar dir sanctaidd. Roedd yna rai pobl, merched gan mwyaf, yn gweddïo'n dawel. Eglwys fechan oedd hon, heb y crandrwydd a berthynai i'r eglwys fawr. Ond roedd yno ffenestri lliw a delw o Grist ar y Groes. Roedd yr eglwysi Pabyddol yma mor wahanol i gapeli'r Wladfa. Roedd y rheini mor llwm o'u cymharu; doedd yno ond pwlpud diaddurn a meinciau celyd, a ches i erioed y teimlad yno fel y cefais i yma, rhyw deimlad estron anesboniadwy fy mod i yn nheml Duw, a'i fod E yno gyda mi. A deellais hefyd reidrwydd Hannah i ymollwng i'w chrefydd mewn cyfyngder.

Sefais yng nghefn yr Eglwys gan bwyso ar y wal; roedd y golau a ddeuai drwy'r ffenest yn ddigon clir i mi allu darllen. Tynnais y llyfr bach o'm poced, a'i ddarllen yn ddefosiynol fel pe bawn yn darllen y Beibl. Penillion syml oeddynt, penillion serch, rhai o waith beirdd cydnabydd-edig, fel 'Y Ferch o'r Sgêr' a chân Wil Hopcyn i'w gariad. Rhai â'r odl a'r mydr heb fod mor berffaith, o waith John ei hun. Roedd y cyfan yn gysegredig i mi.

Rhwng y miwsig, y tawelwch a'r farddoniaeth cefais fy nghludo i ryw fyd afreal, y tu hwnt i'r byd hwn a'i drafferthion.

> Mae rhai â'u bryd
> Ar bethau'r byd
> Ond ar eneth deg wiwlan
> Rhoes i fy holl amcan
> Yn gwbl i gyd.
> Pe cawn ond tydi
> Mi ddwedwn yn hy
> Fod digon o gyfoeth
> Gwên f'eneth i mi.

Dal ymlaen i ddarllen, a'm gobeithion yn codi gyda phob llinell:

> Mae'n haws gwneud rhaff o dywod môr
> A rhwymo'r gwynt yn union,
> A llawer haws yw cynnau tân
> O ddyfroedd glân yr afon,
> A haws troi'r wennol
> Yn ôl i'r cwm
> Na thorri cwlwm calon.
>
> Yn chwifio'i chadach gwyn
> Mae Nel ar John o hyd,
> A John o'r lan wrth ganfod hyn
> Sibrydai, 'Gwyn fy myd'.
> A choda'i gadach llaith
> I hofran uwch ei ben
> A'r awel iddo gluda'i iaith
> 'Cawn gwrddyd eto, Nel.'

'Mab wyf fi
Yn byw dan benyd
Am f'anwylyd fawr ei bri,
Gwnaf ei charu
Fwy na digon
Curo mae fy nghalon i.'

Bûm wrthi am yn agos i awr yn darllen, mwynhau ac ymhyfrydu yn y serch a ddylifai o bob gair. Darllen yr un pennill drosodd a throsodd a chofio am yr amser hapus yn y Wladfa. Cofio am yr addewidion a'r cynlluniau. Dewisais anghofio am y dieithrwch a'r oerni ar ôl iddo ddod 'nôl o'i daith i'r Hen Wlad.

Roedd gobaith eto!

Minnau'n darllen ymlaen ac ymlaen ac ymlaen y dwsinau penillion i gyd yn y cywair serch, ac yn glafoerio a llyncu'r cyfan fel cath yn llyfu hufen. Roeddwn ar y dudalen olaf erbyn hyn, ac roedd y geiriau hynny wedi eu tanlinellu bob gair – pob gair â llinell goch drwchus oddi tano. Darllenais hwy yn araf ofalus a chael dyrnod gan bob gair. Roedd fy ngobeithion disglair yn deilchion:

Rwy'n rhy ifanc
Eto i ddianc,
Cymeraf bwyll
Cyn mynd rhy bell,
Pan rwy'n barod
Rhyw ddiwrnod
Clywed gei
Os byddi gwell;
Pwylla'r bachgen
Gwyllt ei anian,
Rwyf dan ofnau
Rhwymo f'llaw,
Gwaeth cael digon
O rybuddion
Yma a thraw.

116

Roedd y neges yn hollol glir, a theimlais fy mod wedi cael fy nhwyllo a'm bradychu. A gwaeth na hynny, hyd yn oed, cydiodd hen deimlad hyll ynof, hen deimlad chwithig ei fod wedi gwneud ffŵl ohonof. Ac mae hynny'n waeth na chael eich twyllo. Oeddwn, roeddwn yn hen sopen wirion yn gadael i deimladau fy nhrechu yn union fel hogen benchwiban heb gyrraedd oedran synnwyr. A minnau dros fy neg ar hugain, ac yn wynebu canol oed hen-ferchetaidd!

Stwffiais y llyfryn 'nôl i'm poced, plygais fy mhen mewn cywilydd, a daeth y dagrau. Doeddwn i ddim wedi ymollwng i ddagrau ers amser maith; roeddwn wedi caledu fy nghalon, ac wedi derbyn pob helbul a thrafferth heb golli deigryn. Roeddwn wedi derbyn fy nhynged yn oeraidd, er bod hiraeth yn fy llethu – hiraeth ar ôl y Wladfa, hiraeth ar ôl fy ffrindiau, hiraeth ar ôl John, ie, a hiraeth ar ôl fy ieuenctid hefyd.

Ceisiais rwystro'r llifeiriant, ond fedrwn i ddim. Roedd yr awyrgylch yn yr eglwys yn diferu o gydymdeimlad – yr hanner tywyllwch, y canhwyllau gwêr yn taflu cysgodion ar y Crist croeshoeliedig, a'r miwsig tangnefeddus a ddeuai o grombil yr organ fawr. Doeddwn i ddim yn gyfarwydd â miwsig organ, a'r gerddoriaeth oedd mor wahanol i gerddoriaeth emyn ac anthem. Canu'n oer oedd yr arferiad yng Nghapel Bryn-crwn, heb help offeryn, a'r lleisiau dynol, digon ansoniarus ar brydiau, yn atsain i bob cornel o'r capel bach.

Roedd y sefyllfa yma mor estron, ac yn brofiad ysgytwol. Ceisiais weddïo, ond fedrwn i ddim. Mae'n debyg fod fy magwraeth a'r atgasedd oedd gan fy rhieni tuag at y ffydd Babyddol wedi dylanwadu arnaf.

Eisteddais yn swp blinedig ar y sedd gefn. Bûm yno am gryn chwarter awr yn isel a gwan f'ysbryd. Roedd y dagrau wedi peidio, ac roeddwn yn paratoi i symud pan welais offeiriad yn ei wisg ysblennydd yn nesu ataf. Fedrwn i ddim dianc; daeth ymlaen ataf yn araf. Ddwedodd e 'run gair, dim ond gosod ei law'n dirion ar fy mhen – aros am ennyd a mynd, a'm gadael innau mewn penstandod llesmeiriol.

Sefais yn berffaith lonydd am rai munudau – wn i ddim yn siŵr am ba hyd. Roedd amser wedi sefyll, a minnau heb symud llaw na throed. Roedd y cyffyrddiad yn gyffyrddiad o gydymdeimlad, ac roedd derbyn cydymdeimlad, yn enwedig mewn awyrgylch arallfydol gan ddieithryn, a hwnnw'n offeiriad Pabyddol, wedi fy nghyffwrdd i waelodion f'ysbryd. Wnawn i byth eto ddiystyru'r ffydd Babyddol.

Roeddwn yn teimlo'n euog hefyd. Fe es i i'r eglwys, nid i addoli, nac i ofyn am faddeuant am fy mhechodau, ond gyda'r unig bwrpas o ddarllen fy nghaniadau serch mewn llonyddwch. Cefais fy siomi yng nghynnwys fy llyfryn bach. Diflannodd y rhithyn olaf o obaith am aduniad gyda John. Rhaid oedd ymroli, a bu cyffyrddiad y Tad Pabyddol yn gyfrwng i leddfu'r boen.

Codais gan deimlo'n well, a chyfeiriais fy nghamre tua'r tŷ lojin. Cerddais yn benuchel, yn benderfynol o wynebu pob rhwystr, a rhoi cymaint o help ag y medrwn i Hannah yn ei thrybini, nid yn gymaint er ei mwyn hi, ond er fy mwyn fy hunan. A wnawn i byth, byth eto, ragfarnu na dilorni y ffydd Babyddol.

Pennod 7

Aeth y tridiau'n wythnos, a'r wythnos yn bythefnos, a ninnau'n dal i aros am long.

Un bore dyma Nhad yn gweiddi fel dyn o'i go tu fas i'r stafell, a churo'n ddiamynedd ar y drws. Roeddwn ar hanner gwisgo, a chredais yn wir fod y tŷ ar dân.

'Be sy'n bod?' gwaeddais o'r tu mewn.

'Dere ar unwaith, Nel, paid ag oedi.' (Roedd yn anghofio fy ngalw'n 'Ellen' mewn argyfwng.)

'Dere heb ymdroi, mae'r dyn tynnu lluniau yma.'

'Dyna i gyd,' meddwn yn ddigon di-ffrwt, 'dyw'r byd ddim ar ben wedi'r cyfan.'

'Dere, mwstra, paid â gwamalu, dyma'r cyfle olaf gawn ni i dynnu ein lluniau yn Ariannin.'

'Dwi ddim eisiau tynnu fy llun . . .'

'Wyt, wyt, dere ar unwaith a phaid â bod yn benstiff. Gwisg dy ffrog orau.'

Roedd yn haws ufuddhau na chychwyn dadl a allai orffen mewn storm o eiriau, a cholli tymer. Ac i be wnawn i ddadlau am beth mor ddibwys â thynnu llun?

Gwisgais fy ffrog orau'n ddigon anfoddog; doeddwn i ddim wedi pacio honno yn y gist. Cyn pen munud roeddwn i mas yn y stryd, yn barod ar gyfer y weithred ac yn teimlo'n rel ffŵl. Roedd Nhad yn ei drowsus rhip a'i siaced ddiwetydd, a minnau yn fy ffrog sidan, sgidiau trymion am fy nhraed, a'm gwallt yn gocyn tynn heb ei gribo.

'Ble mae'r dyn?'

'Rhaid mynd i'w dŷ, rhyw ganllath lan yr hewl.'

Roedd y ganllath yn debycach i filltir. Roedd y dyn ar ben y drws, yn wên i gyd. Yr unig beth a gofiaf i amdano, oedd gweld dant aur yn sgleinio ymysg rhes o ddannedd pwdr.

'*Entre, entre.*'

Ac i mewn â ni i'r tywyllwch, i stafell fechan fach. Roedd camera anferth ar ganol y llawr. A dyma fe'n ein gosod i sefyll ar gilcyn o garped blodeuog. Sticiodd glamp o flodyn ffug yn siaced Nhad ac meddai wrthyf,

'Cydiwch yn ei fraich a gwenwch.'

Cydiais yn ei fraich, ond gwrthododd y wên ymddangos. Gwthiodd y dyn ei ben dan y cwdyn du, clic, a dyna ni ar gadw am byth i'r oes a ddêl. Ond roedd y dyn eisiau tynnu llun arall, a minne'n eistedd. Ond digon yw digon. Gwrthodais yn bendant.

Rhyfeddais fod Nhad wedi addo ei dalu 'mlaen llaw yn y gobaith y gyrrai'r dyn y llun ar ein holau i Gymru. Doedd 'da fi ddim gobaith y gwelwn y llun byth. Gadewais y ddau'n dadlau ynglŷn â'r pris, ond y dyn a orfu; roedd Sbaeneg clapiog Nhad yn dipyn o rwystr iddo wrth fargeinio.

Rhuthrais 'nôl i dynnu fy ffrog sidan. Rhaid oedd ymgeleddu Hannah a'r crwt bach. Roedd yn amser melltigedig, y lojin yn wael, y bwyd yn waeth, ond y gwaethaf oll oedd salwch Hannah, ac anniddigrwydd Johnnie bach. Dim ond pymtheg mis oedd y bychan, a minnau'n disgwyl iddo ufuddhau, a deall ein hymresymu gwallgo. A'r agwedd dristaf oll oedd fod Hannah yn ei gwely bob dydd a thrwy'r dydd, yn troi ei hwyneb at y wal, ac yn gwbl anystyriol o'i phlentyn.

A doedd Nhad fawr iawn gwell chwaith, yntau'n troi ei gefn ar y cyfan, ac yn fy meio i am na allwn berswadio Hannah i aros yn Buenos Aires.

'Efallai na fydd William 'nôl am flynyddoedd, a fedra i mo'i chadw.'

'Fe all Hannah gadw'i hunan, Nhad, dyw hi ddim heb arian. Rwy'n gwybod, a dyna ddigon o siarad ar y pwnc.'

'Paid ti â siarad fel'na gyda dy dad, 'merch i; heblaw am dalu am y pàs, fi sy'n gorfod ysgwyddo popeth arall.'

'Fe gewch y cyfan 'nôl, ar ôl i William ddod adre.'

'Ie, a phryd fydd hynny, gweda?'

Ie, pryd fyddai hynny, dyna'r cwestiwn roeddwn innau'n fy holi fy hunan hefyd, ac roeddwn yn pryderu'n ofnadwy erbyn hyn am gyflwr iechyd Hannah. Roedd i'w gweld yn gwaethygu. Tybed a fyddai hi gyda ni i groesawu William adre?

Rhaid oedd cyffroi, a phenderfynais wneud ymholiadau ynglŷn â chael meddyg i'w gweld. Soniais wrth Nhad gan geisio ei ddarbwyllo fod gwir angen help arni, ond ches i ddim cefnogaeth ganddo; ofni'r gost, mae'n debyg.

Doedd dim amdani ond mynd at Hannah a dweud yn hollol ddi-lol wrthi fod yn rhaid iddi gael help.

'Hannah, mae'n rhaid iti gael doctor. Rwyt ti'n sâl, a does neb yn gwybod achos dy ddolur.'

'*No, no, no, no* . . .' a'r llais yn codi gyda phob '*no*', a'r '*no*' ddiwethaf yn sgrech aflafar.

Ceisiais siarad mor dawel a synhwyrol ag y medrwn.

'Ond gwranda, Hannah fach, os na ddoi di'n well na hyn, fedri di byth deithio'r holl ffordd i Gymru.'

'*No, no, no, no* . . .' a'r sgrechian yn ailddechrau.

'Wyt ti'n credu y gelli di godi heddi, Hannah?'

'*No, no, no* . . .'

Sylwais ei bod yn dal yn dynn wrth y paderau a dyma feddwl am gynllwyn arall.

'Mae Eglwys Babyddol yn reit agos. Beth am fynd yno am dro?'

'*No, no.*'

'Pam?'

'Fedra i ddim cerdded.'

'Pam?'

'Mae 'nghoese i wedi chwyddo.'

'Ga i weld?'

Taflodd y gynfas 'nôl. Roedd yn hollol noeth, a doedd dim gronyn o gywilydd arni. Doedd hi ddim yn credu mewn gwisgo gŵn-nos yn y gwely. Ac roedd hynny'n ymylu ar fod yn anfoesol i ferched swil y Wladfa. Credem ei bod yr un mor angenrheidiol i wisgo gŵn-nos i guddio eich noethni yn y gwely ag oedd hi i wisgo blows a sgyrt i fynd mas.

Cefais sioc.

Hannah druan fach. Roedd ei choesau gymaint â 'nghanol i. Rhaid oedd symud i wneud rhywbeth. Ond beth?

'Hannah, rhaid i ti gael doctor, a hynny ar unwaith.'

A dyma'r sgrechiadau'n dechrau eto.

'*No, no, no . . .*'

Rhaid oedd cael help o rywle. Ond o ble? Es i chwilio am Nhad a gwelais ef yn cerdded lan at y tŷ. Roedd ar ei ffordd 'nôl o'r stordy ar y cei. Âi yno ryw deirgwaith bob dydd i weld fod y cistiau'n saff. Roedd llawer iawn o ladrata yng nghyffiniau'r stordai a'r lanfa, ac roedd ganddo stori newydd beunydd am ryw druan anffodus a oedd wedi colli'r cyfan. Roedd ei gam yn sioncach nag y'i gwelais ers dyddiau. A dyma fe'n gweiddi'n llawen,

'Newydd da, rydyn ni'n hwylio ar doriad gwawr bore fory.'

'Newydd drwg s'da fi. Mae cyflwr Hannah wedi gwaethygu a fydd hi ddim yn ffit i deithio gyda ni fory.'

'Wel, yr unig ateb i hynna yw ei gadael ar ôl yma.'

'Nhad, sut ellwch chi fod mor galed? Ry'n ni wedi addo i William y bydden ni'n gofalu amdani.'

'Ti addawodd, nid fi.'

'Reit, mi fydd yn rhaid i fi aros 'da hi 'te.'

A dyna ddechrau cweryl nad anghofia i byth mohono, a hynny ar ganol y ffordd fawr. Hyrddio casineb at ein gilydd, ein dau wedi gwylltio'n gacwn. Fi'n dannod ei galedwch a'i anwadalwch iddo fe, ac yntau'n dannod fy niffyg teyrngarwch iddo yntau.

'Fe ddaw barn ar dy ben di am hyn, y groten anniolchgar.'

Dau o'r un cyff, a'r ddau ohonom wedi colli pob rheolaeth arnom ein hunain. Doeddwn i erioed wedi dweud y fath eiriau angharedig wrth neb, ac wrth Nhad o bawb.

Erbyn i ni sylweddoli, roedd tyrfa o bobol a phlant wedi

ymgasglu o'n cwmpas, ac yn gwrando'n gegrwth. Roedd yr iaith ddieithr wedi eu syfrdanu a'u llorio'n lân. Ac roedd rhai o'r plantos mor ddigywilydd â chymryd ochr, ac yn curo dwylo yn afieithus. Sobrodd hynny ni. Doedden ni erioed wedi gwneud y fath ffyliaid ohonom ein hunain. Diolch i Dduw, doedd neb yno yn ein hadnabod, nac yn ein deall.

A'r funud nesa dyma fy nhad yn dweud, yn dawel a digyffro, 'Mae'n rhy hwyr i newid trefniadau erbyn hyn, fodd bynnag. Mae'r peiriant gwnïo a'r cistiau wedi eu llwytho eisoes.'

Pam na fasai wedi dweud hynny ar y cychwyn cyntaf? Fyddai dim angen yr holl siew 'na wedyn. Roeddwn yn teimlo fel clwtyn llawr, pob rhithyn o nerth wedi ei sugno gan y ffrae.

Ond doedd dim amser i whilibowan, rhaid oedd mynd ati i drefnu. Roedd galw meddyg allan o'r cwestiwn erbyn hyn. Roedd 'No, no, no . . .' Hannah yn dal i atsain yn fy nghlustiau. Rywsut neu'i gilydd byddai'n rhaid ei llusgo i'r cwch, a gorau po gyntaf, er mwyn inni gael setlo lawr cyn nos.

Pan es i'n ôl, roedd y ddau'n cysgu'n drwm, Johnnie bach ym mreichiau ei fam, a daeth ton o dristwch drosof. Beth ddeuai ohonynt?

Ond doedd dim amser i bendroni a hel meddyliau; roedd y presennol yn galw, a'i broblemau a'i anawsterau. Sut yn y byd i'w chael i'r cwch? Doedd dim tramiau'n rhedeg heibio i'r tŷ, a byddai'n rhaid wrth geffyl a chart i'w chario i'r cei. Chwilio am Nhad, a'i orchymyn i chwilio am gart i fynd â ni a'n tipyn pethau. Hwnnw'n llusgo'i draed ac yn achwyn am y gost. A minnau'n ddiamynedd ac yn barod i ffrwydro am yr ail waith y diwrnod hwnnw.

'Pwyll piau hi, Ellen,' meddwn wrthyf fy hunan, a phwyll a orfu am y tro. Ond wir, roeddwn wedi cael hen ddigon ar drefnu bywydau pobl eraill; doeddwn i ddim wedi cael amser i roi trefn ar fy mywyd fy hun eto.

123

Es i dorri'r newydd i Hannah. Erbyn hyn roedd hi ar ei heistedd ar y gwely yn ceisio perswadio Johnnie i fwyta crystyn sych ac yfed diferyn o de. Roedd hwnnw'n strancio a welwn i ddim bai arno chwaith.

'Hannah, gwranda, rhaid i ti ei siapio hi. Mae'r llong yn hwylio bore fory, a rhaid mynd ar y bwrdd heno nesa.'

Roedd ei hymateb yn wyrthiol. Anghofiodd am ei choesau chwyddedig a'i stumog wan a chododd yn wyllt o'r gwely, mor wyllt nes iddi syrthio'n swp ar lawr. Cododd yn drwsgl, heb help, a dechrau gwisgo amdani. Dyna'r tro cyntaf ers inni gyrraedd Buenos Aires iddi ddangos unrhyw awydd i wneud unrhyw beth drosti ei hun.

'Edrych ar ôl Johnnie i mi gael pacio.'

Doedd dim gwahaniaeth am fy mhacio i. Ond roeddwn mor falch o'i gweld yn stwyrio i wneud rhywbeth drosti ei hun nes i mi ufuddhau'n dawel ac ymgeleddu Johnnie bach. Roedd angen ymgeledd arno hefyd.

Cyn pen dim roedd Nhad yn gweiddi yn y drws.

'Mi fydd y cart yma 'mhen hanner awr. Cofiwch fod yn barod.'

Roedd Hannah erbyn hyn yn hollol barod, ei hychydig bethau'n drefnus yn y fasged wellt, a gorfu i mi bacio dillad Johnnie yn fy mag i.

Tybed a oedd Hannah mor ddifrifol wael wedi'r cwbl? Na, doedd hi ddim yn deg i mi goleddu hen syniadau fel'na, onid oedd y coesau chwyddedig a'r cyfogi yn brawf o stad ei hiechyd?

Cyrhaeddodd y cart 'mhen rhyw ddwyawr. Pobl araf, bodlon yw'r Sbaenwyr, nid yw amser a phrydlondeb yn rhan o'u bywydau. '*Mañana*' yw eu harwyddair – yfory wnaiff y tro. Cart bychan yn cael ei dynnu gan ful oedd y cart; mae'r rheini'n rhatach na chart a cheffyl, ac roedd achub ceiniog neu ddwy yn rhan reddfol o natur Nhad.

Gyda help y gyrrwr a Nhad codwyd Hannah i eistedd yn y cab. Estynnwyd Johnnie iddi, hwnnw'n crio'n druenus eisiau bwyd. Wedi llwytho'r paciau doedd dim lle i neb arall, ac roedd yn rhaid i Nhad a minne gerdded y tu ôl. Roedd Nhad wedi llwyr anghofio am y cweryl ac yn chwibanu tôn 'Hen Wlad fy Nhadau' yn ansoniarus bob cam o'r tair milltir hyd at y cei. Doedd dim llawenydd yn fy nghalon i, dim ond gofid ac ofn – ofn y dyfodol, a hiraeth dirdynnol ar ôl Archentina. Roeddwn yn cefnu ar y wlad a'm magodd, a hynny am byth; roeddwn yn siŵr o hynny. Roedd y gost o deithio saith mil o filltiroedd tu hwnt i rywun fel fi. Ugain punt oedd fy ffortiwn i gyd – a rhaid oedd gwarchod y rheini'n ofalus iawn rhag ofn y dydd blin, a fyddai'n siŵr o wawrio ryw ddiwrnod.

Pennod 8

Dyna'r tair milltir hwyaf a dethiais erioed. Nhad yn dal i chwibanu, Johnnie'n dal i ubain crio, Hannah yn ochneidio mewn poen, a'r mul yn strancio bob rhyw ganllath. A'r gyrrwr, yn lle mynd allan i'w arwain, yn eistedd fel ymerawdwr ar ei orsedd ac yn defnyddio'r chwip â'i holl nerth.

Erbyn cyrraedd y llong roedd Hannah wedi ymlâdd yn llwyr, a chyda help dau forwr cydnerth fe'i codwyd yn ddigon diseremoni i'r llong o'r cwch bach. Minnau'n llawn pryder yn hofran o'i chwmpas, a heb wybod yn iawn beth i'w wneud.

'Hannah, wyt ti'n iawn? Wyt ti eisie rhywbeth?'

'Ydw, gwely a llonydd.'

O'r diwedd, cefais afael yn y capten a dod o hyd i gaban â dau wely cul ynddo. Roedd yn eithriadol fach ac ystyried cyflwr Hannah, ond rhaid oedd gwneud y gorau o'r gwaethaf. Penderfynais daenu gwely i Johnnie ym masged wellt Hannah. A dyma hwnnw'n strancio lwyr ei din, ac yn gwrthod yn lân â gorwedd. Roedd yn amlwg ei fod yn gweiddi am fwyd. Es i'r gegin i wneud ffrindiau â'r cogydd; roedd hynny o'r pwys mwyaf, a medrais gael bara-dŵr a siwgr iddo. Llyncodd ef yn awchus a chyn pen pum munud cysgai'n drwm yn ei wely gwellt. Gorweddodd Hannah yn ei dillad, fel ag yr oedd hi, a throdd ei chefn ar bawb a phopeth. Doedd dim pwrpas siarad nac ymresymu, ac i ffwrdd â fi lan i'r dec. Fel Hannah, roeddwn innau eisiau llonydd heb neb i ddarfu ar fy meddyliau dryslyd. Ond roedd hynny'n amhosibl. Roedd y mynd a'r dod, y rhuthro a'r bloeddio'n fyddarol. O'r diwedd, deuthum o hyd i gornel ym mhen pella'r llong lle gallwn edrych yn hiraethus ar y tir mawr. Roeddem ar afon La Plata, a oedd mor eang â'r môr, ac er syndod i mi gwelais orennau mawr, melyn, miloedd ohonynt yn nofio ar wyneb y dŵr. Rhaid bod orennau'n tyfu'n doreithiog ar lannau afon La Plata, cyn bod cymaint yn nofio ar yr wyneb. A gwelais blant yn nofio'n noethlymun gan gipio cymaint ag y medrent a'u cludo i'r lan. Roedd rhai hefyd mewn cychod yn eu casglu. Tybed sut flas oedd arnynt? Ddeuthum i byth i wybod.

Roedd hiraeth arnaf, hiraeth creulon. Er mai cyfnod anhapus iawn a dreuliais yn Buenos Aires, ddeuddeng mlynedd yn ôl, roedd y cyfnod hwnnw, er gwaethaf y caledi, yn rhan annatod o batrwm fy mywyd. Oni bai am y dyddiau tlawd hynny, fyddwn i byth wedi gallu ennill fy mara beunyddiol a chael blas ar annibyniaeth.

Ac wrth ffarwelio, anghofiais am y chwysu a'r oriau blin, ac am y Cerdo, a chofiais am y dyddiau Sul heddychlon yn gorweddian ar y glaswellt yn y Plaza yn darllen fy Meibl, a syllu ar y gwartheg a'r mulod. Ac fel gwir Archentwraig roeddwn yn hynod falch o'r brifddinas, a dymuniad pob llanc a geneth yn y Wladfa oedd ymweld â'r ddinas fawr ryw ddydd. Roedd pawb a âi yno am dro yn dychwelyd yn frwd eu canmoliaeth o'r siopau a'r crandrwydd, yr adeiladau urddasol, a'r ffyrdd esmwyth i'r traed. Oedd, roedd Buenos Aires yn ddinas i ymfalchïo ynddi.

A dyma fi'n troi fy nghefn arni am byth. Roeddwn yn siarad iaith y wlad yn rhugl, ond mae rhywbeth cyfrin, sy'n gryfach nag iaith, yn eich clymu wrth wlad. Profais hynny pan euthum am dro i Gymru. Roeddwn yn siarad y Gymraeg, cystal os nad gwell na'r Cymry eu hunain, ond theimlais i erioed fy mod yn perthyn i Gymru, fel yr oeddwn yn perthyn i'r Ariannin. Estroniaid oedd y Cymry i mi, pob un ohonynt heblaw Mam-gu.

Ac wrth sefyll ar y dec, daeth ton o ansicrwydd drosof; teimlwn bellach nad oedd gennyf unlle y medrwn ei hawlio fel fy nghartref ysbrydol.

Fedrwn i ddim deall Hannah a'i hawydd ysol i ymadael. Ond nid Archentwraig oedd hi. Chile oedd ei gwlad enedigol, ac roedd yn barod i gefnu ar ei gwlad a'i cheraint er mwyn William. Ond mewn argyfwng methodd hithau hefyd gefnu ar ei chrefydd. Efallai nad oeddwn i'n ddigon sicr o 'nghrefydd. Cefais fy nghodi yn y ffydd Gristnogol Gymreig. Yr un traddodiad a'r un dull o addoli oedd yn y Wladfa a Chymru. Felly pam yr hiraeth? Roedd y cyfan y tu hwnt i esboniad, ond daliwn i deimlo lwmp yn fy stumog a methwn, er ceisio fy ngorau, ddal y dagrau'n ôl.

Erbyn hyn roedd y teithwyr wedi cyrraedd y llong ac yn chwilio am eu 'lle cysgu'. Doedd fawr ddim wedi ei baratoi ar gyfer y teithwyr; doedd dim mwy na rhyw ddwsin i gyd ohonom, y cargo oedd bwysicaf. Clustfeiniais, ond fedrwn i ddim clywed yr un iaith heblaw Sbaeneg.

Daliwn i loetran yn y cysgodion. Roedd y nos yn prysur ddisgyn, ac yn fy nghyflwr presennol, roedd yn well gennyf fod heb gwmni. Roedd fy nghwmni fy hunan yn fwy na digon i mi yr awr honno – awr y ffarwelio. Roeddwn fel pe bawn yn sefyll ar dir neb, wedi torri pob cysylltiad â'r gorffennol, a'r dyfodol mor dywyll, a minnau heb na ffydd na hyder i'w wynebu. Roedd gan Hannah fwy o ffydd nag oedd 'da fi. Roedd hi'n llawn gobaith, ac yn sicr yn ei meddwl y byddai William yn dychwelyd o Affrica yn ŵr cyfoethog, y byddai'n prynu ffarm iddynt yn Sir Gaerfyrddin, ac y byddent yn byw yn hapus byth wedyn.

Hannah druan. Daeth hynna â fi'n ôl yn ddisyfyd i'r presennol. Roedd ei hafiechyd yn achosi poen a gofid i mi, ac os na fyddai newid yn ei chyflwr, a hynny'n fuan, fyddai hi ddim yma i groesawu ei gŵr 'nôl.

Erbyn hyn roedd y lampau wedi'u cynnau, ac yn yr hanner tywyllwch gwelwn Nhad yn bustachu cario dau fag anferth, un ym mhob llaw. Bagiau pwy? Yna clywn ei lais yn galw yn Saesneg ar rywun o'r tu ôl iddo. Nhad yn siarad Saesneg! Doedd fy Saesneg i ddim yn ddigon da i'w ddeall, ond synhwyrais ei fod wedi cwrdd â rhywun na fedrai Sbaeneg. Clywais wedyn y geiriau *'my dear'*, a gwyddwn beth oedd ystyr y rheini. Craffais, a gwelais ddynes dal wedi ei gwisgo'n ffasiynol, ac ar ei phen het ddu ac iddi gantel fawr. A dyma fe'n awr yn ymarfer ei Saesneg ar y ddynes yma – 'Yes, my dear, yes my dear' – ac yn diferu tendans arni. Roedd yn f'atgoffa o gorgi bach a welais ar ffarm cymydog yn y Wladfa. Rhedai hwnnw o gwmpas y gwartheg, gan gyfarth yn ddi-baid, a heb y syniad lleia' o beth i'w wneud â nhw. Felly Nhad; stwcyn o ddyn bach yn rhedeg o gwmpas y ddynes dal, heb wybod beth i'w wneud â'r bagiau a gariai drosti.

Nhad druan, roedd fel gwlanen yng nghwmni merched tal, gosgeiddig. Diolch i'r drefen, roedd y rheini'n brin yn y Wladfa neu mi fyddai wedi priodi am y drydedd waith, rwy'n sicr. Roedd yr ychydig a oedd yno naill ai'n briod, neu yn ei adnabod yn rhy dda i wneud sylw ohono fe a'i gymadwye.

Ond roedd yr hen anian yn dal yn fyw – yn fyw iawn hefyd – a minnau'n credu ei fod yn rhy hen erbyn hyn i gael ei ddenu gan unrhyw ddynes. Roedd ymhell dros ei drigain, ei gam wedi byrhau, yn drwm ei glyw a'i wallt yn gwynnu. A hithau? 'Nôl y cip a gefais i arni, doedd hi fawr hŷn na fi!

Diflannodd y ddau i waelodion y llong, a'r olwg olaf a gefais i ohonynt oedd ei weld yn ei harwain i lawr y grisiau mor ofalus. Gwenais am y tro cyntaf ers wythnosau.

Roeddwn yn benderfynol nad awn i gysgu y noson honno. Roedd y llong i hwylio ar doriad gwawr, ac roeddwn am fod yn llygad-dyst o'r ymadawiad. Roeddwn hefyd am anadlu awyr Ariannin am y tro olaf, yr awyr a'm cadwodd yn fyw am ddeng mlynedd ar hugain. Gwyddwn fy mod yn blentynnaidd ac afresymol, ond mae pob rheswm yn cilio pan fo hiraeth ac iselder yn rheoli'r ysbryd. Cerddais o gwmpas am oriau; roedd pawb heblaw morwr neu ddau wedi mynd i'w gwâl.

Syllais i'r pellter a gwelais oleuadau'r ddinas yn diffodd o un i un. Syllais i'r dyfnder, heb weld dim; dim ond clywed sŵn y tonnau, a chri ambell aderyn y môr.

Lawer gwaith y bûm ar ddi-hun drwy'r nos yn dyheu

am doriad gwawr, ond y noson honno, a minnau'n hollol effro, ni fynnwn groesawu'r bore. Ond fe ddaeth mor ogoneddus ag erioed; yr un pryd clywais gyffro o'm cwmpas, y morwyr yn paratoi i hwylio. Roedd yr heddwch drosodd. Clywais y rhaffau'n crafu a gollwng, ac yn araf a di-stŵr llithrodd y llong tua'r môr mawr, ar ei ffordd i Gymru.

Sefais innau ar y dec, ar fy mhen fy hun, gan chwifio cadach gwyn ar y tir – tir fy magwraeth, oedd yn araf ddiflannu yn y pellter. Doedd neb yno i chwifio 'nôl. Meddiannwyd fi gan ddiflastod ac iselder tywyll du. Ffarwél, Archentina. 'Cas gŵr na charo'r wlad a'i maco.'

Pennod 9

Mor braf oedd awyr iach y môr, ar ôl gwres crasboeth canol haf y tir mawr. Hwyrach y byddai Hannah yn teimlo'n well ar ôl 'madael â'r lojin trychinebus hwnnw. Ond roedd yn dal â'i hwyneb at y wal, ac yn gwrthod siarad na bwyta. Doedd ganddi ddim diddordeb yn ei chrwt bach, a rhaid oedd i mi gymryd gofal ohono yn gyfan gwbwl.

Treuliai Nhad ei holl amser yn dilyn y Saesnes dal, landeg o gwmpas. Roedd cywilydd 'da fi ohono, a dwedais hynny wrtho heb flewyn ar fy nhafod, ond i ddim pwrpas. Mae'n amhosibl tynnu cast o hen geffyl a thynnu hen ddyn oddi wrth ei reddf. Mrs Tomson oedd enw'r fenyw, mae'n debyg, ac roedd yn destun syndod i mi beth yn y byd a welai yn Nhad. Roedd y ddau'n cadw'n ddigon pell oddi wrthyf i, cyn belled ag y medrai unrhyw un wneud ar long mor fechan. A beth yn y byd mawr a welai'r Saesnes yn Nhad? Pan ddaeth cyfle, es ato, a dweud yn siarp,

'Nhad, r'ych chi'n gwneud ffŵl perffaith o'ch hunan. Mae'r fenyw 'na yn gwneud sbort ar eich pen chi.'

'Paid â siarad ar dy gyfer, lodes. Mae wrth ei bodd yn dysgu Saesneg i fi.'

'A beth yw'r awydd mawr i ddysgu Saesneg? I Gymru rydyn ni'n mynd, nid i Loegr.'

'Dwyt ti ddim yn deall, Ellen. Mae'n rhaid wrth Saesneg da, p'le bynnag yr ei di, ac mae hyd yn oed hanner pobol Cymru yn Saeson uniaith erbyn hyn. Mae arna i ofn dy fod yn anwybodus iawn.'

A bant ag e.

Falle 'mod i'n anwybodus, ond roeddwn yn ddigon effro i wybod mai esgus i gyd oedd y gwersi Saesneg bondigrybwyll.

Daeth hen atgofion sbeitlyd yn ôl. Cofio amdanom ar ein gwyliau yng Nghymru, ddeuddeng mlynedd yn ôl; cofio amdanom yr amser hwnnw yn Llanwrtyd, ac yntau'n colli ei ben yn lân dros ferch oedd flynyddoedd yn iau nag e. Roedd honno hefyd yn olygus, yn ffasiynol, ac yn gallu siarad Saesneg.

Druan ohoni. Fe gafodd ei swyno gan dafod teg Nhad, ei darbwyllo ganddo fod bywyd ym Mhatagonia yn fywyd llawn o fanteision a bendithion, a bod yr haul yn tywynnu yno'n feunyddiol. Priodi, a hwylio'n llawn hyder am wlad yr addewid.

Ond fe ddaeth y dadrithio'n fuan iawn. Bu'r bywyd syml, gwerinol, y gwaith caled, a'r unigrwydd yn ormod iddi. Bu farw o hiraeth a thorcalon ymhen dwy flynedd.

Rhaid i chi gael eich magu ym Mhatagonia i werthfawrogi ei mawredd. A phan ddaeth awr y ffarwelio roedd Nhad yn hollol barod i ymadael â'r lle. Yng Nghymru y cafodd ef ei fagu, ond roeddwn i'n wahanol. Cefais i fy magu a'm meithrin yno, ac i mi doedd dim gwlad arall yn y byd i'w chymharu â hi.

A dyma fi eto, yn gweld hanes yn cael ei ailadrodd. Ond doedd y sefyllfa ddim yn hollol yr un fath chwaith; roedd Nhad yn hŷn erbyn hyn, a heb gartre i ddenu unrhyw ddynes i rannu'i bywyd ag e. Ond roedd yr hen ŵr yn dal i dreio, a fedrwn i ddim llai na gwenu wrth wylio ei ymdrechion pitw. Roedd Nhad yn gallu tipyn go lew o Saesneg. Wedi'r cyfan, roedd yn ddeg ar hugain oed yn ymfudo i'r Wladfa, a rhaid ei fod wedi cwrdd â llawer o Saeson yn ei siop lyfrau yn y Rhondda. Heblaw hynny, cafodd ei addysg fore i gyd trwy gyfrwng y Saesneg, tra oeddwn i, oedd wedi fy magu saith mil o filltiroedd o Gymru, yn rhifo a chyfri yn Gymraeg. Rhyfedd o fyd!

Mi fyddwn wedi mwynhau'r dyddiau tesog hynny ar y môr oni bai am Hannah. Roedd hi'n dal i orwedd yn ei chaban, yn gwrthod bwyd, dim ond yfed dŵr yn ddi-baid. Roedd yn gwrthod siarad ac yn gwrthod gwneud unrhyw sylw o'i chrwt bach. Roedd yntau'n flin, y bwyd yn anaddas i blentyn, a minnau'n colli f'amynedd at y bychan, a hynny heb reswm. Os nad oedd hiraeth, a diffyg ffydd yn y dyfodol, yn rheswm ac yn effeithio arna i'n ysbrydol.

Ond fûm i erioed yn berson mamol, a gwirioni ar fabanod merched eraill. Ac roedd 'na reitiach gwaith i'w wneud, heblaw gwarchod y plentyn. Roeddwn wedi cario fy nghwilt o glytiau gyda mi yn y bag, gan obeithio y cawn amser i'w orffen ar y fordaith. Roeddwn wedi casglu tameidiau bychain o ddefnyddiau dillad fy ffrindiau a'r gwladfawyr cyntaf, er cof ac edmygedd ohonynt, a'u pwytho'n gwilt lliwgar. Ond doedd dim gobaith mynd 'mlaen â'r gwaith tra bod Hannah yn dal mor ddi-ffrwt a diymadferth.

Roedd yn fordaith ddymunol dros ben, y môr yn llonydd, a haul didostur canol haf yn cael ei leddfu gan yr awelon balmaidd. Pan gawn gyfle byddwn yn loetran a synfyfyrio ar fy mhen fy hun ar y dec – fi oedd piau'r prynhawniau, a dim ond fi. Dyna'r adeg y byddai Johnnie'n cysgu a phob copa walltog yn mwynhau *siesta*, pawb heblaw Nhad a Mrs Tomson, ac roedd y rheini'n cadw'n ddigon pell oddi wrthyf.

Un prynhawn safwn ar y dec yn gwylio'r adar yn disgyn ac esgyn, a'r tonnau'n ymlid ei gilydd, pan deimlais ryw anesmwythyd iasoer yn gafael ynof, a hynny heb unrhyw reswm. Roedd fel pe bai rhywun yn galw arnaf o'r dyfnderoedd. Roedd Nhad ym mhen pella'r dec yn dysgu Saesneg! Ond roedd rhywun yn rhywle'n dal i alw. Roedd yn brofiad arswydus, roedd rhywun yn rhywle mewn cyfyngder.

Rhedais i lawr i'r caban, ac er braw i mi dyna lle roedd Hannah, nid yn y gwely, ond ar y llawr, yn noethlymun ac yn gwingo mewn poen. Er erfyn ac ymbil, gwrthododd fynd i'r gwely a gwisgo gŵn-nos. A dyna lle'r oedd hi, heb gerpyn amdani, mewn poen arteithiol, ei holl gorff yn crebachu gan y gwayw, ac yn ochneidio'n druenus. Roedd y llawr yn wlyb, a gwaed yn gymysg â'r gwlybaniaeth.

Cofiais am Mam, felly y bu hi farw. Cipiais Johnnie o'i grud a rhedais ag ef i'r dec i ofal Nhad, gan weiddi'n orffwyll,

'Nhad, mae Hannah yn marw! Rhaid cael help, ar unwaith!'

Fe ddeallodd Mrs Tomson fod rhywbeth mawr o'i le, ac meddai'n hollol ddigynnwrf, *I am a nurse. Can I help?*'

Gwaeddais innau, *'Yes, yes, yes, quick, quick.'*

Diolch i'r nefoedd. Diolch am Mrs Tomson. Diolch am nyrs.

Rhuthrodd lawr i'r caban. Fe gymerodd un cip ar Hannah, a dweud mewn llais awdurdudol, llais a oedd yn hawlio ufudd-dod,

'Hot water, towels, find the captain. At once, hurry!'

Fe ddeellais bob gair, diolch byth. Chwilio am y capten, a rhoi'r neges iddo. Yntau'n dechrau holi, ond pan glywodd enw Mrs Tomson, rhuthrodd yntau hefyd, a chefais help i gario tri bwcedaid o ddŵr berwedig, a llieiniau sychu.

Roedd y sgrechiadau erbyn hyn yn oerllyd ac arswydus. Chlywais i erioed y fath leisiau annaearol. Ar brydiau peidiai'r sŵn, ond byddai'r distawrwydd mor frawychus â'r sgrechiadau. Yna ailddechrau, a'i holl gorff yn crebachu gan boen.

Roedd Mrs Tomson wedi torchi'i llewys, yn defnyddio'r llieiniau i'w golchi a sychu'r chwys oedd yn byrlymu ar ei hwyneb a'i thalcen, a phan oedd y poenau yn eu hanterth yn ei hannog i *'Empuje, Empuje.'*

Roeddwn i'n sefyll yno'n syfrdan, heb wybod beth i'w wneud. Roedd y lle mor gyfyng. Penderfynais lanhau ychydig o gwmpas, sychu'r llawr, gan ddefnyddio peth o'r dŵr poeth.

'Stop it at once,' gwaeddodd Mrs Tomson.

Stopiais.

'Fetch more towels, more water, quick.'

Ufuddheais.

Roedd rhai o'r teithwyr wedi clywed y sŵn, ac wedi synhwyro argyfwng, a dyma lle roeddent yn holi a stilio, a finne heb amser i'w hateb.

Rhedeg, rhuthro, cyrchu dŵr, a chlywed cwestiynau o bob tu: 'Sut mae hi!' 'Be sy'n bod?'

'Mae'n marw,' meddwn i. Hwythau'n gwneud arwydd y groes. Pabyddion bob un, a phob un yn cydymdeimlo.

Pan es i 'nôl â'r dŵr, bûm bron â llewygu. Roedd coesau Hannah yn yr awyr, Mrs Tomson ar ei gliniau yn tynnu, tynnu, tynnu ar rywbeth â'i holl nerth, a'r sgrechian yn fyddarol.

Fedrwn i ddim dal rhagor, a dyma finne'n sgrechian,

'Mae'n marw, mae'n marw, gadewch lonydd iddi, gadewch iddi farw. Peidiwch ag aflonyddu arni. Stopiwch. *Stop it.*'

Wn i ddim a ddeallodd hi rywfaint o'r hyn a ddwedais, ond yn sicr fe ddeallodd rywfaint o ystyr fy neisyfiad. Cododd ei golygon am eiliad a dywedodd mewn llais miniog diamynedd,

'*Shut up!*'

Roeddwn wedi cael mwy na digon. Es mas o'r golwg. Teimlwn mor ddiymadferth, mor ddi-ddim, yr unig help fedrais i ei roi oedd cario dŵr. Rhuthrai pob math o feddyliau driphlith, draphlith drwy 'mhen. Roeddwn yn sicr fod Hannah yng nghrafangau angau. Cofiais am Mam. Tybed? Tybed a oedd Hannah ar fin esgor? Dyna'r tro cyntaf i'r posibilrwydd groesi fy meddwl. Ai marwolaeth felly a gafodd Mam? Roeddwn i'n crwydro'r Paith yn chwilio am help y noson ofnadwy honno, a phan ddes 'nôl ar doriad gwawr, roedd hi wedi hen farw, a'r gwaed wedi ceulo ar y llawr yn dyst o'i dioddefaint. A fu hi yn sgrechian a gweiddi am help 'run fath â Hannah, a neb yno i roi help llaw? Dim ond un ar ddeg oed oeddwn ar y pryd, a doeddwn i ddim yn deall. A doeddwn i ddim yn deall llawer mwy hyd yn oed heddiw.

Beth ddeuai o Johnnie bach ar ôl colli ei fam? Sut medrwn i edrych ar ei ôl, ac ennill fy mywoliaeth?

Pam? Pam?

Ceisiais weddïo, ond roedd y geiriau'n pallu dod.

Yn sydyn, distawodd y synau erchyll! Dim sŵn o gwbl. Dim ond tawelwch, y tawelwch annaturiol hwnnw sy'n dilyn marwolaeth.

Agorais y drws yn ofnus. Roedd Hannah yn gorwedd yn llonydd ar y llawr, a'i llygaid ynghau, ond yn anadlu'n dawel.

Diolch i Mrs Tomson. Diolch i Dduw.

Roedd Mrs Tomson yn edrych yn welw a lluddedig, ei ffrog wen hardd yn waed i gyd, ac meddai mewn llais fflat, blinedig,

'It's a boy, and he's dead.'

Pennod 10

Nid tan yr hanner awr olaf o salwch Hannah wnes i sylweddoli beth oedd y rheswm am ei hanhwylder. Roeddwn wedi bod yn dwp ac anystyriol. A Hannah? Pam na fasai hi wedi ymddiried ynof, a chyffesu ei bod yn feichiog?

Ond doedd dim amser i bendroni am a fu. Rhaid oedd clirio'r llanast. Rhaid oedd cael Hannah yn ôl i'r gwely. Rhaid oedd ei 'molchi a gwisgo gŵn-nos amdani. Rhaid oedd dweud wrth Nhad. Rhaid oedd dweud wrth y capten. Rhaid, rhaid – rhaid oedd gwneud cant a mil o orchwylion.

Codwyd Hannah 'nôl i'r gwely yn weddol ddidrafferth; daliai i gysgu. Roedd mor ysgafn â phluen ac wedi llwyr ymlâdd.

Roeddwn mor ddiolchgar i Mrs Tomson. '*Thank you, thank you, muchas gracias*, Mrs Tomson.'

A'i hunig ateb oedd,

'*Clear the mess, and tell the Captain,*' ac i ffwrdd â hi a'm gadael i glirio'r llanast a'r babi marw.

Wyddwn i ddim ble i ddechrau. Ddylwn i olchi'r babi? Ond i ba ddiben? Ei daflu i'r môr fyddai raid. Fe'i lapiais yn dirion-ofalus mewn lliain (un o lieiniau'r capten). Roedd yn sobor o debyg i sgwarnog bach wedi'i flingo. Doedd gen i ddim teimlad o gwbl tuag at y corff bach, y corff bach a fu farw, cyn cael byw. Yn wir, teimlwn yn falch ei fod yn farw. Hynny oedd orau, yr unig ffordd yn wir i ddatrys ein holl broblemau. Sut yn y byd mawr y medrem ni ymdopi â phlentyn arall? Roedd gofalu ar ôl Johnnie yn ormod o dasg i Hannah.

Trwy lwc roedd dŵr ar ôl yn y bwcedi, a dyma fynd ati ar fy mhenliniau i glirio'r stecs, neu'r *mess* fel y'i gelwid gan

Mrs Tomson. Roedd gweld gwaed yn ddigon i godi cyfog arna i.

Cofiais amdanaf yn gwneud yr un weithred ddeunaw mlynedd yn ôl yn Llain-las, a minne'n blentyn. Golchi'r gwaed oedd ar y llawr pridd, a Mam yn gorff marw yn y gwely, er na wyddwn i mo hynny ar y pryd. Ond y tro hwn roedd un gwahaniaeth mawr, roedd Hannah yn fyw. Fe gafodd hi help yn ei hawr gyfyng – bu farw Mam yn unig, heb gymorth.

Ac ar fy mhenliniau yn y fan honno yng nghanol y llanast, o'r diwedd mi fedrais weddïo, neu o leiaf ddiolch: 'O! Dduw, diolch am achub bywyd Hannah, diolch am help mewn cyfyngder, diolch am nyrs, diolch am nerth i oresgyn gofidiau – diolch, diolch, diolch.'

Roeddwn ar fin diolch am farwolaeth y babi, ond ateliais mewn pryd. Rhyfyg fyddai hynny.

Pan oeddwn wrthi'n glanhau daeth Mrs Tomson 'nôl wedi ymolchi a newid, ac yn edrych yn ddel a glân, ac meddai mewn Sbaeneg clapiog,

'Rydw i wedi dweud wrth eich tad a'r capten. Teflwch y babi i'r môr. *Muchas gracias.*'

Yna, edrychodd ar Hannah, gosod ei llaw ar ei thalcen, cymryd ei phŷls a mynd.

Dyma finne'n ailddechrau eto, gan orfodi fy hun i ddal y cyfog 'nôl, golchi, sychu, glanhau, golchi llieiniau, a'r babi'n dal yno. Rywsut doedd mo'r galon 'da fi i fynd yn bensych i'w daflu i'r dŵr mawr, 'run fath â thaflu bwcedaid o sbwriel.

Roedd Hannah yn dal i gysgu'n dawel. Ond fedrwn i ddim taflu'r corff bach i'r môr ar fy mhen fy hun. Ac onid oedd yn ddyletswydd ar y capten i gynnal rhyw fath o wasanaeth crefyddol wrth daflu corff dynol i'r dyfnderoedd?

Ond dyma'r capten yn cyrraedd yn sarrug ddiamynedd.

'Ble mae'r corff?'

Dangosais ef iddo. Cydiodd ynddo fel cydio mewn cwdyn o sbwriel, ac i ffwrdd ag e.

Rhedais ar ei ôl. Teimlais am y tro cyntaf fod yr erthyl bach marw-anedig yn rhan o'n teulu ni – plentyn William a Hannah a'm nai innau – plentyn a genhedlwyd mewn cariad gorffwyll, plentyn eu ffarwél.

Dilynais y capten i lan i'r dec. Wedi cyrraedd agorodd y lliain, ac yna taflu'r bychan yn ddiseremoni i'r dwnsiwr du oddi tanom. Fe gadwodd y lliain.

'Gweddïwch,' meddwn i, 'gweddïwch. *Rece. Rece. Ora. Ora.*'

'*No ha sido bautizado.*'

Heb ei fedyddio? Pa ots am hynny? Babi yw babi, bedyddio neu beidio.

Fe geisiais i weddïo, ond roedd surni ar fy nhafod, fy ngwddf yn grimp, a'r geiriau'n pallu dod. Ond daeth adnod i'm cof, rywle o'r isymwybod.

'Gadewch i blant bychain ddyfod ataf i, ac na waherddwch hwynt, canys eiddynt yw teyrnas nefoedd.'

Teimlais yn well.

Diflannodd y capten, ac roeddwn ar fy mhen fy hun. Chwipiai'r tonnau'r llong, criai gwylan yn wylofus uwch fy mhen, roedd sŵn cnocio'r injan yn y pellter, a'r cyfan yn creu rhyw undod afreal oedd yn cyd-fynd â'm cyflwr meddyliol cythryblus i.

Wyddwn i mo'r nesaf peth i ddim am enedigaeth; wyddwn i ddim tan heddiw am y gwewyr a'r boen. Ddeunaw mlynedd yn ôl bu farw Mam ar enedigaeth plentyn. Wyddwn i ddim ei bod yn feichiog, wyddwn i ddim beth oedd beichiogi, ac roedd y cyfan yn ddirgelwch arswydus i blentyn un ar ddeg oed.

A dyma'r ail enedigaeth i mi ei hwynebu a minne'n ddeg ar hugain oed erbyn hyn, ac yn dal i fod bron mor anwybodus ag oeddwn ddeunaw mlynedd yn ôl.

Wyddwn i ddim oll am gyfrinachau gŵr a gwraig. Bu Mam farw cyn fy ngoleuo ar ffeithiau mawr bywyd. Ac roedd cenhedlu, beichiogi a geni yn gryn ddirgelwch i mi. Roedd y ddau brofiad o enedigaeth a welais yn hunllefus, golchi gwaed pan fu farw Mam a golchi gwaed Hannah heddiw. A hefyd gorfod gwrando ar sgrechiadau arswydus Hannah; byddant yn atseinio yn fy nghlustiau am byth bythoedd.

Roedd arnaf ofn gwaed. Rwy'n cofio pan gafodd William niwed i'w goes, a'r gwaed yn pistyllio. Gorfu i mi ddanfon am Mrs Jones, ein cymydog agosaf, i drin ei glwyf. Roeddwn i wedi troi fy lliw, a bron â llewygu.

Cofio, cofio, a'r cofio'n agor hen glwyfau na fynnent wella.

Cofio amdanaf yn blentyn pedair ar ddeg oed, rhyw dair blynedd ar ôl marw Mam, yn deffro'n sydyn ganol nos a gweld gwaed ar gynfas y gwely. Codi mewn dychryn a gweld mai fi oedd yn gwaedu. Cerdded yn wallgo o gwmpas y stafell heb wybod pam, na gwybod beth i'w wneud. Fy meddwl plentyn yn neidio'n wyllt i'r posibilrwydd fy mod ar fin geni babi. O gofio am Mam, roedd gwaedu'n gyfystyr â genedigaeth i mi. Pwyllo ac ystyried. A thynnu ar fy ngwybodaeth gyfyng. Roedd yn rhaid cael tad a mam cyn rhoi genedigaeth i blentyn.

Cofio wedyn am Sarah fach o'r Gaiman. Fe gafodd hi, 'nôl y sôn, fabi heb dad iddo. Roedd pawb yn edrych i lawr arni, yn ei gwawdio a'i dilorni. Cafodd ei halltudio o'r Capel, a doedd neb yn ei gweld yn unman. Ai dyna fyddai fy nhynged i?

Cerddwn o gwmpas mewn dychryn ac ofn. Yn y diwedd penderfynais aros yn y gwely a chuddio fy hun oddi wrth bawb a phopeth. Yna Nhad yn cnocio'n ddiamynedd ar y drws a gweiddi,

'Ellen, dere 'mla'n, cwyd ar unwaith, ry'n ni i gyd yn disgwyl am frecwast.'

Roedd yn rhaid i mi ddweud rhywbeth, rhoi rhyw fath o esboniad.

'Fedra i ddim codi, Nhad, rydw i'n gwaedu.'

Distawrwydd.

Yna Nhad yn dweud yn dawel, a thinc o dristwch yn ei lais,

'Aros yn y gwely, 'merch i, mi ofynna' i i Mrs Jones, Rhymni, ddod atat ti.'

A gyda Mrs Jones, Rhymni, y deuthum i wybod am y gwaedu – y gwaedu misol sy'n rhan hanfodol o batrwm bywyd pob merch.

Ond doedd dim da yn deillio o ymdrybaeddu mewn hen atgofion. Roedd y presennol yn galw. Hannah ag angen ymgeledd, Johnnie eisiau bwyd a minnau eisiau 'molchi a newid.

Roedd Hannah yn dal i gysgu'n esmwyth, a gadewais iddi fod. Es i chwilio am Nhad a Johnnie, a dyna lle'r oedd y ddau yn eistedd ar y dec yn yr hanner tywyllwch – Johnnie yn cysgu'n drwm ym mreichiau ei Dad-cu.

'Beth am fwyd i Johnnie bach?'

'Mae Mrs Tomson wedi ei fwydo.'

Unwaith eto, diolch am Mrs Tomson.

Pennod 11

Aeth y dyddiau dilynol heibio'n dawel a dihelynt, yn rhy dawel efallai, fel tawelwch o flaen storom. Er mawr syndod i mi roedd Nhad yn rhyfedd o ddywedwst, fel dyn mewn sioc, gan ofyn bob hyn a hyn sut oedd Hannah.

'Pam na faset ti wedi dweud wrtho i am gyflwr Hannah?'

'Wyddwn i ddim, Nhad.'

'Ddwedodd hi ddim wrthot ti?'

'Naddo.'

'Mae'r groten 'na'n ddirgelwch i fi. Dyw hi'n hidio dim amdanon ni o gwbwl. Druan â William. Mae e wedi cael posi pen-seld. Sut mae honna'n mynd i ffitio mewn i fywyd yng Nghymru, dweda?'

'Mi fydd hi'n iawn pan ddaw William 'nôl.'

'Ie, os byth y daw e'n ôl, Ellen.'

Roedd hen amheuon felly wedi croesi fy meddwl innau hefyd, ond teflais nhw bant. Digon gofid pan ddelo, doedd dim angen mynd i'w gyfarfod.

Daliai Hannah yn llipa welw yn ei gwely cul, ond roedd y dagrau wedi peidio. Dim ond ambell ochenaid ddofn o ddyfnderoedd ei henaid a glywyd bellach.

'Wyt ti'n teimlo'n well, Hannah.'

Dim ateb.

'Hannah, dwed rywbeth. Edrych, dyma Johnnie bach wedi dod i dy weld di.'

Dim gair. Rhoi cynnig arall arni.

'Hannah, pam na faset ti'n dweud dy fod yn disgwyl babi?'

'Ofn.'

'Ofn pwy, ofn beth?'

'Ofn cael fy ngadael ar ôl ym Mhatagonia.'

'Paid â becso, mae popeth drosodd nawr. Wyt ti'n teimlo'n well erbyn hyn?'

'Na 'dw.'

Dim gair am y babi marw.

'Be sy'n bod, Hannah?'

'Edrych.'

Fe dynnodd y gynfas 'nôl. Fel arfer, doedd dim amdani dan y gynfas, ac eithrio'r groes am ei gwddf, ac fe ddaliai'n dynn yn honno mewn ystum herfeiddiol. Awgrymais yn garedig,

'Hannah, gwisg ŵn-nos, mi fyddi'n teimlo'n well.'

Roedd 'da fi gywilydd ohoni.

'*No, no, no.*'

Roedd hi'n bihafio fel plentyn maldodus, ac yn wir, doedd hi fawr hŷn na phlentyn. Doedd hi ddim yn un ar hugain eto.

Ond yn amlwg, roedd rhywbeth mawr o'i le. Doedd ond eisiau edrych ar y bronnau cochlyd chwyddedig, a'r chwys yn byrlymu o'i thalcen i wybod ei bod yng nghrafangau twymyn. Fe glywais lawer gwaith am wragedd yn dioddef a marw o'r dwymyn laeth. Tybed?

Rhaid oedd galw ar Mrs Tomson unwaith eto. Dyma redeg yn wyllt â Johnnie yn fy mreichiau lan y dec a chwilio amdani. Ac fel arfer roedd hi a Nhad yn eistedd yng nghwmni ei gilydd. Hyhi dan ymbarél gwyn anferth a Nhad â macyn coch am ei ben yn cysgodi rhag pelydrau tanbaid yr haul. Gwaeddais yn wyllt.

'Nhad, cymrwch ofal o Johnnie, mae Hannah yn sâl iawn unwaith eto.'

Deallodd Mrs Tomson fod rhywbeth o'i le a throdd i ofyn i Nhad. Ond cyn iddo gael amser i ateb, dyma fi'n dweud yn wyllt,

'Mrs Tomson, *come please*, Hannah *bad, very bad.*'

Er mawr glod iddi, rhedodd o'm blaen i'r caban. Tynnodd y gynfas 'nôl. Edrychodd arni'n syn am funud, ac roedd dychryn yn ei llygaid.

'*Good Lord!*' oedd ei hunig ymateb. Trodd ata i, a dweud mewn llais argyfyngus,

'*Run, ask the captain for cold water, towels and vinegar.*'

Fe ddeellais y gorchymyn a rhedais, gan weddïo yn fy nghalon bob cam o'r ffordd, ac fel arfer yn methu'n lân â chael y geiriau mas, 'O! Dduw, O! Dduw, O! Dduw.'

Roedd yngan enw Mrs Tomson yn gweddnewid y Capten, ac fe ruthrodd yntau i gael tywelion, dŵr a finegr.

A dyma ddechrau ar y driniaeth. Gwlychu'r tywelion mewn dŵr a finegr a'u gosod ar ei bronnau, un ar ôl y llall, yn gyson am dros awr o amser. Roedd Hannah yn amlwg mewn poenau enbyd, yn ochneidio, yn chwysu ac yn cyfogi. Cefais y gwaith o sychu'r chwys a dal ei phen pan oedd y cyfog yn ei anterth. Am hydoedd bu Mrs Tomson yn gwasgu'i bronnau yn y gobaith y gallai lacio'r tyndra, ond doedd dim yn tycio.

Yn sydyn, peidiodd, ac eisteddodd ar yr unig gadair oedd yno, mewn anobaith llwyr. Deliais i sychu'r chwys oddi ar gorff Hannah gan sibrwd geiriau bach amwys, diystyr o galondid, ond roedd hi, druan, yn rhy wael i ymateb.

Yna'n sydyn, fel pe bai'n cael gweledigaeth o'r newydd, gwaeddodd Mrs Tomson, '*Fetch Johnnie, at once!*'

Rhedais eto; dyma'r unig wir wasanaeth fedrwn i gyflawni mewn argyfwng. Rhedeg lan i'r dec i mofyn Johnnie, heb wybod pam, ond roedd llais awdurdodol Mrs Tomson yn fy ngyrru 'mlaen. Roedd y plentyn yn cysgu'n drwm ym mreichiau ei dad-cu. Cydiais ynddo'n ddiseremoni – doedd dim amser i esbonio, hyd yn oed pe bai 'da fi esboniad i'w roi. Erbyn hyn roedd y plentyn yn bloeddio crio ar ôl cael ei ddihuno mor ddirybudd. I lawr â ni i'r caban ar ras wyllt. Cydiodd Mrs Tomson ynddo heb wneud y sylw lleiaf o'r sgrechfeydd. Rhoddodd ef ar fron ei fam gan ddweud un gair yn unig, '*Suck!*'

Bu'r babi'n sgrechian a strancio am ddeng munud a mwy, ond dal ati a wnaeth Mrs Tomson gan wthio'r deth i'w geg. Yna distawrwydd. Roedd y plentyn yn sugno. Eisteddodd Mrs Tomson unwaith eto ar y gadair, a'r tro yma roedd gwên foddhaus ar ei hwyneb.

'*Thank the Lord.*'

Bu Johnnie'n sugno am gryn ddeng munud. Roedd yn amlwg yn sychedig ac eisiau bwyd. Symudodd ef at y fron arall – rhagor o wawchian. Ond mewn byr o dro fe ddechreuodd sugno'r ail fron. Ymhen deng munud arall roedd yn cysgu'n drwm ar fron ei fam. Roeddwn ar fin ei godi ond rhwystrwyd fi gan Mrs Tomson, a sylweddolais fod ei fam yn cysgu hefyd.

Edrychais ar Mrs Tomson mewn diolchgarwch gan ddweud yn Sbaeneg, '*Muchas gracias, Muchas gracias*, rydych wedi arbed bywyd Hannah unwaith yn rhagor.'

'*No*,' meddai'n dawel, '*Johnnie saved his mother's life.*'

Ymhen hir a hwyr deffrôdd y ddau, ac roedd Hannah yn edrych yn fwy naturiol a di-boen nag y'i gwelais ers misoedd lawer. Roedd y ffaith fod Johnnie'n sugno'i fam wedi datrys problem ddyrys – bellach câi laeth ffres bob dydd. Bu'r crwt bach yn dioddef o ddiffyg maeth ers wythnosau lawer, byth oddi ar iddo gael ei ddiddyfnu, fisoedd yn ôl. Ac oni bai am feichiogrwydd Hannah byddai'n dal i sugno.

A Mrs Tomson? Rhaid oedd i minnau newid fy meddwl amdani. Mae'n debyg taw Nhad oedd yr unig un ar fwrdd y llong a fedrai ryw gymaint o Saesneg. Gwraig i gapten llong oedd hi, ac yn ymuno â'i gŵr yn Madeira. Roedd hwnnw'n gweithio i gwmni Lamport a Holt ac yn teithio'n rheolaidd o Lerpwl i Buenos Aires. Bu'n aros yn Buenos Aires am wyliau gyda theulu capten ein llong ni, felly doedd dim rhyfedd yn y byd fod hwnnw'n rhedeg ac yn ufuddhau i alwad Mrs Tomson.

Oni bai am hynny, ac oni bai am bresenoldeb Mrs Tomson ar y llong, ac oni bai ei bod yn nyrs, ac oni bai ei bod hi a Nhad wedi cyfeillachu â'i gilydd, fyddai Hannah ddim byw heddi.

Oni bai? Oni bai? Ai dyna sy'n rheoli ein bywydau brau? Cyd-ddigwyddiad, ffawd, neu drefn rhagluniaeth? Byddai Nhad yn dweud yn bendant – trefn rhagluniaeth. Mi hoffwn innau gredu hynny hefyd, a daeth i'm cof eiriau Abram Mathews yn yr Ysgol Sul 'slawer dydd, 'Arf y diafol yw amheuaeth'.

Wrth synfyfyrio uwchben digwyddiadau'r dydd, doeddwn i ddim yn siŵr beth i'w gredu. Cydiodd hen deimlad anghysurus ynof, y teimlad fod y diafol yn sibrwd yn fy nghlust ar brydiau. Ac er mawr syndod i mi fy hun doedd dim llawer o ots 'da fi chwaith. Ond yn rhyfedd iawn roeddwn i *yn* poeni tipyn bach, am *nad* oedd ots 'da fi. Rhyfedd mor gymhleth y gall ein teimladau fod. Ond roeddwn yn sicr o un peth – byddai'n haws 'da fi ddelio â'r diafol na gydag ambell fod dynol.

Pennod 12

Erbyn hyn roeddem wedi teithio rhai miloedd o filltiroedd hen unrhyw ddigwyddiad arall o bwys. Roedd Johnnie yn dal i gryfhau, ac wedi colli'r olwg denau, hanner clemio oedd arno. Does dim fel llaeth y fron i fwydo ac atgyfnerthu babi.

A Hannah? Er ei bod yn dal yn wan ac yn denau, roedd wedi bywiocáu drwyddi. Sgrifennai lythyr at William bron yn ddyddiol, ac erbyn cyrraedd Madeira roedd ganddi sypyn sylweddol i'w bostio. Gofynnais iddi un diwrnod,

'Wyt ti wedi dweud wrth William am y babi?'

'Naddo.'

'Pam?'

'Doedd e ddim yn blentyn iawn.'

'Beth wyt ti'n 'i feddwl, Hannah?'

'Chafodd e mo'i fedyddio.'

'Wyt ti cynddrwg â'r capten, plentyn yw plentyn, bedydd neu beidio.'

Ar hyn, dyma hi'n codi'i llais, a chefais gip unwaith eto ar ei natur wyllt.

'Ellen, dwyt ti'n deall dim yw dim am fabis, nac am fedydd. Bydd ddistaw, dwi ddim eisiau clywed gair yn rhagor am y babi marw. A gofala di nad agori di dy geg wrth William chwaith.'

Doedd dim pwrpas ymresymu â hi, a chedwais yn ddigon pell oddi wrthi hyd nes i'r gwaed oeri. Roeddwn wedi hen ddysgu mai ofer oedd dadlau gyda phobol benstiff, benderfynol.

Doedd dim llawer o waith gwarchod Johnnie erbyn hyn; roedd yn blentyn diddig diddan, gan ei fod yn cael digon yn ei fol. Rhaid oedd i Nhad a minnau edrych ar ei ôl lawer iawn. Roedd Hannah yn treulio oriau'n ddyddiol yn sgrifennu ei hepistolau at William, a doedd neb i aflonyddu arni ar yr adegau hynny. Roeddwn innau'n brysur yn gwnïo fy nghwilt, ac yn benderfynol o'i orffen cyn cyrraedd Lerpwl.

Un prynhawn dyma hi, Hannah, yn rhoi gorchymyn digon awdurdodol i mi:

'Edrych ar ôl y plentyn, rydw i'n mynd i gael *siesta*.'

Roeddwn yn gwnïo'r cwilt ar y pryd a welwn i ddim ei bod yn ddyletswydd arna i i warchod y plentyn a hithau o gwmpas. Efallai mai'r diafol a sibrydodd yn fy nghlust!

'Na, fedra i ddim. Dy blentyn di yw Johnnie. Fe ddylet fod yn falch ohono, ac mae Johnnie wedi ei fedyddio.'

Ddwedodd hi 'run gair, ond troi ar ei sawdl, a gadael y plentyn i mi. Ac fe wnaeth hynny i mi feddwl, meddwl o ddifri. Byddai'n rhaid i mi gyd-fyw â Hannah am fisoedd, ac efallai am flynyddoedd, Duw a'm helpo. Rhaid fyddai i mi sefyll ar fy nhraed ôl fy hun a pheidio â rhoi mewn iddi, a gorau po gyntaf. Hyd yn hyn roedd ei hiechyd wedi bod mor fregus fel na fedrwn ei gwrthod, ond penderfynais o hyn ymlaen na fyddwn yn forwyn fach iddi ar unrhyw gyfrif. Penderfynais y byddai'n rhaid iddi sefyll ar ei thraed ei hunan, cymryd cyfrifoldeb llawn am Johnnie, a threfnu ei bywyd ei hunan gorau y medrai. Gwyddwn fod ganddi arian i'w chynnal – roedd yn ferch gyfoethog o'i chymharu â fi.

Roedd Nhad yn dal i ddilyn Mrs Tomsom o gwmpas, fel ci anwes, ac yn dal i ddysgu Saesneg, medde fe. Yn wir, erbyn hyn roeddwn yn ddigon balch o'r cyfeillgarwch oedd yn ffynnu rhyngddynt. Fe gadwodd hynny fe'n ddiddig, ac i beidio â phoeni'n ormodol am ddyfodol Hannah a Johnnie. Ac o ganlyniad i'r profiadau echrydus a ddioddefon gyda'n gilydd, fe ddaeth Mrs Tomson a fi yn ffrindiau da. Yr unig rwystr rhyngom oedd yr iaith. Ychydig iawn o Saesneg a fedrwn i'i siarad, ac ychydig iawn o Sbaeneg a fedrai hithau, ond cawsom lawer o hwyl yn ceisio deall ein gilydd. Ond doedd ganddi ddim golwg ar Hannah o gwbl.

'You watch that Chilean, she is a little madam, and you see to it that she looks after that child of hers properly.'

Ac o feddwl, roedd yr enw 'madam' yn gweddu iddi i'r dim.

Chawsom ni ddim gwyntoedd cryfion na stormydd yr holl ffordd o Buenos Aires i Madeira. Taith anarferol iawn o dawel, mae'n debyg. Wrth hwylio i mewn i borthladd Funchal, cafodd y capten rybudd i beidio â chwythu'r corn ac i ostwng y faner i'r hanner mast. Ac o sylwi, roedd tawelwch yn y porthladd, a phob llong a'i baner wedi'i gostwng. Pawb yn rhedeg lan i'r dec ac yn holi, holi. O'r diwedd, daeth y newydd trist fod Victoria, Brenhines Prydain Fawr, wedi marw. Rhyfedd fel y cafodd y newydd effaith ar bawb yn ddiwahân. Sbaenwyr ac Archentwyr oedd y mwyafrif ar ein llong ni a Phortiwgal oedd perchen Madeira. Ond roedd pawb yn galaru a Mrs Tomson yn wylo'n ddistaw, yn amlwg wedi ei chyffwrdd i'r byw.

Cofiais fy mod innau, pan oeddwn yn yr ysgol gyda R. J. Berwyn, wedi sgrifennu llythyr at Ei Mawrhydi Y Frenhines Victoria, yn ei holi am ei hiechyd, ac yn ei gwahodd i Batagonia am dro. Fe addawodd R. J. Berwyn ei bostio, a doedd 'Mishtir' byth yn dweud celwydd! Cefais siom am na welodd yn dda i anfon ateb ataf.

Gadawodd Mrs Tomson ni yn ei dagrau – dagrau ar ôl y Frenhines. Wn i ddim a oedd ambell ddeigryn ar ein holau ninnau hefyd yn gymysg â'r dagrau brenhinol. Rhoddodd slampyn o gusan ar foch Nhad. Gwridodd yntau fel hogyn ysgol. Gafaelodd hi yn dynn ynof finnau gan ddweud, *'Adios, Ellen, muchas gracias – do not let Hannah spoil your life.'*

Aeth i'r cwch, a hwyliai i'r ynys, gan chwifio hances gwyn hyd iddi ddiflannu o'r golwg, Chwifiais innau 'nôl.

'Muchas gracias, Mrs Tomson. Duw fo gyda thi.'

Arhosom yn Funchal am dridiau yn lle am ddiwrnod fel y tybiem. Dyna'r lle hyfrytaf a welais erioed. Roedd yno dawelwch; mwy na thebyg oherwydd marwolaeth y Frenhines. Doedd neb yn rhuthro, neb yn gweiddi, ac roedd y tywydd yn ddelfrydol, yr haul yn tywynnu a'r awelon balmaidd yn rheoli'r gwres.

Roedd plant yn nofio'n noethlymun yn y môr, ac yn plymio i'r dyfnderoedd i ddal ceiniogau a daflai'r teithwyr iddynt o'r llong. Roeddynt yn debycach i bysgod nag i blant. Dim ond ym Madeira y gwelais bysgod hedegog hefyd – roedd yn werth eu gwylio yn hedfan gymaint â phymtheg troedfedd uwchlaw'r môr, ac weithiau'n disgyn ar fwrdd y llong. Roeddent tua'r un maint â sgadan.

Âi Nhad i grwydro'r ynys bob dydd, ond dim ond un bore y bûm i ar y lan. Yn un peth doedd 'da fi ddim arian i'w wario, a hefyd roeddwn yn awyddus iawn i orffen y cwilt. Wrth roi'r clytiau at ei gilydd cefais syniad. Teimlwn y dylwn goffáu marwolaeth y Frenhines. Nid bob dydd mae brenhines yn marw. Felly, ar y sgwariau ar ganol y cwilt pwythais y geiriau hyn:

Our QUEEN is dead
Jan :21:
Our KING is Reign
1901

Gyda help Nhad gwnes ymdrech i'w sgrifennu yn Saesneg er parch iddi hi a'i hiaith, ond ar ôl gwneud, roedd yn edifar gennyf, achos diben y cwilt oedd coffáu'r hen wladfawyr cyntaf a rywsut doedd y ddau goffâd ddim yn cyd-fynd. Ond credai Nhad ei fod yn syniad penigamp.

'Roedd yn frenhines ar Gymry Patagonia hefyd,' meddai, 'yn ogystal ag ar Brydain Fawr.'

Wn i ddim yn siŵr a oeddwn yn cytuno ag e, ond wnes i ddim dadlau; fodd bynnag, byddai'n ormod o ffwdan i ddatod y pwythau.

Wrth wnïo deuai rhai o'r teithwyr eraill ataf i sbrotian holi ynglŷn â'r cwilt, a holi beth oedd yr iaith ryfedd oedd Nhad a finne'n siarad. Archentwyr oedden nhw o Buenos Aires yn teithio i Sbaen ar fusnes.

Dywedais wrthynt mai Archentwraig oeddwn innau hefyd; roeddent yn synnu ac yn rhyfeddu. Chlywson nhw erioed sôn am y Wladfa nac am Gymru. Rhaid oedd esbonio iddynt ble'n union roedd Cymru, y wlad fechan yn ffinio â Lloegr, a chanddi ei hiaith a'i diwylliant ei hun. Esbonio hefyd fod mintai o Gymry wedi sefydlu gwladfa fechan yng ngwaelod Patagonia, gan ddefnyddio'r un iaith a'r un arferion ag oedd yng Nghymru. A dyna gychwyn ar ribidires o gwestiynau. Mae pobol yn gallu bod yn fusneslyd!

'Archentwraig neu Gymraes ydych chi felly?'

'Archentwraig, wrth gwrs, ond Cymro yw Nhad, fe gafodd ef ei eni yng Nghymru ac mae e'n mynd 'nôl yno i fyw.'

'Ydych chi eisiau mynd 'nôl?'

'Nac ydw.'

'Wel, pam ych chi'n mynd?'

'Mynd i ofalu am fy nhad.'

'Ddowch chi 'nôl eto i Ariannin?'

'Go brin, does 'da fi ddim teulu yno mwyach.'

'Rydych chi'n siarad Sbaeneg da, ond gydag acen wahanol.'

'Acen Gymreig, mae fy Nghymraeg i'n well na fy Sbaeneg.'

Ac ymlaen, ac ymlaen yn ddiddiwedd yn holi'ch perfedd, gan fy ngwneud i deimlo 'mod i'n greadur rhyfedd iawn, ac yn perthyn o bell i'r dyn sy yn y lleuad.

* * *

Roedd Hannah yn gwella bob dydd, yn dal i fwydo Johnnie ar y fron, a hwnnw'n amlwg yn cael bendith o'r maeth. Does yr un drwg yn ddrwg i gyd.

Ond roedd yn dal i'w wthio arna i ac yn osgoi ysgwyddo'i chyfrifoldebau. Fi oedd yn gorfod newid ei gewyn, ei ymolchi a'i wisgo, ei warchod yn ystod y dydd, ac ateb ei gri yn y nos. Rhaid oedd troi'r tu min ati cyn bo hir, ac fe ddaeth y cyfle yn sydyn un prynhawn. Roeddwn i wrthi'n brysur yn cwiltio.

'Ellen, gwarchod Johnnie i mi.'

Dim 'os gweli di'n dda', dim 'a fedri di?'

'Pam? Ble wyt ti'n mynd?'

'Rydw i eisiau mynd am dro i'r ynys.'

'Wel, cer â Johnnie gyda thi, rydw i'n brysur.'

'Alla i byth â mynd ag e ar y cwch, mae'n amhosibl.'

'Wel, aros ar y llong 'te. Rwyt ti'n gallu gweld yr ynys o'r llong.'

'Ond rydw i eisiau mynd i weld y siopau.'

'Pam?'

'Sdim ots pam, fy musnes i yw hynny.'

'Gwranda, Hannah, dy fusnes di ar hyn o bryd yw gofalu am dy blentyn.'

'Ond, Ellen, wyt ti'n gallu edrych ar ei ôl gymaint gwell na fi.'

'Ydw, er mawr gywilydd i ti, ac o hyn mas, rydw i'n gwrthod gwneud dim drosto. Wyt ti'n deall?'

'Wyt ti'n hen fenyw galed iawn.'

Doedd fy ngalw'n 'hen fenyw' ddim yn gwella'r sefyllfa.

'Falle 'mod i. Ond rwyt ti wedi gwella nawr, a dim ond ei fwydo yr wyt ti, a sgrifennu llythyrau'n dragwyddol at William.'

Roedd clywed enw William yn ormod iddi, a dyma gychwyn snwffian a ddatblygodd yn grio gwylofus. Ond roeddwn yn styfnig o benderfynol a chofiais eiriau Mrs Tomson, *'Do not let Hannah spoil your life.'*

Codais innau fy llais.

'Hannah, gwranda arna i, unwaith ac am byth. O hyn ymlaen, ti fydd yn ymgeleddu Johnnie, gwneud pob dim drosto a thi fydd yn gyfrifol amdano bob awr o'r dydd a'r nos. Wyt ti'n deall?'

Gyda phob gair o'm heiddo, roedd y crio'n cryfhau, a'm hamynedd innau'n byrhau. A dyma droi ati'n chwyrn.

'Does dim rhagor i'w ddweud, a rydw i wedi penderfynu mai ti a thi'n unig fydd yn gofalu ar ôl y plentyn o hyn mas. Unwaith eto, wyt ti'n deall?'

Wnaeth hi ddim addo, nac ateb, dim ond dal i grio. O weld ei fam yn llefain, dyma Johnnie'n ymuno yn y gân. Gadewais y ddau i fwynhau eu deuawd aflafar.

Na, doedd Hannah ddim wedi deall, doedd hi ddim eisiau deall.

Pennod 13

Roedd Nhad ar goll ar ôl ymadawiad Mrs Tomson. Sbaenwyr oedd gweddill y teithwyr, ac wedi closio at ei gilydd, tra oedd Nhad yn closio at Mrs Tomson. Mae'n debyg taw teithwyr i Lisbon ac i Sbaen oeddynt i gyd, heblaw amdanom ni.

Doedd Nhad ddim wedi torri gair â Hannah oddi ar genedigaeth y babi. Roedd yn dal i deimlo'n ddig wrthi, dicter am ei bod wedi'n twyllo i gyd. Roeddwn i mor ddig wrthyf fy hunan ag oeddwn tuag at Hannah. Sut yn y byd y bûm mor dwp? Ac roedd Nhad erbyn hyn yn fy meio innau hefyd.

'Roedd bai arnat ti na faset ti wedi synhwyro natur ei salwch.'

'Beth amdanoch chi?'

'Mae merched i fod i ddeall pethau fel'na yn well na dynion.'

'Clywch, Nhad, doedd neb i'w feio, dim ond Hannah ei hun. Ac roedd gormod o ofn ar y gradures fach i gyffesu'r gwir.'

'Ofn? Ofn beth, ofn pwy?'

'Eich ofni chi yn un, ac roedd gyda hi ddigon o reswm hefyd i'ch ofni.'

'Pam wyt ti'n dweud 'na, Ellen?' Roedd wedi ei gyffroi braidd erbyn hyn.

'Ofn y byddech chi'n ei gadael ar ôl, heb neb i'w chysuro. Dyna be wnaech chi ynte?'

'Wn i ddim wir, wn i ddim.'

'Ie, wrth gwrs, dyna beth oedd eich bwriad – peidiwch â gwadu hynny.'

'Wel, mi fase'n rhwyddach hebddi.'

'Base, wrth gwrs, ond addewid yw addewid, a rhaid inni wneud ein gorau iddi er mwyn William.'

'Rydyn ni wedi gwneud mwy na digon dros William yn barod. Doedd dim hawl 'dag e fynd a'i gadael yn y lle cynta.'

'Mae honno'n hen stori bellach, Nhad; rhaid derbyn y canlyniadau, heb achwyn gormod.'

'Mi fydd yn rhaid iddi gadw'i hunan pan awn i Gymru, does mo'r arian 'da fi i'w chadw. Mae Hannah yn dipyn o feiden, rhaid inni fod ar ein gwyliadwriaeth, a pheidio ag ildio i'w themper a'i styfnigrwydd.'

Ie, diwedd cân Nhad bob amser oedd y geiniog. Chwarae teg iddo yntau hefyd, doedd e ddim yn ŵr cyfoethog o bell ffordd. Rhaid oedd iddo ofalu am y geiniog o reidrwydd. Ac roedd wedi pwysleisio arna i o'r cychwyn cynta, cyn i ni ymadael â Phatagonia, y byddai'n rhaid i mi ddal ati i wnïo er mwyn cadw fy hun. Yn wir, roeddwn i'n gofidio sut y byddem yn dod i ben â chael y ddau ben llinyn ynghyd. Ddwedodd Nhad erioed wrthyf faint o arian oedd ganddo ar ôl. Gwyddwn fod Llain-las yn dal heb ei werthu, ac yn ôl cyfraith Ariannin byddai'n rhaid iddo rannu'r elw rhyngom ni'r plant hefyd. Ac roedd pedwar ohonom.

Mae'n debyg fod rhyw ŵr o Dre-fach Felindre wedi rhoi addewid y byddai 'tŷ urddasol, ffit i ŵr bonheddig' yn ein disgwyl yno. Ond roeddwn i'n dal yn amheus. Ac i wneud yn siŵr o le i roi'n pennau i lawr wedi cyrraedd Dre-fach, sgrifennais (cyn ymadael â Phatagonia), heb yn wybod i Nhad, at ein perthnasau ym Manllegwaun, Penboyr, i ofyn am lety dros dro.

Erbyn hyn roeddem wedi cyrraedd Lisbon, ac yn aros i'r teithwyr lanio, ac i eraill ddod ar y bwrdd. Pump i gyd, a Saeson bob un.

'Dyna chi, Nhad, cyfle arall i chi ddysgu Saesneg.'

'Paid ti â gwawdio Saesneg, 'merch i; pan gyrhaeddwn ni Lerpwl mi fyddi di'n falch iawn o'm Saesneg i.'

'Byddaf, gobeithio, fe ddylai fod yn dda ar ôl yr holl ymarfer gawsoch chi.'

Roedd Hannah i'w gweld yn cryfhau, a'r crwt bach yn blaguro ar laeth y fron. Yn anffodus, roedd Hannah wedi llwyr golli ei hysbryd ifanc nwydus; yn wir, diflannodd hwnnw yr un pryd ag yr aeth William i Affrica. Cadwai ymhell oddi wrth Nhad, a'i osgoi'n fwriadol. Roedd hi mewn pŵd parhaus, ond roedd y dagrau wedi sychu dros dro, diolch i bob daioni.

Roedd yn fwy gofalus o Johnnie hefyd, ac roeddwn innau'n teimlo 'mod i wedi cael rhywfaint o oruchafiaeth, a'i bod yn talu'r ffordd i roi troed lawr weithiau.

Ond er hyn i gyd roeddwn yn dal i ofidio, yn dal i bryderu ac i ofni'r gwaethaf. 'Rwyt ti wastad yn gweld yr ochor dywyll o bopeth,' oedd byrdwn Nhad. Un felly roeddwn i'n naturiol, tra oedd Nhad yn hollol wahanol. Iddo fe roedd pelydrau'r haul yn llechu y tu ôl i bob cwmwl. Roedd hefyd wedi mabwysiadu rhai o arferion dioglyd y Sbaenwyr – *mañana* – peidiwch â gwylltu, mae fory cyhyd â heddi. Doeddwn i'n gwybod fawr ddim am ei drefniadau na'i amgylchiadau ariannol.

'Nhad, rhaid i mi siarad â chi o ddifri.'

'Ie, clatsia bant, beth wyt ti eisie'i wybod.'

'Ydych chi'n berffaith siŵr y bydd tŷ gyda ni i fynd iddo yn Dre-fach?'

'Be sy'n bod arnat ti, lodes, on'd ydw i wedi dweud a dweud fod William Jones yn gofalu am hynny – tŷ ac iddo dair stafell wely.'

'Ie, tair stafell wag. Beth am ddodrefn? Beth am fwrdd a gwely a chadeiriau?'

'Paid â becso, Ellen – mae becso'n fwyd a diod iti. Rwyf wedi gofalu bod arian 'da fi i brynu dodrefn. Ac os aiff hi'n waetha waetha fe allwn gysgu ar welyau rhebel am noswaith neu ddwy.'

'Peidiwch chi â thwyllo eich hunan, wnaiff Hannah ddim gorwedd ar lawr.'

'Gwranda, Ellen, dwi ddim yn hidio grot amdani. Hi sy wedi mynnu dod gyda ni, a rhaid iddi ddioddef y canlyniadau.'

'Ond, Nhad, ystyriwch am funud. Ar ôl prynu dodrefn a thalu'r rhent, o ble daw arian i brynu bwyd a dillad?'

'Dyna ti'n mynd o flaen gofidiau eto. Mae'r cyfan mor glir â houl ar bost. Mi fydd yn rhaid i Hannah gadw'i hunan a Johnnie, mi fyddi di'n gwnïo, a mi fydda inne'n gwerthu llyfrau.'

A dyna'r tro cyntaf i mi glywed sôn am lyfrau, er mae'n wir mai llyfrwerthwr ydoedd pan oedd yn byw yn Rhonnda dros ddeng mlynedd ar hugain yn ôl. Cariodd lond dwy gist o lyfrau gydag e pan ymfudodd i Batagonia, a bu'r llyfrau hynny o help mawr inni fel teulu yn ystod y blynyddoedd cynnar. Roedd yn medru ffeirio llyfrau am datws, blawd a menyn oddi wrth gymdogion gwell eu byd na ni. Ond erbyn hyn roedd y llyfrau hynny wedi diflannu – cafodd y llyfrau olaf eu dinistrio gan y llifogydd mawr. Roedd y cyfan wedi'u darostwng i fod yn rhan o'r mwd cleiog, heb obaith i'w hachub.

A dyma fe'n awr yn sôn am ailgychwyn fel llyfrwerthwr. Rhaid oedd cael llyfrau i agor siop lyfrau. Ond roedd hynny'n nodweddiadol o Nhad – ffydd yn y dyfodol – man gwyn man draw – fe fydd popeth yn iawn fory. Fe ddylai'r cyni a'r siomedigaethau a'i goddiweddodd yn y Wladfa fod wedi dysgu gwers iddo. Ond na, roedd fel hogyn yn cynllunio at y bywyd newydd. Doeddwn i ddim yn gallu gweld y byddai'r hanner dwsin o esboniadau, dau Feibl, a thri Thestament a gariodd yn y wagen wrth ddianc rhag y dyfroedd, yn ddigon i agor siop lyfrau. Ond roedd wedi penderfynu, a fedrai'r un dewin ei droi. Daeth yn gwbl amlwg y byddai'n rhaid i mi gadw fy hun.

A beth am Hannah a Johnnie? Beth a ddeuai ohonyn nhw? A fyddai gan William ddigon o arian i brynu ffarm, neu hyd yn oed rentu ffarm?

A pheth arall, doeddwn i ddim yn hoffi'r syniad o fyw

mewn pentref, ynghanol pobl, lle'r oedd pawb yn gwybod hanes pawb. Yn Llain-las, os oedd y tŷ'n fach, roedd yno ddigon o le i ddianc, milltiroedd o baith ar bob llaw, a'r unigrwydd yn eich cofleidio a'ch cysuro. Byddwn yn dychwelyd o'r Paith wedi adfeddiannu fy hunan-hyder ac yn barod i wynebu pob ffrwgwd a siom. Ond nid felly y byddai hi mewn pentref. Rhyw hen feddyliau diflas felly oedd yn cyniwair yn fy mhen ddydd ar ôl dydd, nos ar ôl nos.

Roedd y fordaith yn hynod o ddidrafferth, Bae Biscay yn dawel a Nhad ar ben ei ddigon, ac roedd hyd yn oed Hannah yn cynllunio at y dyfodol.

'Pan awn i Gymru, mi fydda i'n chwilio am *estancia* y gall William ei phrynu pan ddaw 'nôl.'

'Hannah, does yr un *estancia* i'w gael yng Nghymru, dim ond ffermydd a thai. Gormod lawer o dai.'

'Dim un *estancia* o gwbwl?'

'Nac oes, dim un.'

'Fydd 'na *plaza* lle gallwn ni fynd am dro?'

'Na fydd, ddim yn Dre-fach, dim ond ffyrdd culion, llychlyd, â chloddiau uchel ar bob llaw fel na ellwch chi weld dim tu hwnt i'r clawdd. Ond mae pawb yn eich gweld chi.'

'Ond, Ellen, dwi byth eto eisiau byw mewn lle mor llwm ac unig â Llain-las.'

'Pam yn enw pob rheswm yr est ti yno i fyw?'

'Dilyn William wnes i, ac roedd e wedi addo prynu *estancia*, 'mhell bell o Llain-las.'

Roedd ei diniweidrwydd yn druenus, a'i hanwybodaeth yn affwysol. Ai dyna oedd addewid William i Hannah, y ddiniwed fach? Mae'n debyg ei fod wedi darganfod mor amhosibl oedd prynu *estancia*. Ond roedd tir yn rhad ym Mhatagonia, rhad iawn, a haws fyddai prynu *estancia* ddwy fil o aceri yno na ffarm fach ddeg erw yng Nghymru.

Ei unig obaith oedd mynd i chwilio am aur yn Affrica, a dod adre'n ŵr cyfoethog – ond wedi cyrraedd yno fe ddaliwyd ef a Dyfrig mewn trap – fe'u hawliwyd i ymladd dros Frenhines Prydain Fawr i goncro'r Boer.

Druan o William, druan o Hannah, druan ohonom ni i gyd fel teulu.

Doedd gan Hannah, y greadures fach, ddim mo'r syniad lleiaf beth oedd yn ei hwynebu. Wyddai hi ddim oll am Gymru, a llai fyth am Dre-fach. Flynyddoedd yn ôl, bûm yno ar wyliau, a chymres i ddim at y lle o gwbwl. Pawb yn eich holi ac yn hanner eich credu. Dim lle i ddianc, dim llonyddwch, dim ond pobol, pobol a mwy o bobol ar bob llaw. Cefais syrffed ar y lle.

'Ceisio bod yn serchog a chymdogol maen nhw,' medde Nhad, 'a rhaid i tithe beidio â bod mor benuchel a chilsip.'

Na, byddai'n rhaid i mi gofio cyngor Nhad a phenderfynu hyd yn oed pe byddai'n rhaid i mi ragrithio, i ddysgu gwenu, diolch, a chymryd arnaf 'mod i wrth fy modd yno. Gwyddwn y byddai'n dasg anodd i rywun anfoddog, chwim ei thafod fel myfi. Ond fe wnawn ymdrech deg, ac ni all neb wneud mwy na hynny.

Pennod 14

O'r diwedd, Lerpwl! Diolch byth! A thir sych o dan draed. Bron i ddeufis ar y môr, ac wedi goresgyn profiadau hunllefus – profiadau na welwn eu tebyg fyth eto, gobeithio. Mae'n rhaid fod 'na law anfeidrol yn rheoli ein bywydau brau; neu fyddai Hannah fyth wedi dod trwy ei salwch echrydus. Roedd hi'n hanfodol 'mod i'n credu, ac yn hanfodol i feithrin ffydd. Dyna'r unig ffordd i fyw, rhaid i mi byth eto ag amau'r Bod o Dduw.

Roedd ffydd 'da Nhad; medrai ef siarad â'i Dduw fel ffrind. Efallai mai hynny oedd ei gyfrinach, a'r rheswm ei fod bob amser â ffydd yn y dyfodol.

Penderfynais fod yn fwy cadarnhaol yn f'agwedd at fywyd yn gyffredinol. Ond roedd amgenach gwaith i'w wneud y funud honno. Rhaid oedd chwilio am y cistiau, gofalu am ein bagiau, cydio'n dynn yn Hannah a Johnnie, a chadw'n glòs at Nhad. Dim ond fe oedd yn gallu tipyn o Saesneg, a heb Saesneg yn Lerpwl roeddech chi ar goll yn llwyr.

Roedd Lerpwl wedi newid hefyd, y llongau hwyliau wedi diflannu, a'r stemars wedi cymryd eu lle, a rywsut roedd y rhamant wedi diflannu gyda'r hwyliau. Rhaid oedd chwilio am lojin, ond doedd hynny ddim yn anodd. Roedd gwragedd bob amser yn hofran o gwmpas y porthladd yn cynnig llety i'r teithwyr. Ond rhaid oedd bod yn ofalus, rhaid oedd derbyn llety gyda gwraig oedd yn edrych yn gymen a thwt. Ac fel y bu lwc, fe glywodd rhyw fenyw ni'n siarad Cymraeg, a daeth 'mlaen atom. Roedd hithau'n Gymraes o Sir Fôn, a dyna lojin yn hollol ddiffwdan. Wedyn dod o hyd i gerbyd go helaeth i'n cludo ni a'n sian-di-fang, a dyna ni ar ein taith fel llwyth Israel – y fenyw a chwbl.

Wrth deithio o'r porthladd i'r briffordd, dyma'r ceffyl yn strancio, yn gweryru fel ceffyl gwyllt ac yn codi ar ei draed ôl. Roedd dyn a chanddo faner goch yn ei law yn rhedeg ar ganol y ffordd, yn cael ei ddilyn gan gerbyd a chwythai fwg dros bob man, a hwnnw'n symud heb neb i'w dynnu na'i wthio. Roedd Nhad yn gorfoleddu, yn gweiddi ac yn chwifio'i hat. Minnau'n poeni am ein paciau! Roedd twr o ddynion a phlant yn rhedeg ar ôl y cerbyd gan weiddi a'i annog ymlaen. Roeddem wedi gweld car modur am y tro cyntaf, un o ryfeddodau'r oes. Ond wnaeth yr anghenfil myglyd, drewllyd fawr o argraff arna i. Teimlwn fod dyn wedi mynd yn llawer rhy glyfar er ei les ei hun, ac y byddai ryw ddydd yn dinistrio'i hunan gyda'i glyfrwch. Ac roedd y ceffyl, hen ffrind dyn drwy'r oesau, yn codi ar ei draed ôl mewn protest. Mae greddf creadur yn gryfach na greddf dyn.

Ond ymlaen â ni, a chyrraedd stryd gefn gul, digon tlodaidd a phlant bach carpiog, troednoeth, yn chwarae yn y budreddi, ac yn edrych mor dlawd, os nad yn dlotach, na phlant bach Buenos Aires. Ond roedd un gwahaniaeth mawr. Roedd tywydd Ariannin yn garedicach wrth eu cyrff bach carpiog na gwynt rhewllyd Lerpwl.

Ond roedd tŷ Mrs Owen yn lân a chymen, ac yn llawer glanach na'r tai eraill o'i chwmpas. Cawsom swper ardderchog a gwelyau cyfforddus. Dim ond un noson roeddem wedi bwriadu aros, ond fe benderfynodd Nhad aros am noson arall i ddadflino, medde fe. Ond esgus oedd hynny, ac aeth mas yn y bore bach i gerdded y strydoedd yn y gobaith y gwelai gar modur arall. Ond daeth 'nôl yn siomedig, ac fe wnaeth ymholiadau ynglŷn â thrên a oedd yn gadael Lerpwl ben bore drannoeth a chyrraedd Henllan cyn nos. Anfon teligram wedyn i William Jones i'w hysbysu o'r ffaith, gan obeithio y cyrhaeddai'r neges o'n blaenau.

Welais i mo Nhad mewn cystal hwyliau – gorchymyn, trefnu a siarad fel pwll y môr. Roedd hyd yn oed yn siarad â Hannah. Honno hefyd yn hynod o serchog, er yn flinedig. Doedd hi ddim wedi llwyr adennill ei nerth eto ar ôl genedigaeth y babi, a Johnnie bach yn hapus ddigon, dim ond iddo gael llond ei fol. Pawb yn hapus, pawb yn edrych 'mlaen at y bywyd newydd yn llawn gobaith. Myfi'n unig oedd yn teimlo'n ansicr ac yn amheus o'r dyfodol.

*   *   *

Cyrraedd Dre-fach yn swrth a blinedig, a chael syndod pleserus o weld dwsin a mwy o ffrindiau Nhad yno i'n croesawu. Roedd William Jones, chwarae teg iddo, wedi rhentu tŷ ar ein cyfer, 'tŷ ffit i ŵr bonheddig', ond roedd yn hollol wag, nes inni lenwi un stafell â'n cistiau a'n paciau. Cafodd Hannah, Johnnie a finne lety ym Manllegwaun, gyda pherthnasau i Nhad, tra oedd e'n sefyll gyda William Jones.

Roedd Nhad ar ben ei ddigon, 'nôl yn ei gynefin, yng ngwlad ei ieuenctid ffôl. Magwyd ef ym Mwlch-clawdd, Llangeler, a bu'n gwasanaethu ar ffarm yn ymyl Dre-fach, cyn ymadael am y 'gweithe' i weithio mewn pwll glo. Roedd y cyflogau'n well yno. Ond cafodd ei siomi: gweithio oriau meithion yn y tywyllwch, y chwysu, y llygod mawr, a'r straen ar gorff ac ysbryd. Felly, penderfynodd agor siop lyfrau, a chael tipyn o lwyddiant. Ond pan glywodd am y can cyfer yn rhad ac am ddim i ymfudwyr i Batagonia, gwerthodd y cyfan, a llusgodd ei deulu bach saith mil o filltiroedd dros y moroedd i'r 'wlad sydd well, yn y deheudir pell', a chael siom yno hefyd.

Feddyliodd e erioed y byddai ef a'i deulu'n dioddef o eisiau bwyd yno. Ac oni bai am brinder arian mi fyddai wedi troi 'nôl am adref cyn gynted ag y cyrhaeddodd yno. Bu Patagonia yn siomedigaeth enfawr iddo: mam ei blant yn marw o ddiffyg gofal, a'i ail wraig yn marw o hiraeth a thor-calon.

A dyma fe eto, ar drothwy henaint, yn llawn ysbryd antur ac yn barod i gychwyn bywyd o'r newydd yn Dre-fach Felindre.

Roedd anturiaeth yng ngwead ei deulu – yn rhedeg drwy eu gwythiennau i gyd. Bu ei dad-cu yn crwydro'r byd fel milwr yn helpu i ehangu'r ymerodraeth Brydeinig, ac yn barod i roi'i fywyd dros y frenhines. Fe roddodd ei goes, a doedd ganddo ddim dewis wedyn ond dod adre at ei wraig a'i blant yn Llangeler. Mae'n debyg ei fod yn hoff o'r ddiod gadarn ac yn meddwi'n gorlac ar brydiau, ond yn pregethu dirwest i'w blant. Fe ogleuodd ddiod ar ei fab William un noson, a chafodd hwnnw grasfa i'w chofio, ac yntau'r truan ond wedi yfed glasied o gwrw cartref yn nhŷ ei ffrind, a heb sylweddoli fod alcohol ynddo. Fe roddodd y llywodraeth goes bren iddo am ei wrhydri, a chyda help honno crwydrai'r gymdogaeth i hel straeon a'u hailadrodd. Ac fe ddaeth 'John Coes-bren' yn ddihareb yn ei ardal fel adroddwr storïau a thynnwr coes.

Fe gafodd e a'i wraig Rachel saith o blant a phob un ohonyn nhw wedi etifeddu'r chwilen deithio. Arhosodd yr un ohonyn nhw yn eu cynefin i chwilio am waith. Aeth y ddwy ferch hynaf, Ann a Sarah, i Dde Cymru, ond bu farw David Daniel yn ifanc iawn.

Aeth William Daniel i Scranton, America, ac fe dyfodd i fod yn ŵr o bwys yno fel gohebydd Cymraeg *Y Drych* a *Baner America*. Roedd yn awdur llyfrau hefyd, fel *Y Cartref Dedwydd* ac *Ysgol y Teulu*, ac er nad oedd ganddo ei deulu ei hunan – hen lanc oedd e – roedd yn gwybod yn well na neb sut y dylai teuluoedd ymddwyn. Ond er ei holl bwysigrwydd a'i wybodaeth ail-law, roeddwn yn hoff iawn ohono. Daeth i roi tro amdanom yn Llain-las yn fuan ar ôl claddu Mam. Roedd yn garedig tu hwnt, ond wir, roedd ei sgwrs yn anniddorol iawn i blentyn. Dirwest oedd ei brif bwnc – mae'n debyg ei fod yn dal i gofio am y grasfa honno a gafodd gan ei dad pan oedd yn llencyn. A dirwest oedd y testun bob pryd bwyd, nes yn wir ddiflasu'r bwyd, a chynhyrfu William fy mrawd i'r fath raddau nes i hwnnw gymryd ei fwyd oddi ar y ford a'i fwyta allan yng nghwmni'r ieir a'r cŵn, a hynny bob dydd.

Ond cyn iddo fynd 'nôl fe wnaeth William Daniel addewid gysegredig, a'i law ar y Beibl Mawr, y byddai'n dod atom i fyw ar ôl ymddeol. Doedd dim gwahaniaeth ganddo ble – America, Cymru neu Batagonia. Ond er mawr ofid inni bu farw f'ewythr William yn sydyn iawn yn Lerpwl, pan oedd yno ar daith ddarlithio, a hynny rai misoedd yn unig cyn inni ymadael am Gymru. Roedd yn gwybod ein trefniadau, a theimlaf yn sicr y byddai wedi aros amdanom, ac wedi symud atom i fyw oni bai am ei farwolaeth sydyn yn drigain a thair oed.

Nhad oedd y pumed plentyn, a'r awydd am deithio yr un mor gryf ynddo yntau. Aeth Margaret, y chweched plentyn, at ei brawd i Scranton ac oddi yno i Seattle ac Alaska. Roedd hi'n un o'r gwragedd a ddioddefodd adeg y rhuthr mawr am aur. Aeth y mab ieuengaf, James Daniel, i Florida, U.D.A., a chychwyn busnes llwyddiannus yno.

Ac wrth gwrs dyna fy mrodyr innau; roedd un ar fin ymfudo i Ganada a'r ddau arall yn Affrica.

Ac roedd yr hen ysbryd antur yn dal yn fy nhad, dechrau o'r newydd eto yn yr Hen Wlad, ac agor siop lyfrau, medde fe. Ond doedd ei ddau Feibl, ei dri Thestament a'i chwech esboniad ddim yn ddigon i agor siop!

'Rhaid iti gael ffydd, Ellen, ffydd yn y dyfodol.'

A beth am ddodrefn? Doedd gyda ni ddim bwrdd na gwely heb sôn am yr holl drangwns eraill roedd eu hangen arnom. Roeddem wedi cario rhai pethau gyda ni – llestri te Mam, *poncho*'r Indiad, dau groen guanaco, dau flanced ac yn y blaen. Ond byddai angen mwy na dau flanced i'n cadw'n gynnes yn Dre-fach.

Ond pan welodd ein cymdogion ein sefyllfa argyfyngus, dyma'r anrhegion yn cyrraedd – sosban gan un, carthen gan un arall, tegell, brws llawr, ac yn y blaen yn ddiddiwedd. Rhai'n dweud 'Cymrwch fenthyg hwn, tan y cewch chi un eich hunan,' eraill yn dweud 'Presant bach i'ch croesawu 'nôl.' Yn wir, roedd y croeso a'r caredigrwydd yn anhygoel a Nhad ar gefn ei geffyl yn brolio pobol Dre-fach.

'Oni ddwedes i y byddai popeth yn iawn ar ôl cyrraedd? Does dim pobol tebyg iddyn nhw yn y byd i gyd.'

Ond doedd popeth ddim yn iawn, doedd gyda ni ddim celfi. Fe ddwedodd rhywun fod ocsiwn ddodrefn yng Nghastellnewydd, y dydd Gwener canlynol, ac i ffwrdd â ni'n dau i'r ocsiwn. Dyna'r tro cynta' i mi fod mewn lle o'r fath. Roedd y cleber yn fyddarol a ddeellais i 'run gair o'r arwerthwr; roedd cyflymdra ei siarad yn anghredadwy. Ond roedd Nhad yn deall, ac roedd ganddo ugain punt i wario. Fe gawsom dri gwely, bwrdd, pedair cadair, cwpwrdd bwyd, cwpwrdd dillad, i gyd am ychydig dros bymtheg punt. Aeth y gweddill ar lond blwch anferth o lyfrau llychlyd.

A rhwng yr anrhegion, y dodrefn a'r llyfrau roedd gyda ni ddigon o gelfi i symud i mewn i'r 'tŷ ffit i ŵr bonheddig'.

Pennod 15

Ymhen rhai wythnosau daeth bwndel o lythyrau, a Hannah wedi bywiocáu drwyddi o glywed oddi wrth William, gyda'r newydd ei fod wedi ei ddyrchafu'n *Sergeant* erbyn hyn. Doedd llythyr Dyfrig ddim mor galonnog. Roedd e wedi cael ei wahanu oddi wrth William – bywyd yn uffernol o galed, byw mewn perygl parhaus, a'r bwyd ddim yn ffit i gi. Nhad yn cyffroi braidd o'i weld yn sgrifennu'r fath air cryf yn ei lythyr.

'Ond, Nhad, fyddai'r un gair arall yn gallu cyfleu ei deimladau – mae'n debyg ei *bod* hi'n uffern yna. Dyna beth yw rhyfel.'

'Does dim galw arnat tithe chwaith i'w ailadrodd.'

'Peidiwch â bod mor ffug-barchus. Symudwch gyda'r oes.'

Bu bron iddi fynd yn storom, ond ateliais mewn pryd.

Daeth llythyr oddi wrth fy mrawd a'i wraig o Batagonia, gyda'r newydd fod ganddynt blentyn arall, merch fach – Hannah arall yn y teulu. Druain ohonynt, gobeithio y caent ddigon o fwyd i'w cynnal; fe gymerai flynyddoedd i dir Llain-las ddod 'nôl i drefn ar ôl y llifogydd. Ond roedd gobaith am werthu erbyn hyn. Roedd y teulu Griffiths yn chwilio am ffarm, ac wedi cerdded y tir fwy nag unwaith. Roedd tua phymtheg o deuluoedd eraill wedi penderfynu symud i Ganada i chwilio am decach byd, ac roedd yr awdurdodau wedi addo llong i'w cyrchu – rywbryd.

Roedd Hannah yn achosi gofid inni. Roedd yn grintachlyd drwy'r amser ac ni cheid byth wên ar ei hwyneb ond pan ddeuai llythyr oddi wrth William. Roedd hi'n anfodlon ar y celfi. Fe brynwyd tri gwely – un mawr a dau a oedd yn llai o faint. Rhoddwyd yr un mawr i Hannah yn yr ystafell fwyaf, am y byddai Johnnie yn cysgu gyda hi. Ond doedd dim yn iawn. Roedd hi'n mynd i brynu dodrefn newydd sbon, a'u cadw erbyn iddi hi a William fynd i'r ffarm. Roedd yn rhaid iddi hi gael matiau cyfforddus dan draed hefyd, a pheth arall, doedd hi mei ledi ddim yn fodlon rhannu gwely â'i phlentyn chwaith – 'Hen bethau bach drewllyd ydy babis'.

Felly, i ffwrdd â ni eto i Gastellnewydd, nid i ocsiwn y tro yma, ond i siop ddodrefn ffasiynol. Roedd arian Hannah mewn doleri, a rhaid oedd mynd i'r banc i'w newid. A gwelais yr adeg honno mor ddiymadferth oedd hi ar ei phen ei hunan, heb fedru'r Gymraeg na'r Saesneg. Roedd yn edrych mor wahanol hefyd, mor estronol yn gwisgo *poncho* lliwgar, a hances fawr am ei phen. Ac roedd pawb, pob wan jac yn troi i rythu arni. Roeddwn i'n teimlo'n anghyfforddus iawn yn ei chwmni.

Roedd hi wrth ei bodd yn y siop, ac fe wariodd hanner can punt a mwy 'mhen chwarter awr. Roedd yn agoriad llygad i mi sylweddoli faint o arian oedd ganddi mewn gwirionedd. Fe brynodd wely mawr iddi ei hunan (digon o faint iddi hi a William), gwely bychan i Johnnie, cwpwrdd dillad, shes-yn-drôs, bwrdd 'molchi, bwrdd arall, cadair esmwyth, drych anferthol ac iddo ymyl aur, a dau fat blewog i'w rhoi ar lawr.

Roedd yn hapus am y tro cyntaf ers misoedd. Roedd yn amlwg fod Hannah wedi byw mewn moethusrwydd cyn iddi gwrdd â William, ac anodd oedd iddi ddiosg ei hen ffordd o fyw. Methodd â diosg ei chrefydd chwaith. Daliai'n gyndyn wrth ei chroes a'i phaderau, er mawr ofid i Nhad.

Cafodd Nhad help Tom Saer i roi silffoedd llyfrau lan yn y gegin orau oedd yn wynebu'r hewl, ac yn ôl a ddywedai cafodd fargen aruthrol yn yr ocsiwn, er mai llyfrau Saesneg oeddent bron i gyd. Ond doedd neb yn rhyw awyddus i'w prynu. Er bod fy ffrind Mary Jane, Perthi-teg, wedi bod wrthi'n fy rhico fel gwniadwraig, doedd neb yn cymryd rhyw lawer o ddiddordeb ynof innau a'm peiriant gwnïo chwaith.

167

'Mae'n rhaid cael enw ar y tŷ 'ma,' meddai Nhad yn sydyn un bore. 'Be wyt ti'n weud?'

'Syniad da. Beth am y Plas?'

'Pam Plas?'

'Enw arall ar "dŷ ffit i ŵr bonheddig".'

'Paid â lolian, lodes. Beth am Camwy House? Fe fydden ni wedi cario rhan o Batagonia gyda ni wedyn.'

'Pam "house"? Mae pawb yn gwybod mai mewn tŷ ry'n ni'n byw.'

'Dyna'r ffasiwn ffor' hyn, wyt ti'n gweld – Velindre House, Geler View, Bargoed Villa.'

'Ffasiwn ryfedd iawn, wedwn i. Villa? Enw Sbaeneg yw villa. Sbaenwyr sy'n byw 'na?'

'Nage, nage, dwyt ti ddim yn deall.'

'Na'dw, a ddealla i byth mo arferion Dre-fach. Ond rydw i'n fodlon ar "Camwy" er cof am yr hen afon.'

'Iawn, mi alwn ni'r tŷ yn "Camwy", heb gynffon o gwbwl. Ac rwy'n siŵr y byddwn ni'n dau yn hapus iawn 'ma.'

Ond doeddwn i ddim yn hapus o bell ffordd. Roeddwn i wedi colli fy rhyddid; pobol a thai o'm cylch ym mhob man, stribed o ardd gul yn y cefn a chut bach sinc ar dop yr ardd, a chymdogion yn gwylio pob symudiad a phob smic. Ym Mhatagonia, roedd ein cymdogion agosaf bum milltir i ffwrdd. A'r cut? Tŷ carthion oedd Nhad yn ei alw, gyda'i sêt bren a'i fwced.

'Beth sy'n digwydd i'r carthion?'

'Rhaid eu taflu bant neu'u claddu.'

'Ych a fi! Peidiwch â gofyn i mi wneud – rhyngoch chi a'r bwced a'r carthion.'

Yn Llain-las doedd dim angen y fath dwll o le: onid oedd y Paith yno a'r unigrwydd yn eich amgylchynu? Llawer iachach a glanach na'r un tŷ carthion.

Roeddwn i'n unig hefyd, unig yng nghanol pobol. Theimlais i erioed yn unig yn Llain-las, er fy mod i ar fy mhen fy hunan am ddyddiau bwygilydd; Nhad a'r

168

bechgyn mas ar y tir, a minnau'n unig o gwmpas y ffarm. Roedd cysur i'w gael yn yr unigrwydd hwnnw.

Treuliai Nhad y rhan fwyaf o'i amser gyda'i lyfrau a llwyddai yn awr ac yn y man i werthu ambell un. Âi allan bob nos i ymweld â'i hen ffrindiau.

Cerddai Hannah a'i phen yn y gwynt ar hyd ffyrdd unig y wlad yn chwilio a chwilio. Roedd yn benderfynol i ddod o hyd i ffarm erbyn i William ddod adre o'r rhyfel!

Amdana i, treuliwn y dyddiau yn gwneud y dwt a pharatoi bwyd, a'r nosweithiau hirion yn darllen llyfrau Saesneg gyda help geiriadur, gwaith araf ond hanfodol. Dyna'r unig ffordd y gallwn ddysgu'r iaith. Oni bai am Johnnie bach mi fyddwn wedi mynd mas i chwilio am waith mewn siop neu mewn gwesty, ond roedd yn rhaid i rywun warchod y bachgen.

Teimlwn fel estron yn Dre-fach a dyna oeddwn i mewn gwirionedd; doeddwn i ddim yn perthyn i'w cymdeithas glòs, roeddwn yn wahanol. Rwy'n cofio gweld aderyn mawr du ar y ffordd un diwrnod a gofynnais i wraig oedd yn sefyll fan'ny, beth oedd yr aderyn.

'Bobol annwl, 'dych chi ddim yn nabod brân? Ble y'ch chi wedi bod yn cadw?'

Na, doeddwn i ddim yn 'nabod brân, ond roeddwn i'n nabod pob aderyn yn y Wladfa.

'O'r North y'ch chi'n dod?' holai un arall.

'Nage, o Batagonia.'

'Ble mae hwnnw 'te?'

Wnes i ddim trafferthu esbonio, wyddwn inne ddim ble roedd y North chwaith.

'Jiw, jiw, y'ch chi'n siarad fel llyfr w,' meddai un wrthyf.

Mae'n debyg 'mod i'n siarad yn wahanol iawn, a fuaswn i byth yn defnyddio geiriau Saesneg a geiriau doniol fel 'joio', 'stwffo' a 'dansierus'. Doedd 'da fi ddim tafodiaith bendant chwaith; Nhad yn hanu o Sir Gaerfyrddin, Mam o Sir Aberteifi, fy hen athro o Lyn Ceiriog, ein cymdogion agos o Rymni, a'm cyfoedion a'u rhieni yn dod o bob rhan o

Gymru – o Sir Fôn i Sir Fynwy. Byddwn yn dweud 'lan' a 'fyny', 'rŵan' a 'nawr', 'mas' ac 'allan' fel byddai'r galw.

'Rhaid i ti fynd i'r Ysgol Sul i Glos-y-graig,' meddai Nhad, 'i ti gael gwneud ffrindiau a chwrdd â merched teidi. Mae byw 'da'r groten Hannah 'na yn ddigon i'n hala ni gyd yn benwan.'

Mi es i'r Ysgol Sul. Cefais fy siomi. Ar ôl y defosiwn dyma'r 'ffair' yn cychwyn. Pawb yn mynd i'w ddosbarth, y lle yn llawn, a phawb yn dadlau a gweiddi am y mwyaf. Cefais fy hun mewn dosbarth i ferched gyda stwcyn o ddyn bach pwysig yn athro. Darllen adnod, a chael eich byddaru gan y synau o'r dosbarthiadau eraill. Dadansoddi pob gair – 'Pwy yw yr Efe hwn' – a phawb yn gwybod mai Iesu Grist oedd E. Yna gair bach syml fel 'os'. 'Os o gadarnhad neu os o amheuaeth yw ystyr y gair hwn?' Dadlau brwd a chwyrn dros ddim yn y byd, a'r sŵn yn dal i gynyddu.

Yn y Wladfa roedd distawrwydd yn yr Ysgol Sul, ac roedd yn werth mynd yno. Byddem yn cael gwybod y Sul blaenorol pa ran o'r ysgrythur i'w astudio, a dysgu'r adnodau ar ein cof. Yna'r athro yn esbonio'r cefndir, a ninnau'r disgyblion yn holi'r athro yn dawel ac yn ddwys.

Euthum i ddim i'r Ysgol Sul am rai wythnosau ar ôl y profiad cyntaf hwnnw a Nhad yn methu deall pam.

'Rwyt ti'n rhy hoff o feirniadu pawb a phopeth, Ellen. Mae'n rhaid iti dderbyn bod arferion Cymru yn wahanol iawn i arferion y Wladfa.'

Oedden, roedden nhw'n wahanol iawn, a minnau'n methu dygymod â'r gwahaniaeth. Roedd bywyd yn ddiflas a Rhyfel y Boer yn dal yn ei anterth. Dyna'r diflastod pennaf oll – ac enwau dieithr fel Buller a Kruger wedi tyfu i fod yn rhan o'n siarad cyffredin bob dydd ni fel teulu.

170

Pennod 16

Cerddai amser, yn sicr, yn araf ac yn drwsgl, a minnau'n crafu byw. Aeth blwyddyn heibio heb obaith gweld byd oedd well, ac yn wir ni fyddai hynny'n bosibl, hyd nes i'r rhyfel ddod i ben.

Gwnes fy ngorau i gymdeithasu – mynd i'r Capel, ailafael yn yr Ysgol Sul, y Cwrdd Gweddi a'r Ysgol Gân, ac fe ddes i nabod pobol yn well. Awn lan at y merched i Manllegwaun yn amal. Roeddwn yn hoff iawn o fynd yno i'r ffarm fechan ar ben y bryn, nid nepell o Eglwys Penboyr. Ac ym mynwent yr eglwys honno roedd fy nghyndeidiau wedi eu claddu, a threuliais oriau lawer yno ymysg y beddau, yn anadlu'r heddwch a'r tangnefedd na chewch yn unman ond mewn mynwent eglwys. Yr unig le arall yr awn iddo oedd Perthi-teg, a bu Mary Jane, y ferch, yn gefn i mi ym mhob llawenydd a chur, ac roedd ei thad, Eben Evans, yn barod iawn ei gyngor a'i gysur.

Roedd Hannah wedi rhoi'r gorau i'w chrwydro ffôl. O'r diwedd roedd wedi dod o hyd i ffarm, lle y byddai hi a William yn byw'n hapus weddill eu hoes. Roedd y ffarm hon yn ymyl Clos-y-graig, ffarm lân yr olwg a'r tŷ wedi'i wyngalchu.

'Ond, Hannah, mae pobol yn byw fan'na. Fedri di ddim eu troi mas a pherch'nogi'r ffarm.'

'Fan'na mae William a fi'n mynd i fyw.'

Doedd dim pwrpas dadlau, gwyddwn beth fyddai'r canlyniadau, ac os oedd y syniad hwnnw'n gallu rhoi rhyw gymaint o gysur iddi, roedd yn gallach i'w gadael gyda'r breuddwydion penwan. Roedd ei hagwedd blentynnaidd ddiniwed at fywyd yn fy nychryn ar brydiau.

Roedd fy nhad i'w weld wrth ei fodd; ei gam yn sioncach a'i lygaid yn loywach. Roedd wrth ei fodd yn ailgyfeillachu â ffrindiau bore oes. Tyfodd i fod yn ŵr o bwys yn y capel ac roedd ei siop lyfrau, os nad yn ffynhonnell bywoliaeth, yn fan cyfarfod lle byddai ef a rhai o drigolion y pentref yn trin a thrafod pynciau llosg y dydd.

Âi allan bob nos am oriau; roedd yn ddirgelwch i mi i ble'r âi. Doedd gen i ddim syniad, ond mae'n amlwg nad oedd yn ymweld â ffrindiau. Mae'n debyg pe bawn i'n mynd ati o ddifri y medrwn ddod o hyd i'r dirgelwch, ond roedd gennyf ormod o hunan-barch, a pharch ato yntau hefyd, i chwilmentan a sbïo y tu ôl i'w gefn. Holais ef fwy nag unwaith.

'Ble buoch chi heno, Nhad?'

'Yn y Cwrdd Gweddi – ti'n gwbod hynny'n iawn.'

'Ie, ie, ond ble buoch chi wedyn? Roedd y Cwrdd Gweddi drosodd am wyth.'

'Ymweld â ffrindiau, a cherdded i lawr mor bell â Phont Henllan,' meddai gan edrych at y llawr.

'Stori fach gyfleus iawn.'

Cododd ei olygon, a dwedodd a'i lygaid yn fflachio.

'Sdim ots i ti na i neb arall chwaith ble rydw i'n treulio f'amser. Dwy' i ddim yn dy holi di ble rwyt ti'n mynd.'

Gwyddwn y foment honno fod 'na ryw ddrwg yn y caws.

Roedd fy mheiriant gwnïo yn segur y rhan fwyaf o'r amser, ac roedd hynny'n loes i mi. Doedd dim eisiau dillad o waith cartre ar neb – pawb yn mynd i Gastellnewydd neu Gaerfyrddin i brynu dillad parod. Roedd y trên mor gyfleus.

Deuthum i'r casgliad y byddai'n rhaid i mi gael gwaith gan na fedrwn i ddim byw ar gardod fy nhad a Hannah. Roeddwn wedi fy syfrdanu gan y prisiau uchel a gorfod prynu popeth: llaeth, wyau, menyn, caws – bwydydd roeddem yn eu cymryd yn ganiataol ar y ffarm.

Felly, dyma fynd ati i chwilio am waith, a'r unig waith oedd i'w gael yn Dre-fach oedd gwaith yn y ffatri. Ac roedd digon o ffatrïoedd gwlân yno, a digon o waith. Cafodd

Nhad waith i mi, roedd e'n nabod pawb yno erbyn hyn. A dyma gychwyn ben bore dydd Llun ar fis o brawf ar gyflog isel iawn. Ond os byddwn wrth fodd calon y perchennog cawn waith parhaol a chodiad yn fy nghyflog.

Cychwyn yn gynnar yn hyderus a chael fy nghyflwyno i ferch o'r enw Marged. Hi fyddai'n fy hyfforddi. Cymeriad oedd Marged, tipyn o haden 'nôl yr hanes, ac yn crintachu mewn llais uchel am y cyflogau pitw, a'r modd y byddai'r bòs yn achub mantais arnyn nhw drwy dalu mwy i'r dynion na'r merched am yr un gwaith. Roedd hi'n bygwth mynd ar streic, a cheisiai gael eraill i ymuno â hi, o achos 'ymestyniad' yn y gwŷdd – y gwŷdd yn lletach a'r gyflog 'run fath. Gwarthus, ac yn y blaen yn ddiddiwedd. Bu'n traethu am gryn chwarter awr, ac meddai hi,

'Wnewch chi ymuno yn y streic?' a minnau heb ddechrau gweithio yno. Gyda hyn cyrhaeddodd y gweithwyr, a dechreuodd y sŵn. Rhwng clindarddach y peiriannau, a'r gweiddi nerth y pen roedd y sŵn yn annioddefol, ac yn codi dychryn arna i. Roeddwn am ddianc, ond cofiais am fy nhlodi a rhaid oedd dioddef, doed a ddêl. Roeddwn yn adnabod rhai o'r gweithwyr o ran eu gweld, rhai ohonyn nhw'n aelodau yng Nghlos-y-graig. Mae'n debyg fy mod fel 'croten newydd' yn destun siarad, a ches ambell winc wrth basio.

'Paid cymryd sylw ohonyn nhw,' medde Marged, 'leico di ma' nhw, wyt ti'n groten deidi, a ma' gyda nhw lygad at bisyn bach smart.'

Ond doeddwn i ddim yn hoffi bechgyn digywilydd, roedd parch gan fechgyn tuag at ferched yn y Wladfa. Ac fe waethygodd pethe yn ystod y dyddiau canlynol – wrth basio byddai rhai bechgyn yn pinsio fy mhen-ôl. Roeddwn yn fflamio, a heb fedru gwneud dim. Roedd fy nwylo ynghlwm wrth y gwŷdd, ac roedd fy llais yn gwrthod â chodi i lefel y sŵn.

'Twt, twt,' medde Marged, 'paid â bod mor sych-syber.

Dy'n nhw meddwl dim drwg. Gwed "cer i grafu" wrthyn nhw.'

'Cer i grafu?'

'Ie.'

'Crafu beth?'

'Sdim ots crafu beth, jyst dwed hynna wrthyn nhw.'

A'r prynhawn hwnnw dyma rywun yn rhoi ei hen law drom arna i, a gwasgu f'ysgwydd.

'Cer i grafu,' meddwn innau heb edrych lan.

'Ho, ho, ai fel'na mae merched bach Patagonia'n arfer cyfarch eu meistri?'

Edrychais 'nôl a phwy oedd yn sefyll yn f'ymyl ond dyn trwsiadus yn gwisgo hat galed – John Lewis, Meiros, y meistr ei hun. Bûm bron â llewygu. Dyna ddechrau'r diwedd. Ac o hynny 'mlaen tan ddiwedd y dydd, gorfod i mi ddioddef sbort a chrechwen y gweithwyr. Bob tro y byddai un o'r bechgyn ifanc yn pasio byddai'n sibrwd, na nid sibrwd, ond gweiddi: 'cer i grafu'.

Roeddwn yn llawn cywilydd ac edifeirwch, a theimlwn na fedrwn i byth bythoedd weithio mewn ffatri wlân ar ôl y profiad hwnnw.

Ar y ffordd adre o'r gwaith daeth Tom, bachgen annwyl iawn yr oeddwn wedi ei gyfarfod yn y capel lawer gwaith, i'm hebrwng at y tŷ. Fe sicrhaodd fi na ddigwyddai'r tynnu coes a'r pryfocio byth wedyn i mi. Fe ofalai ef am hynny.

Ond roeddwn wedi cael hen ddigon. Byddai'n well gen i glemio na mynd 'nôl i'r Gehenna. Ches i mo 'nhalu chwaith am y tri diwrnod erchyll hynny.

Pennod 17

Roedd 'na orchwyl roedd yn rhaid i mi ei wneud, ac wedi'i osgoi hyd yn hyn. Teimlwn ei bod yn rheidrwydd ac yn ddyletswydd arna i i ymweld â bedd Mam-gu. Bu farw rai misoedd cyn i ni ymadael â'r Wladfa, a phe bai byw, mi fyddwn yn treulio'r rhan fwyaf o'r amser gyda hi ym Mhenrhiw-pâl, a gadael Hannah i'w breuddwydion a Nhad i'w lyfrau a'i gyfoedion. Ond bu farw, a'r unig wybodaeth a gefais oedd mai yn Llangunllo y'i claddwyd.

Felly un bore o Wanwyn dyma fi'n cychwyn ben bore am Langunllo, a thocyn o fara-caws yn fy mhoced, i chwilio am fedd Mam-gu. Gwyddwn y ffordd yn iawn; i lawr i Henllan, lan i Aber-banc, ymlaen drwy lonydd coediog Plas-y-bronwydd ac i Langunllo. Penboyr oedd yr unig fynwent y bûm ynddi yng Nghymru cyn hyn, ond roedd mynwent Llangunllo yn wahanol, yn fwy pendefigaidd. Yma roedd claddfa y Lloyds – Lloyds Bronwydd – ac roedd eu beddau fel temlau, ac yma ymysg rhwysg y mawrion roedd gweddillion Mam-gu. Roedd blodau dros bob man, a chofiais ei bod yn Sul y Blodau y dydd Sul cynt, a minnau heb flodyn i roi ar ei bedd.

A dyma ddechrau chwilio; doedd gen i ddim syniad ble i ddechrau. Oedd hi wedi'i chladdu gyda'i gŵr? Er mawr gywilydd i mi, wyddwn i ddim beth oedd enw bedydd fy Nhad-cu, dim ond mai Jones oedd ei gyfenw; ac roedd cannoedd o Jonesiaid wedi'u claddu yno. Chwilio, cerdded, a darllen ugeiniau o gerrig beddau, ond dim lwc. Eisteddais yn ymyl beddau'r Bronwydd i fwyta fy nhocyn. Yna ailgychwyn a cherdded gyda'r clawdd, ac yno gwelais groes fechan bres, ac arni enw Mam-gu:

Ellen Jones
1825–1900

Dyna i gyd – dim enw ei gŵr, dim dyddiad marw, dim enw tŷ, dim adnod, dim byd ond enw.

Es ar fy mhenliniau a chlirio'r glaswellt a'r chwyn, ac addunedais uwchben ei bedd y byddwn ryw ddiwrnod yn gosod carreg deilwng ohoni ar ei bedd, gyda'r un englyn a oedd ar fedd Mam yn y Gaiman, yn ysgrifenedig arni:

> Erys o'i hôl wres ei haeledd, – a chov
> O'i chyviawn hardd vuchedd,
> A'r Ion da yn y diwedd
> A'i geilw i barch o glai bedd.

Codais yn drist; doedd gen i ddim blodyn i'w roi ar ei bedd, a heb feddwl ddwyaith es at feddau'r Bronwydd. Tynnais un blodyn bach o'r swp anferth oedd yno, a hynny heb ronyn o euogrwydd. Gwthiais ef i'r pridd coch ar fedd Mam-gu, ac roeddwn yn sicr fod y Bod Mawr yn deall ac yn cymeradwyo'r weithred. O'r herwydd euthum oddi yno yn sioncach na phan ddeuthum, a phenderfynais fynd yn fy mlaen i Benrhiw-pâl i weld hen fwthyn Mam-gu.

Roedd y drws led y pen ar agor. Cnociais, a daeth llais o berfeddion y tŷ,

'Dewch miwn.'

Es i mewn, ac o fy mlaen roedd merch ifanc hardd, ac yn amlwg yn disgwyl teulu.

'Mae'n ddrwg 'da fi dorri ar eich traws, ond fan hyn roedd Mam-gu yn byw.'

'Ellen Jones?'

'Ie.'

Distawrwydd. Edrychais o gwmpas, ac yno o fy mlaen roedd seld Mam-gu.

'Seld Mam-gu yw honna.'

'Ie, fe'i prynais ar ôl iddi farw.'

'Pwy oedd yn ei gwerthu?'

'Rhaid oedd ei gwerthu i dalu costau'r claddu. Fe dales i bymtheg swllt amdani a choron am y llestri.'

Roedd 'na siwg arbennig iawn ar y seld, siwg laeth Mam-gu ac adnod wedi'i sgrifennu arni:

'Eithr yn gyntaf ceisiwch deyrnas Dduw a'i gyfiawnder ef, a'r holl bethau hyn a roddir i chwi yn chwaneg.'

Lawer gwaith dywedodd Mam-gu wrthyf,

'Ti piau'r siwg 'na, Nel, cofia fynd â hi gyda thi i Batagonia.' Ond yn y rhuthr olaf, a'r siom o glywed fod fy nhad wedi ailbriodi, anghofiais am y siwg.

Bûm yn ddigon digywilydd a dweud,

'Fe addawodd Mam-gu y siwg â'r adnod i fi.

'O.'

Distawrwydd.

'O ble daethoch chi heddi?'

'O Dre-fach.'

'Y'ch chi wedi dod o ffordd bell, w. Gymrwch chi ddished o de?'

'Diolch yn fawr iawn.'

Ac wrth ben dished o de fe ges i ei hanes i gyd. Ei gŵr yn gwasanaethu ar ffarm Nantgwylan; y cyflog yn isel, pymtheg swllt yr wythnos, ond yn iachach gwaith na chwysu mewn ffatri dywyll yn Dre-fach; y meistr yn garedig iawn, siwged o laeth bob nos, a thorth a phownd o fenyn bob nos Sadwrn.

'O'n i'n meddwl fod perthnasau Ellen Jones yn byw dros y môr?'

'Roeddwn i'n arfer byw ym Mhatagonia.'

'Ble yn y byd mae hwnnw?'

'Saith mil o filltiroedd o Gymru.'

'Jiw, jiw, y'ch chi'n mynd 'nôl 'to?'

'Nadw, rydw i'n byw yn Dre-fach nawr.'

'O.'

Wedi yfed, dyma fi'n codi, ond yn dal i lygadu'r siwg. Doedd dim dime 'da fi yn fy mhoced i gynnig ei phrynu.

'Diolch yn fawr am y te.'

'Gwbei,' medde hithau.

Roeddwn mas ar y ffordd erbyn hyn.

'Hei, beth yw'ch enw chi?'

'Ellen, 'run peth â Mam-gu.'

'Ellen, dowch 'nôl funud.'

Es 'nôl. A dyma hi'n rhoi'r siwg yn fy llaw.

'Chi piau hon, cymrwch hi, i gofio am eich Mam-gu.'

Sychodd y geiriau, ces waith i gadw'r dagrau 'nôl. Rhoddais gusan ar ei boch, a chariais siwg laeth Mam-gu yn orfoleddus heb bapur na chwdyn i'w chuddio. Addunedais yr awn 'nôl eto i Laindelyn i wneud iawn â'r groten annwyl am ei charedigrwydd.

Cyrhaeddais adre'n flinedig a'r coesau'n cael gwaith fy nghario. Roedd Nhad ar ben drws yn fy nisgwyl.

'Ellen, ble'n y byd buost ti? Wy ddim wedi cael bwyd drwy'r dydd.'

'Es i ddim â'r bwyd 'da fi.'

'Ble buost ti?' a'i lais yn codi.

Roeddwn ar fin egluro, ond pa hawl oedd ganddo fy nhrin fel plentyn?

'Ble buost ti?' medde fe wedyn a'i lais yn dal i godi.

'Yr un man â ble byddwch chi'n mynd bob nos – i weld hen ffrind. Beth am fynd yno nawr? Falle cewch chi swper gyda hi.'

Ergyd yn y tywyllwch, ond fe drawodd y nod. Aeth allan, heb ddweud gair arall, a ddaeth e ddim 'nôl tan ddeg o'r gloch.

Cyn cael tamaid i fwyta, cliriais y mamplis o'r mân betheuach a berthynai i Nhad, a'u taflu'n bendramwnwgl i mewn i gwdyn papur. Rhoddais siwg Mam-gu ar ganol y mamplis, gyda llun Mam ar un ochr iddi, a llun Mam-gu ar yr ochr arall, a theimlais fod Camwy, o'r diwedd, yn gartref i mi.

Pennod 18

Roeddwn yn teimlo'n lluddedig ac yn anghysurus ac roedd Nhad bron â gadael i'r tân farw. Twymais fasned o laeth a'i fwyta gyda bara-menyn, a phenderfynu ei throi i'r cae nos yn gynnar. Curais wrth ddrws ystafell Hannah wrth basio.

'Entre.'

A dyna lle roedd hi'n eistedd wrth danllwyth o dân yn sgrifennu llythyrau, a Johnnie'n cysgu'n drwm. Roedd Hannah yn cynnau tân yn ei hystafell wely bob dydd, ac roedd hynny'n mynd dan groen Nhad. Gwastraff oedd cynnau tân mewn stafell wely.

'Pam na allith hi eistedd yn y gegin fel pawb arall? Fi sy'n gorfod talu am y glo. Odi hi'n gwybod fod glo yn costi dros bunt y dunnell?'

'Mae'n oer yma, ac mae Hannah wedi arfer â byw mewn gwledydd poeth.'

'Ffwlbri noeth! Fe ddylai wybod fod popeth yn wahanol yma.'

'O leia mae'n gofalu ar ôl y tân ei hunan. Rydw i'n gorfod cynnau'r tân yn eich siop lyfrau chi a chlirio'r grât bob dydd.'

Roedd hen ysbryd digon croes a checrus wedi datblygu rhwng Nhad a minne'n ddiweddar. Roeddwn yn ei adnabod yn ddigon da i wybod ei fod yn teimlo'n euog ynglŷn â rhywbeth, a doedd hynny ddim yn help i'n perthynas.

Twymais drwof o flaen y tân ac adroddais hanes y diwrnod wrth Hannah, ond doedd ganddi ddim diddordeb. William oedd ei holl fyd. Hannah, druan fach. Doedd ond gobeithio y byddai'n deffro i'w dyletswyddau pan ddeuai William adref.

Es i'r gwely'n gynnes a bodlon. Cysgais yn drwm.

Rywbryd yng nghanol y nos, dihunais yn sydyn o'm trymgwsg; roedd rhywun yn curo drws fy stafell. Amhosibl. Sŵn o stafell Hannah mae'n debyg, neu fallai Nhad yn dod i'r tŷ. Gorweddais 'nôl i gysgu. Ond dyma'r gnoc eto, yn gryfach y tro 'ma.

Codais. Agorais y drws yn ofnus. Doedd neb yno. Dychymyg oedd y cyfan. 'Nôl i'r gwely, ond erbyn hyn roeddwn yn wyliadwrus ac yn hollol effro.

Daeth llais egwan o gyfeiriad y drws. Llais William – 'Nel, Nel.'

Roeddwn yn chwys diferol, a gwthiais fy mhen dan y blanced. Caeais fy llygaid yn dynn a gwelais William yn hollol glir, ar wely mewn ysbyty, a nyrs wrth ei ymyl. Roedd ei goes dde wedi'i thorri bant yn y bôn.

Doeddwn i ddim yn cysgu. Doeddwn i ddim yn breuddwydio. Roeddwn i'n effro; roeddwn i eisiau crio, eisiau sgrechian dros bob man. Ond fedrwn i ddim. A dyma lais bloesg yn dod eto allan o'r tywyllwch o gyfeiriad y drws.

'Nel, bydd yn gefen i Hannah a'r crwt bach. Nos da.'

Er bod y llais yn wan ac yn gryg, llais William oedd e, doedd dim amheuaeth am hynny. Roedd yn brofiad mor arswydus o real nes i mi weiddi 'nôl i'r gwacter tywyll.

'Mi fydd popeth yn iawn, William, mi fydd popeth yn iawn.'

Roeddwn yn crynu fel yr aethnen. Nid breuddwyd oedd e, nid hunllef, ond profiad echrydus.

Codais. Cyneuais y gannwyll. Fedrwn i ddim dioddef y tywyllwch. Bûm wrthi tan i'r wawr dorri yn pendroni, yn dadansoddi ac yn amau'r cyfan. Ond yn y diwedd fedrwn i ddim twyllo fy hunan. Roedd yn rhaid i mi gredu, credu fy mod wedi bod mewn cysylltiad â'r goruwchnaturiol. Cododd arswyd arnaf, a phenderfynais beidio â rhannu'r profiad ag undyn byw.

* * *

180

Aeth dyddiau heibio, a'r profiad yn pwyso'n drwm arna i, mor drwm nes i Nhad ofyn,

'Wyt ti'n iawn, Ellen? Wyt ti'n edrych yn ddigon llwyd.'

'Ydw, Nhad, yn berffaith iawn.'

Mae mor hawdd dweud celwydd. Ddiwedd yr wythnos daeth bwndel o lythyrau, i gyd gyda'i gilydd. Daeth dau oddi wrth Dyfrig i Nhad a minne, tri neu bedwar i Hannah oddi wrth William, un o Batagonia oddi wrth Johnnie fy mrawd, ac un i minne oddi wrth Mrs Jones, Rhymni.

Roedd llythyrau Dyfrig yn llawn gobaith, ac yn darogan y byddai'r rhyfel drosodd ymhen rhai wythnosau, efallai dyddiau. William wedi newid ei gynlluniau. Byddai'n dod adre i gyrchu Hannah a'r plentyn; byddai'n prynu ffarm yn Ne Affrica; câi fantais o dir rhad yno am ei fod wedi ymladd ym myddin Prydain Fawr. Johnnie wedi cael dyddiad i ymfudo i Ganada, a'r newydd da oedd y byddai'r llong *Archimedes* yn galw yn Lerpwl ar ei ffordd i Ganada. Byddai'n aros yno am dridiau, a'r gobaith oedd y byddem yn gallu mynd lan yno i'w cyfarfod.

Y newydd pwysig oddi wrth Mrs Jones o Batagonia oedd fod John wedi derbyn galwad i fugeilio eglwys ym Morgannwg, ei fod wedi derbyn yr alwad a'i fod yng Nghymru ers misoedd bellach. John yng Nghymru ers misoedd a minnau'n gwybod dim! Pam na fyddai wedi danfon gair ataf? 'Fe gaf i dy weld yn Nghymru,' oedd ei eiriau olaf wrth ymadael. Geiriau gwag, ac fe ddylwn fod wedi dysgu derbyn y cyfan erbyn hyn, a hynny heb siomi.

Syndod arall y diwrnod hwnnw oedd derbyn dau lun, ar ôl blino disgwyl amdanynt; y lluniau a dynnwyd gan y dyn â'r dant aur yn Buenos Aires. Lluniau anniddorol iawn, a Nhad a minnau'n sefyll yn stond, ac yn edrych mor anystwyth â choes brws.

Cafodd y llythyrau effaith wyrthiol ar Hannah. Rhaid oedd cael dillad newydd i fynd i Affrica. Byddai gwell tywydd yno nag yng Nghymru, heulwen ac awyr las beunydd. Roedd hi wedi cael hen ddigon ar y glaw, y niwl a'r oerfel yn Dre-fach. A bod yn hollol onest, roeddwn innau hefyd. Felly i ffwrdd â ni ein dwy i Gastellnewydd i brynu defnyddiau ysgafn i mi gael gwnïo ffrogiau, sgyrtiau a blowsus di-ri iddi. Roedd hi wrth ei bodd; a minnau hefyd yn cael modd i fyw o weld fy hen beiriant gwnïo yn brysur unwaith eto.

Dyna ddiwedd hefyd ar ei phererindod dyddiol i gadw llygad ar Ffynnon Dudur, y ffarm roedd William yn mynd i'w phrynu pan ddeuai adre. Roedd hynny'n rhyddhad, achos roedd ei syniadau ffôl wedi achosi cryn bryder i Nhad a minnau.

'Mhen tua mis ar ôl derbyn y llythyrau, dyma'r wraig drws nesaf yn rhuthro'n wyllt i'r tŷ gan weiddi'n gynhyrfus.

'Miss Davies, Miss Davies, clywch, gwrandwch!'

Pam oedd yn rhaid i bawb fy ngalw yn Miss Davies? Roedd tinc mor hen-ferchetaidd o'i gwmpas. Achos 'mod i mor stans a thrwyn-uchel, medde Nhad.

'Miss Davies, Miss Davies!'

'Beth yn eno'r tad sy'n eich cynhyrfu?'

'Mae'r rhyfel wedi bennu! Mae Rhyfel y Boer wedi bennu!'

'Beth? Pwy ddwedodd? Sut y'ch chi'n gwybod?'

'Dewch mas, dewch mas, gwrandwch, gwrandwch.'

A dyma ragor o bobol yn casglu o gwmpas y tŷ.

'Newydd da, newydd da.'

Roeddwn yn dal yn y tywyllwch a dyma ofyn yn hurt,

'Pwy ddwedodd wrthoch chi?'

'Mae'r trên wedi bod yn chwibanu am ugain munud a mwy, ac mae'n dal i chwibanu.'

Ac yn wir, ond clustfeinio, fe glywais y chwibanu o'r pellter.

'Ydych chi'n siŵr?'

'Wrth gwrs ein bod yn siŵr, dim ond ar amgylchiade arbennig a phwysig iawn mae'n dal 'mlaen i chwibanu cyhyd.'

Gelwais ar Hannah a dweud wrthi. Rhedodd mas i'r hewl a gweiddi'n orfoleddus.

'*Gracias a Dios! Gracias a Dios!*'

Ie, diolch i Dduw, meddwn innau.

Wyddai Hannah ddim beth i'w wneud â'i hunan. Cydiodd yn Nhad yn gorfforol a'i droi o'i gwmpas yn ei breichiau fel twm-twff. Trawyd hwnnw'n syfrdan, ond roedd yn rhy llawn o orfoledd i wrthwynebu.

Er gwaethaf yr holl lawenydd, roedd cof am y 'profiad' yn aros, ac yn hofran fel aderyn corff uwch fy mhen.

Pennod 19

Roedd ein bywydau ni yng Nghamwy wedi'u gweddnewid. Roedd Hannah yn ferch hapus. Cerddai drwy'r pentref, ei chefn yn syth a'i phen yn y gwynt, gwenai ar bawb yn ddiwahân a chyfarchai bawb gyda 'Bore da, bore da', a hynny ar bob awr o'r dydd. Dyma'r Hannah y syrthiodd William mewn cariad â hi. Daeth y gloywder 'nôl i'w llygaid mawr duon, a'r gwrid i'w bochau.

Gwisgai mewn dillad lliwgar, ffasiynol, ac roedd yn destun edmygedd gan ferched y pentre. Roedd stamp gwraig fonheddig ar Hannah. Roedd yn fwy amyneddgar tuag at Johnnie hefyd, a'r bychan yn ymateb i gariad ei fam. Roedd hwnnw'n brygowthan Sbaeneg a Chymraeg yn un gybolfa, ac yn gariad i gyd. Telen oedd ei enw arna i, cyfuniad o Anti ac Ellen, a byddai'n treulio mwy o'i amser yn fy nghwmni i nag y byddai gyda'i fam. Roedd Dad-cu yn ffefryn mawr hefyd, codai ef ar ei ysgwyddau a'i gario fel cocyn coch o gwmpas.

Aeth mis heibio, a ninnau neb glywed gair o Dde Affrica, ond fe ddaeth teligram oddi wrth Johnnie, fy mrawd, o Lerpwl; 'Arrive Liverpool, leave Friday early'. Ac yr oedd yn brynhawn Iau yn barod! Fe gymerodd bron i ddau ddiwrnod i'r neges gyrraedd pen ei thaith.

Roedd Nhad a minnau wedi edrych 'mlaen i'w gweld, yn dyheu am eu gweld, ac roeddwn wedi cael pumpunt gan Hannah am y gwaith gwnïo, hen ddigon i mi dalu am y daith heb fynd ar ofyn fy nhad.

Roeddwn yn siomedig, yn drist siomedig, ac fe wylais ddagrau o siom yn agored a heb gywilyddio, tra bytheiriai Nhad yn swnllyd gan feio pawb a phopeth. Mae'n gysur medru beio, os nad oes bai arnoch chi eich hunan.

Roedd yn uchel iawn ei gloch yn beio Saeson Lerpwl, y rheini'n methu sillafu enwau Cymraeg; y brenin newydd yn ddi-hid ac yn osgoi ei ddyletswyddau. Doedd e ddim yn glir iawn beth oedd ei ddyletswyddau, chwaith.

'Does dim siâp ar y wlad 'ma oddi ar farwolaeth yr hen gwîn.'

'Sut gwyddoch chi? Roeddech chi ym Mhatagonia yr adeg honno.'

'Wyt ti'n deall dim am wleidyddiaeth, Ellen. Dw i'n mynd i sgrifennu at y Prif Weinidog.'

'Fyddwch chi damaid callach. Sais yw hwnnw hefyd.'

'Beth wyt ti'n 'i awgrymu, lodes? Mi fedra i sgrifennu Saesneg cystal ag unrhyw Sais.'

'Iawn, sgrifennwch chi, ond 'ta beth wnewch chi, welwn ni mo Johnnie a'i deulu bach fyth eto.'

Ie, dyna'r gwir, ac roedd y gwir yn brifo hyd at yr asgwrn. Pan ffarweliais â nhw ym Mhorth Madryn, daeth y teimlad i mi'n gryf na welwn i byth mohonyn nhw wedyn. Y tro hwn, roeddwn yn llawenhau o feddwl, er gwaethaf pob teimlad proffwydol, y cawn eu gweld, pe bai ond am awr neu ddwy. Chwalwyd y gobaith hwnnw, a mwy na thebyg fod fy nhad wedi taro ar y rheswm hefyd. Mae'r Saeson yn hollol anwybodus am Gymru, ac am ein hiaith. Neu pam oedd yn rhaid i'r teligram fynd i Lundain cyn dod 'nôl i Dre-fach? Roedd yn bedwar o'r gloch brynhawn Iau arno'n cyrraedd, a'r trên olaf wedi gadael Henllan am y gogledd, a gyda'r trên hwnnw fe ddiflannodd y cyfle na ddeuai byth 'nôl o weld Johnnie, Sarah Jane a'u tri phlentyn bach, Gwen, John a Hannah.

Roeddem yn dal i ddisgwyl llythyrau oddi wrth William a Dyfrig, ond dim gair. Roedd dros bum wythnos wedi mynd er diwedd y rhyfel, ac roeddem i gyd yn llawn pryder, a Hannah yn dechrau ymneilltuo i'w hystafell unwaith eto.

Yna, ar fore Gwener, daeth y postmon ag un llythyr a hwnnw wedi ei gyfeirio i mi. Roedd hynny'n beth rhyfedd, achos roedd pob llythyr oddi wrth Dyfrig wedi ei gyfeirio i Nhad, ac o'r tu mewn byddai'n ein cyfarch ni'n dau 'Fy annwyl dad a chwaer'. Ond roedd hwn yn wahanol, yn frawychus o wahanol, a daeth ton o arswyd drosof. Rhaid oedd ei agor. Rhwygais yr amlen yn ofidus, ofnus.

Annwyl chwaer,
Mae'n ddrwg gyda vi roi newyddion mor drist i ti. Bu varw William ddoe mewn ysbyty yn Wynberg. A vyddi di gystal â thorri'r newydd i Hannah a Nhad.

Roedd yn llythyr hir, ond fedrwn i ddim darllen rhagor. 'Bu varw William' – roedd y cyfan wedi'i ddweud. Roeddwn yn ail-fyw'r profiad, ac unwaith eto fe welais William yn hollol glir a'i goes wedi'i thorri i ffwrdd yn gweiddi o'r tywyllwch 'Nel, Nel'.

Roedd y byd yn troi; gwnes ymdrech i beidio â llewygu. Plygais fy mhen ar y bwrdd, ond ni ddeuai deigryn ac roedd fy nhafod wedi cloi yn fy ngheg. Clywais droed Hannah ar y grisiau. Gwaeddodd yn sionc, 'Oes 'na lythyr i mi?'

Codais fy mhen i edrych arni, a gweddïais yn ddistaw, 'O Dduw, bydd yn ffrind iddi yn ei gofid.'

Edrychodd Hannah ym myw fy llygaid; gwelodd yno bryder a phoen. Ddywedais i 'run gair. Fedrwn i ddim. Ddwedodd hithau ddim chwaith, dim ond edrych, a gwelodd y gwirionedd yn fy llygaid. Yna mewn llais bloesg dywedodd,

'William ha muerto.'

Doedd dim angen ateb, roedd yr ateb yn fy wyneb gwelw, a'm llygaid clwyfus. Trodd yn araf heb ddweud gair arall, heb ddeigryn, heb ochenaid. Aeth i fyny'r grisiau fel hen wraig, yn boenus o araf, gan lusgo'i thraed. Clywais ddrws ei hystafell yn agor a chau. Clywais y bollt yn cael ei dynnu. Roedd wedi cloi ei hunan oddi wrth bawb; oddi wrth bawb a phopeth ond ei gofid a'i hiraeth.

Darllenais y llythyr drwyddo, ond roedd fel darllen hen hanes. Yr unig wybodaeth newydd oedd y rheswm am ei farwolaeth. Roedd y rhyfel drosodd ac yntau'n goruchwylio clirio'r llanast; saethodd bwled fyw o'r tân a'i daro yn ei goes, ac yntau ar gefn ceffyl. Aethpwyd ag ef i'r ysbyty, lle y torrwyd ei goes i fwrdd, ond ni rwystrwyd y gwenwyn rhag lledu trwy'i gorff. Bu farw ymhen wythnos. Fe'i claddwyd ddiwrnod cyn i Dyfrig gyrraedd, a doedd yr un perthynas yn bresennol yn ei angladd, neb i golli deigryn ar lan ei fedd.

Clywais Nhad a Johnnie yn brasgamu tua'r tŷ.

'Oedd 'na lythyr 'da'r post heddi?'

Roedd y llythyr ar y bwrdd o'm blaen.

'Be sy Ellen, wyt ti'n edrych fel corff.'

Doedd dim angen geiriau, synhwyrodd yntau fod rhywbeth mawr o'i le.

'Dyfrig?'

'Nage, William.'

Cymerodd y llythyr, ac aeth i'w lyfrgell gan adael Johnnie bach i mi, a llais William yn atsain yn fy nghlustiau, 'Bydd yn gefen i Hannah a'r crwt bach.'

'Eisiau bwyd, Telen.'

Es ati i weithio bwyd i Johnnie ond gwyddwn na fyddai neb arall ag angen cinio y diwrnod hwnnw.

Ar ôl i Johnnie orffen ei fwyd, es at Nhad, a dyna lle roedd e ar ei liniau yn gorffwys ei ben ar gadair, ac yn wylo'r dagrau'n hidl. Diolch am hynny. Diolch ei fod yn gallu rhoi mynegiant i'w deimladau. Roedd wedi gorfod wynebu mwy nag un brofedigaeth yn ystod ei fywyd, ond dyma'r tro cyntaf iddo golli plentyn. Rhoes fy llaw ar ei ysgwydd a'i adael i'w ofid. Mae pawb eisiau llonydd pan fo clwyfau i'w llyfu.

Roedd fy ngheg i'n sych a'r dagrau wedi rhewi. Methais wylo pan fu farw Mam, methais heddiw eto. Efallai mai hynny oedd orau, tra bo'r plentyn o gwmpas.

'Pam mae Da-cu'n llefen, Telen?'

Teimlais fod yn rhaid dweud y gwir wrtho, er nad oedd ond tair oed. Tybed a wyddai ystyr marwolaeth? Rhaid oedd ei ateb.

'Mae Dad wedi marw, Johnnie bach.'

'Dad pwy, Telen?'

'Dad Johnnie bach wedi marw yn Affrica.'

'Wedi marw 'run fath â Pwsi?'

Cofiais amdano yn hiraethu ar ôl y gath a welodd yn farw ac a welodd Nhad yn ei chladdu yn yr ardd. Wyddwn i ddim beth i'w ddweud.

Distawrwydd.

'Ble mae Mama?'

'Yn ei llofft.'

'Ydy Mama yn llefen?'

'Ydy, Johnnie, mae Mama yn llefen hefyd.'

'Ydy Mama yn mynd i Affrica?'

'Na, dim nawr.'

'Fi ddim eisiau mynd i Affrica 'da Mam. Fi eisiau aros 'da Telen.'

A dyma fe'n mynd mas heb ragor o holi, ac yn ymddangos yn hollol ddidaro. Dim ond ychydig fisoedd oed oedd e pan hwyliodd ei dad i Affrica, a doedd ei dad yn golygu dim mwy iddo na llun mewn ffrâm.

Fe ddylwn fod wedi'i rwystro rhag mynd allan. Y peth cynta' ddwedodd e wrth y dyn cynta' a welodd e ar y ffordd oedd 'Mae Dad wedi marw.' A chyn pen deng munud roedd y lle'n llawn o gymdogion yn galw i gydymdeimlo er nad oedd arnaf awydd gweld undyn byw.

Roedd y gegin mor fach a dim ond lle i bedwar eistedd. Roedd yn ganol haf ond roedd yn rhaid wrth dân, ac roedd llond lein o ddillad yn crasu o'i flaen. Hiraethwn bob dydd am haul y Wladfa, ac am y ffordd o fyw oedd yno. Doedd neb yno yn galw yn y tŷ i gydymdeimlo adeg galar. Roedd yn rhaid claddu'r meirw yno drannoeth y farwolaeth, a byddai pawb yn cydymdeimlo â'r perthnasau ddiwrnod yr angladd neu yn y capel y Sul canlynol.

Doeddwn i ddim yn nabod y bobol a ddaeth heibio a theimlwn fel cau fy hunan yn fy stafell 'run fath â Hannah ond roedd y cydymdeimlo'n rhoi cysur i Nhad, a byddai'n adrodd yr hanes trist fel y'i cafodd yn llythyr Dyfrig, drosodd a throsodd a throsodd, hyd syrffed. Theimlais i erioed mor anghyfforddus. Fedrwn i ddim bod yn serchus a diolchgar. Roeddwn i eisiau gweiddi, 'Ewch adre a gadewch lonydd inni gyda'n gofid.' Ac roedd ambell un yn gofyn cwestiynau hollol ddisynnwyr, a hynny er mwyn cael rhywbeth i'w ddweud, mae'n debyg.

'Ydych chi'n dod â'r corff adre i'w gladdu?'

'Ydych chi'n mynd draw i'r angladd.'

Fedrwn i mo'u hateb, fedrwn i mo'u dioddef; yr unig beth oeddwn i 'i eisiau oedd llonyddwch i ddod i delerau â'm gofid.

Y noson gyntaf honno a phawb wedi mynd, a ninnau yng nghanol ein gofid, daeth gwraig dal, drwsiadus i'r drws, ac meddai, 'Rydw i wedi dod i gydymdeimlo â Mr Davies.'

Soniodd hi ddim am gydymdeimlo â Hannah a Johnnie bach ac â minnau. Gofynnais iddi yn ddigon cwrtais i ddod i mewn. Pan welodd Nhad, aeth ato a gafaelodd y ddau yn ei gilydd yn annwyl a chariadus. Gwawriodd y gwirionedd arna i. Nid cymydog yn dod i gydymdeimlo oedd hon, ond cariadferch yn dod i gysuro ei chariad yn ei ofid a'i alar. Roedd hyn yn ergyd arall i mi ac yn esbonio lle yr âi bob nos.

Es mas o'u golwg, gyda gofid arall ychwanegol yn wasgfa ar fy ysbryd. Ond nid dyna'r amser i edliw a chwyrnu. Deuai hynny eto. Roedd un gofid yn ddigon ar y tro.

Pennod 20

Dyddiau duon oedd y dyddiau hynny; methu sylweddoli maint y golled, a methu deall trefn rhagluniaeth. Roedd cymdogion a ffrindiau Nhad yn dal i alw ond, er mawr gywilydd i mi, allwn i byth ddygymod â'u cydymdeimlad a'u cymwynasgarwch. Roedd lwmp fel carreg yn fy stumog a theimlwn fel talpyn o rew a hwnnw'n gwrthod dadlaith.

Methwn wylo, a methwn chwaith gysuro Hannah. Roedd hi'n dal yn ei hystafell oddi ar iddi dderbyn y newydd, a hynny ers bron i wythnos. Curais wrth ei drws droeon, i ddim pwrpas. Clywn hi'n cerdded o gwmpas fel creadur mewn cell. Gwyddwn fod ganddi ryw gymaint o fwyd yn ei stafell, ac roedd hynny'n rhyw gymaint o gysur. Gyrrais Johnnie i guro wrth y drws, ac fe'i clywais yn gweiddi, 'Mamá, Mamá'. Gwrthododd agor iddo yntau hefyd. A thrwy'r amser roedd y geiriau 'Bydd yn gefen i Hannah a'r crwt bach' yn troi fel chwyrligwgan yn fy mhen.

Roedd Nhad yn dal i siarad a siarad, ac adrodd yr un hen hanes drosodd a throsodd, nes fy ngyrru'n benwan. Roedd hynny'n gysur iddo fe, mae'n debyg, ond roeddwn i'n dyheu am ddihangfa ac yn dyheu am unigrwydd y Paith.

Pan fu farw Mam, cefais gysur o farchogaeth am filltiroedd i'r gwylltineb, ac yno y deuthum i delerau â'm colled. Ond yma yn Dre-fach doedd dim modd dianc; roeddwn yn cael fy mygu gan bobol a'u cydymdeimlad. Nid cydymdeimlad oeddwn ei angen, ond llonyddwch i fyw gyda'm gofid.

Ond roedd Johnnie wrth ei fodd. Doedd e ddim yn deall arwyddocâd y llond tŷ o ddieithriaid; roeddent yn ei faldodi a'i bentyrru â moethau. Yntau'n derbyn y cyfan gyda gwên a'r rheini'n dotio o'i glywed yn dweud, 'Muchas gracias'.

'Mhen yr wythnos daeth llythyr swyddogol i Hannah o'r Swyddfa Ryfel yn ei hysbysu fel a ganlyn: 'We regret to *inform you that Sergeant William Daniel Davies was killed in action on May 30th 1902'*. A chyda'r un post roedd llythyr arall i Hannah a gwyddwn oddi wrth yr ysgrifen mai llythyr oddi wrth William ydoedd. Bûm mewn cyfyng gyngor p'un ai a ddylwn ei roi iddi ai peidio. Teimlwn mai rhoi halen ar y briw fyddai hynny. Ond na, fe gafodd gysur o'i ddarllen; fe gyffyrddodd â rhyw linyn cudd yn ei chalon, llaciodd y tyndra a llifodd y dagrau a oedd wedi sychu'n grimp oddi ar iddi glywed am y trychineb.

Yna rhoddodd y llythyr i mi i'w ddarllen. Roedd yn llawn cynlluniau uchelgeisiol am brynu ffarm yn Ne Affrica, ac yn sôn sut y byddai'n dod adre ddiwedd yr haf i'w cyrchu. Chefais i ddim cysur o'i ddarllen.

Roedd Hannah erbyn hyn wedi mentro mas o'i stafell, ac yn pigo bwyd ar yr un ford â ni. Wnâi hi ddim siarad ond hynny oedd raid, a rhedai 'nôl fel llwynog i'w ffau cyn gynted ag y clywai rywun yn dynesu at y drws. Gwrthodai'n bendant wynebu pobol, a gwrthodai hefyd edrych ar ôl Johnnie. Roedd hynny'n ofid ychwanegol ond roedd y bychan yn ddigon hapus gyda'i dad-cu a minnau. Roedd e hyd yn oed yn cysgu gyda mi, mewn ystafell gyfyng, y leiaf yn y tŷ.

Dechreuodd Nhad unwaith eto ar ei bererindod hwyrol, a gwyddwn bron i sicrwydd pam yr elai. Roedd y cymylau'n dechrau casglu, a gwyddwn y byddai'n rhaid i'r storom dorri, a hynny cyn bo hir. Gwyddwn y byddai'n storom enbyd, ond mater o raid oedd i minnau gael gwybod ei gynlluniau, nid yn unig er fy mwyn i fy hunan, ond er mwyn Hannah a Johnnie hefyd. Duw yn unig a wyddai eu tynged nhw.

Tua phythefnos ar ôl clywed am farwolaeth William, daeth llythyr i Hannah wedi'i bostio yn Valparaiso. Gwyddwn ei bod yn clywed o bryd i'w gilydd oddi wrth ei brawd, a gwyddwn hefyd ei bod yn ateb ei lythyrau, ond ni fu mewn cysylltiad â'i rhieni oddi ar ddydd ei phriodas. Darllenodd y llythyr, heb ddangos unrhyw gyffro na theimlad, ac yna ei daflu yn syth i'r tân.

'Oes rhyw newydd o Chile, Hannah.'

'*Si, Madre ha muerto.*'

Ei mam wedi marw! A hithau'n taflu'r llythyr i'r tân! Ond roedd wedi gwerthu ei rhieni am William, ac wedi pentyrru ei serch a'i holl obeithion arno fe, ac arno fe'n unig, fel nad oedd ganddi ddim cariad ar ôl i'w rannu â neb arall, dim hyd yn oed â'i phlentyn.

Erbyn hyn pryderwn am eu dyfodol ac am fy nyfodol innau hefyd. Byddai'n rhaid i mi chwilio am waith, ond sut fedrwn i droi fy nghefen ar Hannah a Johnnie? Beth ddeuai ohonyn nhw? Hyd iddi briodi William, roedd Hannah wedi byw bywyd merch fonheddig. Wnaeth hi erioed ymdrech i ddysgu Cymraeg na Saesneg chwaith. Roedd hi'n gallu siarad ychydig o Ffrangeg, mae'n debyg, ond pa ddefnydd fyddai hwnnw iddi yn Dre-fach? Ni feiddiwn ofyn iddi am ei chynlluniau at y dyfodol. Doeddwn i ddim eisiau iddi feddwl ein bod am gael gwared ohoni. Wyddwn i ddim faint o arian oedd ganddi wrth gefn, ond roeddwn yn siŵr nad oedd ganddi ddigon i fyw arno am ei hoes, a chadw Johnnie hefyd. Merch glòs, yn cadw pob teimlad a chyfrinach iddi'i hunan oedd Hannah, ac roedd yn cau fel cocsen wrth gael ei holi.

Trefnwyd cyfarfod coffa i William yng Nghlos-y-graig. Rhaid oedd cael dillad newydd, dillad galar, a bûm wrthi'n gwnïo am ddyddiau i Johnnie a minnau. Roedd gan fy nhad ddillad duon. Gwrthododd Hannah yn hollol bendant gael dillad newydd; gwisgai yr un dillad lliwgar o ddydd i ddydd. Doedd hi ddim yn credu mewn mwrnin. Roedd fy nhad yn llawn pryder yn ei chylch.

'Mi fydd yn rhaid iddi ddod i'r Cwrdd Coffa neu mi fydd pobol yn siarad. Gwed wrthi.'

Dwedais wrthi. Gwrthododd yn chwyrn.

'Pabydd ydw i, a dyna ddigon, a Phabydd yw Johnnie hefyd.'

'Ond fe ddaw Johnnie bach i'r cwrdd 'da fi.'

'*No, no, no, no . . .*'

Ac fe wyddwn yn well na neb ystyr y 'no, no' diddiwedd.

Rhwystrodd Johnnie hefyd rhag gwisgo ei ddillad duon newydd, a gwisgodd ef yn ei ddillad cyffredin bob dydd gan anwybyddu'r dillad y bûm i wrthi am oriau yn eu gwnïo.

Mae'n debyg fod y Cyfarfod Coffa yn gwrdd llwyddiannus iawn, a phawb mewn cydymdeimlad â'r teulu. Mae arna i ofn na wrandewais i 'run gair ar y pregethwr a'r blaenoriaid. Roedd fy meddwl yn rhy derfysglyd. Doedd yr un ohonyn nhw'n adnabod William, nac yn gwybod dim oll amdano, a dyna lle roedden nhw'n mynd 'mlaen a 'mlaen yn ddiddiwedd, ac yn dweud dim o bwys yn y diwedd.

Rhuthrais oddi yno, heb siarad â neb, a hynny er mawr ofid i Nhad. Ar y ffordd adre cwrddais â Tom Brynawel, y bachgen hynaws a geisiodd achub fy ngham yn y ffatri. Ddwedodd e ddim llawer, ond teimlwn fod ei gydymdeimlad yn ddidwyll, a theimlwn hefyd yn falch o'i gwmni ar y ffordd adref. Holai fi am Hannah a'r plentyn, ac am y tro cyntaf er i William farw, agorais fy nghalon iddo, a siarad yn rhydd am fy ngofidiau ac am fy amheuon. Gwrandawai ar fy mhryderon heb ddweud llawer, a theimlwn yn ysgafnach yn ysbrydol o dderbyn ei gydymdeimlad tawel, a chael ei gwmni i ddrws y tŷ.

Ddaeth Nhad ddim adref am oriau. Gwyddwn yn iawn at bwy yr aeth ef am gysur. Byddai'n rhaid i mi, a hynny cyn bo hir, wyntyllu'r cyfan, a chael gwybodaeth bendant ynglŷn â'i gynlluniau. Doedd bosib ei fod yn bwriadu priodi eto ac yntau'n tynnu at ei drigain a deg, ei gam yn fyr, ei war yn crymu, a ganddo ddim digon o fodd i gadw ei hun, heb sôn am gadw gwraig.

Na, roedd y dyfodol yn dywyll ac yn gyforiog o dristwch, a thra byddai Hannah a Johnnie gyda ni, byddai'n rhaid i minnau aros i'w gwarchod.

'Bydd yn gefen i Hannah a'r crwt bach.'

Pennod 21

Llusgai amser. Aeth y dyddiau yn wythnosau, a'r wythnosau'n fisoedd, ac roedd y gaeaf ar ein gwarthaf unwaith eto. Roeddwn yn casáu'r gaeaf, a hiraethwn am haul ac awyr las y deheudir pell. Roedd bywyd bob dydd mor anodd yn Dre-fach o'i gymharu â Phatagonia; rhaid oedd golchi pob dilledyn yn y tŷ, eu sychu yn y tŷ weithiau a'u crasu wedyn o flaen y tân. Yma, rhaid oedd cael tân bob dydd o'r flwyddyn, haf a gaeaf. Dim ond ar dro y byddem yn cynnau tân yn y Wladfa; roedd y ffwrn bobi yn yr awyr agored a byddem yn cynnau tân yn yr awyr agored hefyd, pe bai angen berwi rhywbeth.

Ond yma yn Dre-fach, roedd yn rhaid wrth dân bob dydd: tân yn y gegin i gynhesu wrtho, i goginio ac i grasu pob pilyn; tân i Nhad a'i lyfrau, a thân i Hannah yn ei stafell hi, a byddai'r llwch yn codi'n gymylau wrth godi'r lludw bob bore. Roeddwn bron â chael fy nhagu gan y llwch, y niwl a'r oerfel. Ac nid fi oedd yr unig un i ddioddef. Roedd Johnnie bach yn peswch yn barhaus, gydag un annwyd yn dilyn y llall drwy'r gaeaf.

Doedd neb yn sôn am William mwyach. Roeddem ein tri'n osgoi sôn amdano, ond yn dal i hiraethu a'r hiraeth hwnnw, o'i guddio, yn magu crach.

Derbyniais lawer o lythyrau o gydymdeimlad a'm gadwodd yn hollol oer. Mae'r rheini'n llythyrau anodd i'w hysgrifennu, ac yn anoddach fyth i'w deall. Ond fe dderbyniais lythyr oddi wrth fy hen ffrind John Thomas, Llanwrtyd, a roddodd ryw gysur cyfrin i mi:

'Ni roddwyd yr hawl i ni feidrolion holi pam. Paid â byw yn y gorffennol, Ellen annwyl, mae gennyt gymaint i'w gynnig i'r dyfodol . . .'

A phenderfynais ymwroli ac wynebu'r dyfodol tywyll.

Cadwai Hannah yn glòs i'w hystafell. Deuai lawr i brydau bwyd yn unig, gan adael Johnnie yn fy ngofal i yn llwyr, heblaw yn ystod oriau'r nos.

Roedd y prydau bwyd yn boen ac yn benyd, pawb yn edrych ar ei blât heb yngan gair, heblaw dweud rhyw fanion dibwys fel 'pasiwch yr halen, pasiwch y pupur'. Yna âi Nhad yn ôl at ei lyfrau a Hannah i'w hystafell, gan adael gofal Johnnie a'r gwaith tŷ i mi. Anodd oedd coginio ar lygedyn o dân mewn grât fechan gul, a'r tân hwnnw i fod i gynhesu ffwrn fechan wrth ei ochr. Doedd dim byd yn gweithio'n iawn ac o ganlyniad roedd y coginio yn dioddef. Ond y gofid pennaf oedd diffyg arian, a Nhad yn gwrthod wynebu'r argyfwng. Pe bawn yn crybwyll arian, byddai naill ai'n cerdded bant, neu'n dweud wrthyf am beidio â becso. Chwarae teg i Hannah, gofalai fod arian ar gael i'w chadw hi a Johnnie a byddai'r arian hynny yn aml yn gorfod ein cadw ni'n pedwar mewn bwyd.

Roedd Hannah yn achos poen a phryder. Roedd fel pe bai wedi rhoi fyny'r awydd i fyw. Cadwai i'w hystafell ac ni ddangosai unrhyw fath o deimlad. Roedd ei dagrau wedi hen sychu. Unwaith yn unig y gwnaeth hi ymollwng, a hynny pan dderbyniodd y llythyr hwnnw oddi wrth William ar ôl ei farw. Gwyddwn y derbyniai lythyrau'n gyson o Valparaiso, ac roeddwn yn gobeithio y byddai ryw ddydd yn penderfynu mynd 'nôl at ei theulu, ond roedd ein perthynas wedi ymbellhau i'r fath raddau fel na allwn fentro sôn wrthi am ei chynlluniau.

Ond un bore, wrth y bwrdd brecwast, dyma hi'n dweud yn hollol ddidaro,

'Rydw i'n mynd 'nôl i Chile cyn diwedd y mis.'

Edrychodd Nhad a minnau arni yn geg-agored mewn distawrwydd. Doedd Sbaeneg Nhad ddim yn dod yn rhwydd iddo, a sylweddolais ei fod yn chwilio am eiriau. Felly, er mwyn clirio'r awyr, dyma fi'n dweud,

'Mi fydd yn rhyfedd iawn yma, hebot ti a Johnnie.'

195

'O, fydd Johnnie ddim yn mynd. Rydw i'n gadael Johnnie yma i chi.'

'Beth?' meddai Nhad a finne'n un corws.

'Na, fedra i ddim mynd â Johnnie. Mae'n amhosibl.'

'Pam?' medde'r ddau ohonom wedyn.

'Dyw fy nhad ddim yn gwybod am ei fodolaeth.'

Roedd y bychan wrth y ford yn clywed popeth ac yn deall popeth, gwaetha'r modd, ac meddai hwnnw'n hollol hunanfeddiannol a phendant,

'Johnnie yn aros 'da Da-cu a Telen.'

'Amhosibl, amhosibl,' medde Nhad yn wyllt, gan guro'r bwrdd â'i ddyrnau.

'Does dim byd yn amhosibl,' medde Hannah gan godi, a mynd o'r golwg i'w hystafell.

Fe'n gadawyd mewn penstandod. Roeddem ein dau mewn sioc. I feddwl ei bod yn cynllunio i adael ei hunig blentyn ar drugaredd perthnasau, er mwyn dianc i ochr draw'r byd i fyw mewn moethusrwydd! Roedd yn sefyllfa anghredadwy, ond o adnabod Hannah gwyddwn mai dyna fyddai'n digwydd, heb os nac oni bai.

'Be wnawn ni, Nhad?'

'Rhaid iddi fynd â Johnnie 'da hi, a dyna ddigon.'

'Nhad annwyl, 'ych chi'n ei nabod yn well na hynna, does bosib. Unwaith y daw hi i benderfyniad, wnaiff yr undyn byw ei throi.'

'Wel, fedrwn ni mo'i gadw, mi fedra i fod mor styfnig â hithau.'

Yn anffodus, roedd y crwt bach yn dal gyda ni, yn clywed y cyfan, a dyma fe'n dechrau crio.

'Johnnie eisiau aros 'da Telen.'

Roedd yn annheg i drafod o flaen y plentyn. Cymerais ef lan at ei fam. Curo ar y drws.

'*Entre.*'

'Dyma Johnnie; edrych ar ôl dy blentyn. Mae 'da Nhad a finne faterion pwysig i'w trafod.'

Ac medde hithau'n dawel, a braidd yn ffroenuchel,

'Mi fydd Johnnie yn hapusach yma nag yn Chile, ac mi ddof 'nôl 'mhen dwy neu dair blynedd i'w gyrchu.'

Ac medde Johnnie wedyn yn Sbaeneg,

'Johnnie yn aros 'da Telen.'

'Ddof i byth i ben â hi,' meddwn yn ddigalon.

'Rwyt ti'n siŵr o ddod i ben â hi, mi gei di dâl am edrych ar 'i ôl e.'

Euthum allan yn swta, heb drafferthu i'w hateb, wedi cael fy siomi i'r byw, a doeddwn i ddim eisiau dweud rhagor chwaith yng nghlyw'r plentyn.

'Nhad, rydyn ni mewn trafferth dros ein pen a'n clustiau. Be wnawn ni, dwedwch? Mae'n benderfynol o fynd hebddo.'

'Bydd yn rhaid inni ei roi mas i'w fagu.'

'Fedrwn ni ddim, Nhad. Beth ddwedai William?'

'Mae William wedi mynd; fe droiodd e 'i gefen ar y ddau, a'u gadael ar ein trugaredd ni.'

'Rydych chi'n galed, Nhad.'

'Ddim hanner mor galed â Hannah.'

A dyna ddiwedd ar y drafodaeth am y tro, ond roedd yr holl helynt yn pwyso'n drwm ar fy stumog.

'Pryd wyt ti'n bwriadu mynd, Hannah?'

'Mewn pythefnos. Mae fy nhad wedi gyrru tocyn teithio i mi.'

'Wyt ti'n mynd 'nôl i fyw at dy dad?'

'Ydw.'

Dim gair arall o esboniad, dim un gair o ymddiheuriad, a dim rhithyn o gydwybod dros adael ei phlentyn bach.

Y dydd Mawrth canlynol aeth Nhad i Landysul. Byddai'n mynd yno'n achlysurol i ymweld â J. D. Lewis, Gomerian, lle prynai lyfrau i'w gwerthu. Parchai Mr Lewis fel masnachwr ac fel dyn, a chafodd gyfle i siarad ag e, a chael ganddo yntau glust i wrando ar ei holl drafferthion.

Pan ddaeth adref roedd ganddo ateb i'r dryswch i gyd. Roedd Mr Lewis yn gwybod am weddw barchus oedd yn magu plant maeth, menyw gydwybodol, menyw oedd wedi magu plant ei hunan, a'r rheiny wedi mynd dros y nyth erbyn hyn. Roedd hi'n byw tu fas i Landysul, a bu'r ddau yno yn ei gweld. Gofalai am un bachgen bach pedair oed ar hyn o bryd, a byddai'n falch iawn o fachgen arall i gadw cwmni iddo.

Yn bersonol, roeddwn i'n drist ac yn amheus o'r trefniant, ac eto beth arall fedrwn i 'i wneud? Rhaid oedd ymgynghori â Hannah, wrth gwrs. Na, doedd dim gwrthwynebiad 'da hi, fe wnâi les i Johnnie gael cwmni plentyn arall. Roedd hi fel pe bai'n falch i gael gwared ohono. Ond roedd fy nghydwybod i'n cnoi. Teimlwn mai fi ddylai ofalu amdano, ac roeddwn yn dal i gofio'r 'profiad', ac yn dal i gofio f'addewid i William. Ac eto, os nad oedd ei fam ei hunan yn barod i ysgwyddo'r baich o'i fagu, a hithau â digon o fodd, pam y dylwn i wneud, a minnau mor llwm â llygoden eglwys?

Yn ôl Nhad, yr unig ateb oedd ei roi yng ngofal y weddw barchus ac aeth eilwaith y dydd Mawrth canlynol i wneud y trefniadau terfynol. Y canlyniad oedd y byddai Johnnie yn mynd i fyw at Mrs Jones y Sadwrn nesa.

Roeddwn yn benderfynol styfnig y byddai Hannah yn hebrwng ei phlentyn i'w gartref newydd, ac nid gadael i mi ar fy mhen fy hun wynebu'r ffarwelio. Felly, fore Sadwrn, dyma ni'n hurio cerbyd a chychwyn yn gynnar i fynd â Johnnie, ei deganau a'i wely i dŷ Mrs Jones. Gwrthododd Nhad ddod gyda ni. Roedd yntau hefyd yn dioddef o hiraeth ac yn ofni'r ffarwelio. Roedd Johnnie wrth ei fodd yn cael dal yr awenau, ac yn annog y ceffyl ymlaen. Mae arna i ofn nad esboniais yr holl oblygiadau wrtho. Fy stori i oedd y byddai'n aros dros dro gyda bachgen bach arall tra bod *Mamá* yn Chile, a Telen yn gweithio, ac y byddai Dad-cu a Telen yn dod i'w weld yn amal, amal, ac y byddai yntau yn dod 'nôl at Telen yn yr haf. Teimlwn fel twyllwr diegwyddor. Wedi'r cyfan, dyna'r oeddwn mewn gwirionedd a doedd dim cysur i'w gael o gofio fod Hannah hyd yn oed yn fwy diegwyddor na fi.

Roedd Mrs Jones yn ein croesawu ar ben drws; gwraig

radlon, serchog, a theimlais yn well o'i gweld. Fe gymerodd at Johnnie o'r funud gyntaf. Eisteddai Tomi ar lawr yn chwarae â'i flociau, a dyma Johnnie ar unwaith yn ymuno ag ef yn y chwarae. Roedd wedi cael ei amddifadu o gwmni plant drwy'i oes.

Yn naturiol, fi oedd yn gwneud yr holl siarad. Gofynnais faint oedd hi'n godi'n wythnosol. Roedd yn cael coron yr wythnos tuag at fagu Tomi ond roedd e'n mynd adre at ei dad bob dydd Sul. Cynigiais chwe swllt iddi,

'Fyddai hynny'n hen ddigon,' meddai.

Pan gyfieithais y cyfan i Hannah roedd hi'n awyddus i dalu chweugain yr wythnos iddi, a byddai ganddi arian wedyn i brynu dillad iddo hefyd. Roedd Mrs Jones yn fwy na bodlon. Tynnodd Hannah ei phwrs mas a chyfri chwe sofren ar hugain – tâl blwyddyn! Yna aeth ati i'w cyfri yn ofalus am yr ail waith a'u rhoi yn llaw Mrs Jones.

Aeth ysgryd i lawr fy meingefn a chofiais am y deg darn arian ar hugain.

Gorau po gyntaf fyddai troi am adre, tra bod Johnnie yn chwarae'n ddiddig.

'*Adios*, Johnnie.'

'*Adios, Mamá*.'

'Ta, ta, Johnnie bach.'

'Ta ta, Telen.'

Chododd e mo'i ben. Roedd Tomi a'i flociau yn ddiddorol – diolch i'r nefoedd.

Roedd y daith 'nôl yn ddiflas a'r niwl yn drwch dros bob man. Roeddwn yn gallu dioddef glaw ond roedd niwl a tharth yn fy lladd wrth y fodfedd. Ac wrth gwrs, roeddwn yn isel fy ysbryd a gwelwn yn y tarth arwydd anfad; arwydd mai felly y byddai fy mywyd innau mwyach, heb obaith gweld goleuni'n treiddio trwy'r mwrllwch. Teithiem mewn distawrwydd tan inni gyrraedd adre pryd y troes Hannah ata i a dweud mewn llais tawel, prudd,

'Diolch, Ellen, rwyt ti'n ffrind da i mi, a gwn y byddi'n dal i gadw llygad ar Johnnie.'

Dyna'r tro cyntaf i mi dderbyn diolch gan Hannah, a theimlais yn well o'i dderbyn, ond roeddwn yn dal yn gyndyn i faddau iddi am gefnu ar ei phlentyn bach.

Pennod 22

Ben bore'r Llun canlynol roedd Hannah a'i phaciau'n barod i gychwyn ar ei thaith faith i Valparaiso, wyth mil o filltiroedd i ffwrdd. Roedd hi wedi bod wrthi dros y Sul yn pacio, llond dwy gist o ddillad a phetheuach a Nhad yn gwaredu ei bod yn torri'r Sabath. Roedd Hannah yn dawel iawn, ac i'w gweld yn fwy bodlon, fel pe bai'n edrych ymlaen at fynd 'nôl at ei theulu. Ond roedd yn dal yn ddirgelwch ac yn ofid i mi sut yn wir roedd hi'n gallu cefnu ar ei mab bychan a'i adael yng ngofal dieithriaid.

Galwodd cerbyd amdani. Roedd yn dal y trên cyntaf o Henllan. Doedd hi ddim wedi sôn am ei dodrefn crand, felly dyma fentro gofyn iddi am ei chynlluniau ynglŷn â'r rheini.

'Maen nhw i ti, os wyt ti eu heisiau – i *ti*, cofia, ac nid i dy dad. Dyw e ddim yn eu haeddu.'

Roeddwn wedi cael fy mrifo o'i chlywed yn wfftio Nhad.

'Fe gei dithau weld hynny ryw ddydd hefyd, does dim yn sicrach.'

Doedd dim deall ar Hannah. Teimlwn ei bod yn ddyletswydd arna i i'w hebrwng i'r orsaf, ond doeddwn i ddim yn hiraethu ar ei hôl, dim ond teimlo rhyw ddiflastod anghyfforddus. Roedd trafferth a thrallod fel pe bai'n ei dilyn i ble bynnag yr âi a doedd hi ddim yn ferch i ennyn cariad a chyfeillgarwch. Pentyrrodd ei chariad ar William a doedd ganddi ddim yn weddill i'w rannu rhwng eraill, a Johnnie bach a ddioddefodd fwyaf o'r herwydd.

Teithiem tua'r orsaf mewn distawrwydd, a chlip-clop carnau'r ceffyl yn atsain fel gordd drwy fy mhen. Roedd y trên yn barod i gychwyn a minnau heb ddim i'w ddweud – dim heblaw y gair ffarwél.

'*Adios*, Hannah.'

'*Adios*, Ellen. Mi sgrifennaf ar ôl cyrraedd pen y daith.'

Dim ysgwyd llaw, dim cusan, dim deigryn, ond codais fy llaw i chwifio, hyd nes i'r trên ddiflannu yn y niwl. Euthum adre'n bendrist, gan deimlo fod pennod newydd ar gychwyn yn fy hanes innau hefyd, ac amser yn unig a fedrai ddadlennu'r dyfodol.

Y gorchwyl cyntaf a gyflawnais wedi cyrraedd adre oedd symud fy nillad a'm hychydig bethau o'm stafell gyfyng i foethusrwydd stafell Hannah, lle roedd cwpwrdd dillad, gwydr mawr, gwely cyfforddus a dau fat blewog ar y llawr. Roeddwn wedi cael dyrchafiad mewn bywyd a diflannodd peth o'r iselder. Yr ail orchwyl fyddai cael gwybod gan fy nhad am ei gynlluniau ef at y dyfodol. Roedd yntau yn ei stafell lyfrau.

'Hannah wedi mynd?'

'Ydy.'

'Diolch am hynny, dyna un gofid yn llai.'

'Nhad, rhaid inni gael sgwrs gall.'

Roedd ei gefn tuag ataf, ac ni throdd i siarad â fi.

'Nhad, beth yw'ch cynlluniau at y dyfodol?'

'Beth wyt ti'n feddwl?' meddai'n dawel iawn, a'i ben mewn llyfr.

'Nhad, edrychwch arna i. Rydw i am ofyn un cwestiwn i chi, ac rydw i am i chi fod yn hollol onest â mi a rhoi ateb syth un ffordd neu'r llall.'

'Ie, be wyt ti eisiau wybod?'

'Ydych chi a Sarah yn bwriadu priodi?'

Distawrwydd llethol.

'Wel Nhad, rwy'n disgwyl ateb.'

'Fy musnes i yw hynny,' meddai, gan edrych tua'r llawr.

Gwylltais. Camgymeriad oedd hynny, ond ces fy nghlwyfo.

'Eich busnes chi? Mae'n fusnes i minne hefyd, gwlei. Fe dynnoch fi yn groes graen o Batagonia, o'r haul a'r tywydd braf i'r niwl tragwyddol yn Dre-fach i edrych ar eich ôl chi.

Ydych chi'n cofio? Edrych ar eich ôl chi yn eich henaint ac mae henaint ar eich gwarthaf erbyn hyn, credwch chi fi.'

'Does dim eisiau bod yn gas, ond un gilsip iawn fuost ti erioed gyda thafod fel aser.'

Anwybyddais ef gan nad oeddwn i ddim eisiau i'r drafodaeth ddatblygu'n waethaf di, waethaf dithau.

'Rydw i'n disgwyl am ateb. Ydych chi'n bwriadu priodi?'

'Mi fydd yn rhaid i mi gael rhywun i edrych ar f'ôl. Fyddi di'n siŵr o briodi rywbryd. Rydw i wedi sylwi ar Tom Brynawel yn dy lygadu, ac yn dy ddilyn o gwmpas fel oen swci.'

'Gadewch Tom Brynawel a'i lygaid mas o'r drafodaeth. Roeddwn i wedi addo gofalu ar eich ôl. Ydych chi'n cofio eich geiriau yn Buenos Aires cyn ymadael? "Ellen fach, paid byth â'm gadael." Ydych chi'n cofio? A minnau'n ddigon o ffŵl i'ch credu. Unwaith eto, Nhad, ydych chi'n golygu priodi?'

'Falle,' meddai gan edrych tua'r llawr.

'Mae hwnna'n ddigon o ateb i mi. Pryd?'

Dim ateb. Ond cyn troi i fynd mas, saethais un ergyd arall.

'Druan o Sarah – menyw ifanc olygus yn aberthu'i bywyd i edrych ar ôl hen ddyn fel chi, a hwnnw'n hen ddyn digon tlawd. Fe gaiff ddigon arnoch chi chwap, gewch chi weld.'

A mas â fi, gan gau'r drws gyda chlep fyddarol.

Es i'r gegin i bendroni a cheisio cael trefn ar fy meddyliau cymysglyd. Rhaid oedd chwilio am waith, a hynny ymhell o Dre-fach, neu mynd yn ôl i Batagonia. Roedd yr ugain punt yn dal yn fy mhwrs o dan y matras. Faint gostiai, tybed, i fynd 'nôl yno?

Roedd yn tynnu at amser cinio. Doeddwn i ddim wedi codi'r lludw, na chynnau'r tân, na hyd yn oed olchi llestri brecwast. Câi fy nhad glemio. Roeddwn wedi gorffen ag e am byth. I feddwl ei fod e wedi gwneud yr un tric â mi ddwywaith mewn bywyd, a minnau wedi aberthu fy ieuenctid i ofalu amdano.

Penderfynais sgrifennu at Lamport a Holt, Lerpwl, i ofyn faint fyddai cost pàs i Buenos Aires ond bu'n rhaid i mi sgrifennu'r llythyr yn Sbaeneg, gan nad oedd fy Saesneg ddim yn ddigon da. Es mas i'w bostio, ac yn lle mynd 'nôl gartre penderfynais fynd i Berthi-teg. Roedd yn rhaid i mi gael dweud fy nghwyn wrth rywun. Doedd neb yn synnu o glywed fy stori; roedd y ddau wedi bod yn caru'n glòs ers dros flwyddyn, medden nhw. Roeddwn i wedi amau, wrth gwrs, ond yn methu credu y byddai'n priodi eto yn ei henaint, a hynny am y drydedd waith.

Arhosais ym Mherthi-teg tan yr hwyr, ac ar y ffordd adre cwrddais â Tom Brynawel. Roeddwn mor falch o'i gwmni. Gwrandawodd ar fy nghwynfan mewn distawrwydd, ac meddai ar ôl gwrando,

'Paid â bod yn rhy fyrbwyll, Ellen, a phaid â phryderu am dy dad. Mae Sarah yn fenyw gyfrifol ac fe edrychith hi ar 'i ôl e'n iawn, gei di weld.'

'Meddwl amdano yn hen ddyn, yn gwneud y fath ffŵl ohono'i hunan, ac ohono inne hefyd.'

'Paid â becso, Ellen, a phaid â digio a phwdu. Mae'r ddau i'w gweld yn hapus iawn gyda'i gilydd.'

'Rwyt ti cynddrwg â'r lleill – pawb yn cymryd ochr Nhad. Ond dwyt ti na nhw ddim yn gwybod am ei addewidion i mi a'r aberth wnes i er ei fwyn e.'

'Paid â chroeshoelio dy hunan, Ellen, hen glefyd sy'n difa yw hunandosturi.'

'Rwyt ti'n galed, Tom.'

'Nadw, Ellen, dy gysur di s'da fi mewn golwg. A chofia hyn, mi fydda i'n gefen i ti ym mhob trybini. Wnei di gofio hynna?'

'Gwnaf, Tom, a diolch am wrando. Nos da.'

A ffwrdd â fi i'r tŷ – i dŷ gwag. Roedd fy nhad wedi mynd i gael cysur gan ei gariad, ac i ddweud wrthi mor anhydrin oedd ei ferch.

*   *   *

Aeth wythnos heibio, a minnau'n dal i ddisgwyl ateb o Lerpwl. Yn y cyfamser gwelais hysbyseb yn *Baner ac Amserau Cymru*: 'Yn eisiau yn Aberdovey: merch sy'n medru gwnïo, ac i weini yn y gwesty yn yr haf.' Rhaid eu bod yn Gymry, neu pam hysbysebu mewn papur Cymraeg? Felly dyma ateb yn ddiymdroi yn cynnig fy hun fel gwniadwraig brofiadol, ac un a oedd wedi cael profiad o weini ar y byrddau mewn gwesty yn Llanwrtyd. Ddwedais i ddim mai dim ond am ychydig fisoedd oedd hynny, bedair blynedd ar ddeg yn ôl.

Aeth wythnos arall heibio, wythnos boenus, a Nhad a minnau'n llwyr anwybyddu'n gilydd. Treuliai ef ei amser naill ai gyda'i lyfrau neu gyda Sarah. Awn innau mas ar ôl brecwast i Berthi-teg neu i Manllegwaun, aros yno drwy'r dydd a gadael Nhad rhyngddo ef a'i botes.

O'r diwedd daeth ateb o Lerpwl. Fe gostiai ddeg punt ar hugain i mi fynd o Lerpwl i Buenos Aires, ac wedyn byddai'n rhaid i mi dalu am fynd o fan'ny i'r Wladfa. Dim ond ugain punt oedd 'da fi wrth gefn, a byddai'n well 'da fi farw na gofyn i Nhad am help. Ac wedi cyrraedd y Wladfa, be wnawn i? Byddai'n rhaid i mi fyw ar gardod ffrindiau. Na, roedd hynny mas o'r cwestiwn. 'Gwae i mi feddwl ymadael erioed.'

Yna daeth llythyr o Aberdyfi, er mai siomedig oedd derbyn ateb Saesneg. Roedd yn cynnig cyflog o saith a chwech yr wythnos i mi, a fy nghadw, a hefyd y Sul yn rhydd. Penderfynais dderbyn y swydd a dyma fynd ati i sgrifennu llythyr – llythyr Saesneg gyda help geiriadur:

Dear Madam,

I will come next Sadurday and i will come with the train to Station Aberdovey. Thank you.

Fedrwn i ddim mynd ymhellach; wyddwn i ddim beth oedd 'yr eiddoch yn gywir' yn Saesneg. Felly bant â fi at Mary Perthi-teg i gael help. Roedd hi wedi derbyn ei haddysg yn Saesneg, ac roedd hynny yn help mawr i ddod 'mlaen yn y byd. Fe ges wybod mai 'Yours truly' oedd 'Yr eiddoch yn gywir'.

'Ydy popeth arall yn iawn?'

'Ydy, heblaw am "i" – rhaid i ti roi "i" fawr fan'na, Capital I.'

'Pam?'

'Sai'n gwbod pam. Fel'na mae'r Saeson yn neud.'

'Wel, dyna beth yw hunanbwysigrwydd.'

'Be wyt ti'n feddwl?'

'Dim ond Sais fyddai'n meiddio galw Fi fawr arno'i hunan.'

'Dyna be sy'n reit.'

'Reit? Pwy sy'n dweud 'ny? Y Saeson? Nid y Sbaenwyr a'r Cymry – maen nhw'n ddigon diymhongar, chwarae teg iddyn nhw.'

Ond roedd Mary Jane yn dal ati.

'"I" fawr sy'n iawn.'

'Sdim ots 'da fi am gywirdeb y Saeson, all neb fy ngorfodi i alw fy hunan yn Fi fawr, oni bai ei bod yn syrthio ar ddechrau brawddeg.'

Wnes i ddim chwaith, na chynt na chwedyn.

Pedwar diwrnod oedd 'da fi i roi fy nhŷ mewn trefn; gwnïo ffedogau, pacio a ffarwelio. Wyddwn i ddim am drefniadau Nhad – pryd oedd e'n bwriadu priodi, na ble roedd e'n mynd i fyw ar ôl priodi. Roeddwn yn rhy styfnig i ofyn iddo, ac yntau'n rhy styfnig i ddweud. Felly dyma fynd ati i glirio f'eiddo personol o bob twll a chornel – lluniau'r teulu, siwg Mam-gu, y cwilt patrymog, poncho'r pennaeth, anrhegion John – popeth roeddwn yn eu trysori, a'u gosod i gyd mewn cist yn stafell Hannah. Fy stafell i oedd hi erbyn hyn, wrth gwrs. Doeddwn i ddim eisiau i Nhad a Sarah gael eu bache ar fy eiddo i.

Y noson cyn ymadael galwodd Tom.

'Pam na fyddet ti wedi gweud dy fod yn mynd bant?'

'Weles i monot ti i ddweud.'

'Ac rwyt ti'n mynd fory?'

'Ydw.'

'Rown i'n meddwl ein bod ni'n ffrindie da.'

'Rydyn ni hefyd.'

'Pam na faset ti'n gweud wrtho i dy fod ti'n mynd?'

'Mae'n ddrwg 'da fi, Tom.'

'Ga' i neud rhywbeth i helpu?'

'Cei, rwy eisie clo ar ddrws fy stafell wely. Dwi ddim eisie i neb sbrotian yn fy mhethe tra bo fi bant.'

A bant â Tom ar ei ben i chwilio am glo. Daeth 'nôl 'mhen rhyw hanner awr, a chyn pen dim roedd 'da fi glo ar y drws, ac allwedd a roddai sicrwydd i mi yn erbyn pobol fusneslyd.

'Pa amser wyt ti'n cychwyn fory?'

'Trên deuddeg o Henllan.'

'Mi fydda i yma am un ar ddeg i roi help llaw.'

Ac felly y bu, ac er syndod i mi, roedd wedi benthyca trap Ffynnon Dudur i fynd â mi a'm pacie. Gwyddwn fod Nhad yn ei stafell lyfrau, ond ddaeth e ddim i'r golwg. Wnes innau ddim hyd yn oedd ddweud wrtho 'mod i'n 'madael â chartre. Roedd y briw yn dal i frifo a doedd yr un ohonom yn barod i blygu.

Roeddwn yn falch iawn o gwmni Tom, er ein bod yn ddigon dwedwst ar hyd y ffordd. Roedd gadael cartref yn gwasgu arna i, er gwaethaf y rhesymau dros fynd.

Roeddwn yn y trên, a hwnnw'n chwibanu'n barod i gychwyn.

'Ellen, beth yw dy gyfeiriad newydd di?'

'1 Cliff Side, Aberdyfi,' atebais.

'Mi sgrifenna i atat ti bob wythnos.'

A gwyddwn y gwnâi. Yn wahanol iawn i John, roedd addewid yn sanctaidd i Tom.

Pennod 23

Siomedig oedd Aberdyfi. Ond efallai nad ar y lle yr oedd y bai. Roeddwn yn ddigon isel fy ysbryd a niwl yn drwch yn gorchuddio pob man. Roeddwn yn casáu'r niwl, ac i goroni'r cyfan doedd neb yno yn fy nghyfarfod, a doedd 'da fi ddim syniad ble roedd Cliff Side. Ond pan oeddwn ar fin holi rhywun, dyma lais yn treiddio o grombil y niwl – 'Miss Ellen Davies' – a dyma weld merch ifanc yn chwilio amdanaf. Roeddwn yn falch o'i gweld.

'Fi yw Ellen Davies.'

'Diolch byth, sut ydach chi? Jane ydw i ac rydw i'n gweithio yn Cliff Side.'

Roedd yn dal i fwrw smwc o law, y niwl yn drwch a'r bagiau'n trymhau gyda phob cam. Roedd Jane yn siarad fel pwll y môr, am y tywydd, am ei chariad, am ei theulu ym Mhennal ac am 'y ddynes' yn Cliff Side, ac erbyn cyrraedd y lle hwnnw roedd hi wedi datgelu'i pherfedd. Ar ôl traethu'n huawdl am ei hunan dyma hi'n gofyn,

'O ble rydach chi'n dŵad?'

'O Batagonia.'

'Patagonia! Ble'n y byd mawr mae hwnnw?'

'Dros y môr, saith mil o filltiroedd o 'ma; lle mae'r haul yn gwenu a'r awyr yn las ddydd ar ôl dydd.'

'Rydach chi'n wirion iawn i ddod yma i'r glaw a'r gwynt.'

'Yn wirion iawn, ond mae'n rhy hwyr i ddad-wneud y camgymeriad erbyn hyn.'

Welais i mo'r 'ddynes' (fel y galwai Jane hi) y noson honno. Wedi'r siwrnai roeddwn yn falch o gael gwely. Yn wir, roedd 'da fi wely i mi fy hun ond rhaid oedd rhannu stafell â Jane – stafell fechan, digon llwm ar ben ucha'r tŷ.

Codi am chwech drannoeth, cyfarfod Mrs Morris, a chael siom o ddeall mai Saesnes oedd hi. Rwy'n siŵr iddi hithau gael siom hefyd o ddeall mai estron oeddwn innau, a heb allu i siarad fawr o Saesneg. Gofynnais i Jane pam oedd hi'n hysbysebu mewn papur Cymraeg, a hithau'n Saesnes.

'O, Cymro go-iawn ydy Mr Morris, ac mae o'n credu bod y Cymry yn onestach na'r Saeson.'

'Go dda, Mr Morris.'

Rhoddwyd gwaith gwnïo i mi ar unwaith, gwaith digon anniddorol ac undonog; clytio cynfasau a chwiltiau, c'wiro sanau a dillad isa'r gŵr a'r wraig. Ond gwaith yw gwaith a doedd dim pwrpas cwyno.

Roedd hiraeth arnaf – hiraeth creulon oedd yn lladd fy ysbryd ac yn fy ngwneud i'n ddiegni. Roedd arnaf hiraeth am ryddid Patagonia a'r Paith, hiraeth ar ôl William, hiraeth ar ôl Johnnie bach, ond yn waeth hyd yn oed na'r hiraeth, cydwybod euog am fy mod wedi cefnu â chartref mor swta, a heb ffarwelio â Nhad. Penderfynais sgrifennu nodyn byr ato, nid i ymddiheuro – nid fi ddylai ymddiheuro beth bynnag – ond iddo gael gwybod fy nghyfeiriad, ac i ddweud wrtho mor hapus oeddwn i yn y lle newydd, gan obeithio na welai drwy'r celwydd.

Aeth bywyd yn ei flaen er gwaetha'r hiraeth: codi, gwaith, gwely a fawr ddim yn digwydd i dorri ar yr undonedd.

Roedd Jane yn groten fach digon annwyl. Deunaw oed oedd hi, ac mewn cariad gorff ac enaid â gwas ffarm o'r enw Ifan, a'i gofid parhaus oedd bod merch o'r enw Meri Lisi â'i bryd arno hefyd. Roedd hynny'n achosi gofid iddi, a bob nos wedi mynd i'r gwely byddai'n siarad yn ddi-baid am ei phryder, yn cymharu ei hun â'r feinwen honno a sôn am ei rhagoriaethau, ac yn pwysleisio gymaint gwell oedd hi na Meri Lisi. Âi ymlaen ac ymlaen yn ddiddiwedd, yn debyg iawn i'r 'dicw, dicw', creadur bach diniwed a drigai yn y Paith, a fyddai wrthi'n clecian drwy'r nos.

Yr unig ffordd oedd cuddio fy mhen dan y dillad gwely a'i hanwybyddu. Ond mewn gwirionedd byddwn yn unig iawn oni bai am Jane.

Doedd y tymor ymwelwyr ddim wedi dechrau eto, a doeddwn i ddim yn edrych 'mlaen i weini ar y byrddau, a gorfod defnyddio fy Saesneg bratiog i siarad â Saeson ffroenuchel.

Derbyniais fwndel o lythyrau wedi eu hailgyfeirio. Roedd yn amlwg mai Nhad oedd wedi eu danfon – adnabûm ei lawysgrifen – ond ddaeth yr un gair oddi wrtho ef. Daeth pwt o nodyn oddi wrth Hannah i ddweud ei bod wedi cyrraedd yn saff, ond dyna i gyd. Ac eithrio un llythyr, o Batagonia oedd y lleill i gyd – llythyrau gan ffrindiau yn cydymdeimlo. Er i fisoedd fynd er marwolaeth William, araf iawn y cyrhaeddodd y newyddion Batagonia. Llythyr oddi wrth John oedd y llall wedi ei gyfeirio i 'Aberdyfi' (nid 'Aberdovey') – llythyr o gydymdeimlad oedd hwnnw hefyd – mae'n rhaid ei fod wedi cael fy nghyfeiriad o'r Wladfa. Ac meddai wrth ddiweddu, 'Os bydd angen help arnat, paid â bod ofn gofyn.' Geiriau gwag. Pa help a fedrai ef roi i mi? Roedd yng Nghymru ers dros flwyddyn ac ni thrafferthodd hyd nawr i gysylltu â mi.

Sgrifennai Tom lythyr hir ac anniddorol ataf yn wythnosol yn rhoi hanes y ffatri a'r capel – maes llafur yr Ysgol Sul, testun y bregeth a hyd yn oed y tri phen! Ond roeddwn yn falch o'i dderbyn, serch hynny.

Roedd Tom hefyd yn sillafu 'Aberdovey' mewn ffordd wahanol.

'Jane, sut mae sillafu "Aberdovey"?'

'A-b-e-r-d-o-v-e-y, fel'na mae'r Saeson yn ei sillafu, a'r rhan fwyaf o Gymry hefyd, ond A-b-e-r-d-y-f-i yw'r ffordd iawn, y ffordd Gymraeg.'

A minnau wedi bod yn dilyn y Saeson yn wasaidd, a'u sillafu anghywir. Byth eto!

Yna daeth y llythyr tyngedfennol, llythyr oddi wrth Nhad:

Annwyll Ellen,

Mae Sarah a fi yn bwriadu priodi dydd Sadwrn nesaf. Roedd yn rhaid i fi gael rhywun i ofalu amdanaf.

Yr eiddot yn gywir

Dy dad.

Roeddwn yn disgwyl clywed oddi wrtho, ond pan gyrhaeddodd y newydd, teimlais fy stumog yn corddi. 'Roedd yn rhaid i fi gael rhywun i ofalu amdanaf': ond roeddwn i'n gofalu amdano, ac wedi dod i Gymru yn groes i f'ewyllys i wneud hynny. Fe orfododd fi i adael cartre. Gallwn ddychmygu pobol Dre-fach yn clebran.

'Druan o John Davies, be wnâi e ond priodi, a'i unig ferch wedi'i adael yn ei henaint ar ei ben ei hun?'

Rhyw hen feddyliau felly oedd yn gwenwyno f'ysbryd. Anwybyddais y llythyr. Rhagrith fyddai dymuno'n dda iddo. Ond byddwn wedi hoffi gwybod ble roedden nhw'n mynd i gartrefu, hefyd – Camwy neu ei chartref hi? Roeddwn yn falch fy mod wedi cloi f'eiddo yn y stafell wely.

A chododd hiraeth sydyn arna i am Dre-fach – roeddwn mor bell oddi wrth fy nghydnabod a doedd yma neb i redeg ato i arllwys fy ngofidiau, tra oedd Mary Jane a merched Manllegwaun wrth law o hyd i wrando ar fy nghwynion. Byddai'n rhaid i mi droi am Dre-fach cyn yr haf i geisio cael gwell trefen ar fy mywyd. Efallai y cawn lojin yng Nghastellnewydd a gwaith mewn siop ddillad yno.

Sgrifennais at Mary Jane, yn fwyaf arbennig i holi hynt fy nhad a ble roedden nhw'n cartrefu. O wneud, cefais frathiad gan fy nghydwybod – doeddwn i ddim yn hoffi'r syniad o fynd yn slei y tu ôl i'w gefen i holi ei hanes. Ond arno fe roedd y bai. Llynedd ar ei hyd, trwy'n gofid a'n galar ni i gyd fel teulu, mynnodd ef fynd ei ffordd ei hunan ac ymddwyn yn hollol hunanol a dan-din.

Doeddwn i ddim yn hapus yn Aberdyfi chwaith. Euthum i'r capel un dydd Sul. Cafodd 'y ferch ddieithr'

211

groeso cyhoeddus gan y gweinidog, ac wrth ddod mas dyma hanner dwsin o fenywod yn dod ata i, a holi fy mherfedd i. Roedden nhw mor fusneslyd a chwilfrydig â menywod Dre-fach. Daeth y sgwrs rhyngof i a Nhad yn ôl i'm cof:

'Paid â bod mor groendenau – eisie dod i dy nabod di mae pobol. Ceisio bod yn gyfeillgar y maen nhw.'

'Ond doedd neb yn fy holi fel'na yn y Wladfa.'

'Nag o'n, wrth reswm, ond roedd pawb yn dy nabod fan'ny, ac yn gwbod dy hanes o'r dechrau.'

Roedd rhyw gymaint o synnwyr yn ei ymresymu, sbo.

Wrth rodio ar y traeth yn y gwynt a'r glaw yn Aberdyfi, sylweddolais o'r newydd ogoniant perthyn – perthyn i deulu, perthyn i gymdeithas, perthyn i wlad. Trois fy nghefn ar y berthynas gysegredig honno pan ymfudais o'r Wladfa Gymreig. Erbyn hyn, dieithryn oeddwn mewn gwlad estron, ac yn methu addasu fy hun i drefn gwlad arall. Roeddwn yn ddideulu hefyd. Doedd neb ar ôl yng Nghymru bellach ond Johnnie, a chyn bo hir byddai hwnnw hefyd yn siŵr o ddilyn ei fam i Chile. Fe gefnodd fy nhad arnaf, a thorri'r cwlwm teuluol a thorri ein cartref yn y fargen. Fedrwn i byth ddibynnu arno fe mwyach. Hen feddyliau croes felly oedd yn cyniwair drwy fy meddwl ac yn lladd f'ysbryd. Ceisiais eu gwrthsefyll a llwyddais hefyd i raddau wrth gofio fod gennyf ffrindiau yn y wlad yma hefyd – Mary Jane, merched Manllegwaun a Tom Brynawel – ac na fyddwn byth yn ddigartref tra eu bod nhw'n gyfeillion i mi. Gwnes benderfyniad yn y fan a'r lle, gyda'r gwynt yn chwythu a'r môr yn cynddeiriogi, yr awn 'nôl i Dre-fach cyn gynted ag y byddai modd, a theimlais yn well.

Erbyn hyn roeddwn yn dechrau mwynhau fy ngwaith gwnïo. Sylweddolodd Mrs Morris fy mod yn gallu gwnïo yn broffesiynol, ac o hynny 'mlaen bûm yn cynllunio a gwnïo pob math o ddillad iddi – dillad ffasiynol yn llawn pletiau a phlygiadau cywrain. Roeddwn yn gweithio chwe diwrnod yr wythnos, o wyth o'r gloch tan chwech bob dydd, a'r cyfan am saith a chwech yr wythnos.

Sgrifennais at Mary Jane yn ddi-oed i ddweud fy mod wedi cael hen ddigon ar fy swydd bresennol, gweithio oriau hirion am gyflog pitw, a gofyn iddi a gawn i aros ym Mherthi-teg hyd nes y cawn le i mi fy hun yng Nghastell-newydd, os yn bosibl. Wyddwn i ddim beth oedd y sefyllfa yng Nghamwy, ond roeddwn yn berffaith sicr nad awn i byth 'nôl yno i fyw a rhannu tŷ â Nhad a'i wraig.

Daeth llythyr 'nôl gyda throad y post, llythyr o gysur a chroeso gan addo y byddai rhywun yn fy nghyfarfod yn Henllan y Sadwrn canlynol.

Teimlais yn sioncach. Rhaid oedd dweud wrth Mrs Morris, a synnais ei chlywed yn fy nghanmol. Hawdd y gallai am saith a chwech yr wythnos! Erfyniodd arnaf i aros tan yr haf, a chynigiodd godiad sylweddol yn fy nghyflog. Ond roeddwn wedi dod i benderfyniad di-droi'n-ôl, a fedrai neb fy narbwyllo i newid fy meddwl. Ond chwarae teg iddi, cefais dyst-lythyr ardderchog ganddi.

Syndod oedd gweld Jane yn ei dagrau pan ddwedais wrthi. Roedd hi wedi meddwl yn siŵr y byddwn yn gwneud ei ffrog briodas iddi, ac yn fwy na hynny y byddwn yn cael y fraint o fod yn forwyn briodas iddi. Hynny oedd achos ei dagrau mwy na thebyg, ac nid hiraeth ar f'ôl i.

*   *   *

Cyrhaeddais Henllan yn flinedig yn y tywyllwch, a chaddug yn cuddio'r dyffryn, a phwy oedd yno yn fy nghyfarfod yn ei gerbyd benthyg ond Tom. Roeddwn mor falch o'i weld, a theimlwn mor ffodus oeddwn o gyfeillgarwch bachgen mor annwyl a didwyll â Tom.

Pennod 24

Roedd y croeso ym Mherthi-teg yn onest a chynnes, a theimlais am y tro cyntaf oddi ar i mi gael fy hunan yng Nghymru, fod gennyf gyfeillion y medrwn ymddiried ynddynt. A mwy na hynny eu bod yn barod i'm derbyn i'w cymdeithas glòs fel ag yr oeddwn, heb holi na threiddio i mewn i hanes fy ngorffennol. Nid bod 'da fi unrhyw beth i'w guddio.

Roedd Nhad a Sarah wedi priodi'n ddistaw iawn yng nghapel y Bedyddwyr, a'r si oedd y byddent yn symud o Gamwy i'w chartref hi. Dyna pryd y sylweddolais y byddai'n rhaid i mi symud fy nodrefn o'r stafelly wely gloëdig cyn gynted â phosibl. Ond i ble?

Roedd Tom wedi aros i swper, ac meddai'n eitha didaro,

'Rwy'n credu 'mod i'n gwybod am le eitha pwrpasol.'

'Roeddwn i wedi meddwl chwilio am dŷ lojin yng Nghastellnewydd, a chael gwaith yno.'

'Nid lojin o'n i'n feddwl,' medde Tom, ond rhan o dŷ yn Dre-fach.'

'Ie,' medde Mary Jane, 'be wnei di yng Nghastellnewy' – 'ma mae dy ffrindie di.'

'Wel . . .' Roeddwn i'n dechrau simsanu, ac mi ges i syniad bach fod Tom a Mary Jane yn deall ei gilydd a'u bod wedi trefnu pethau 'mlaen llaw.

'Beth amdani, Ellen?'

'Ble mae'r tŷ?'

'Ar gyrion y pentre. Llys-deri. Wyt ti'n gwbod amdano?'

Gwyddwn yn iawn. Tŷ mawr, urddasol. Fedrwn i ddim coelio fy nghlustiau.

'Wel?'

'Ond beth am ddodrefn Hannah? Rydw i am gadw'r rheini.'

'Popeth yn iawn, fe alli di gael un stafell wag, a defnydd o'r gegin. Wel?'

'Beth am y rhent?'

'Triswllt yr wythnos. Ond paid â becso am hynny. Fe alla i roi benthyg iti, hyd nes y cei di waith,' medde Tom.

'Na, os na alla i dalu amdano fy hunan, chymera i mo'no. Dwi ddim wedi arfer byw ar gardod, a dwi ddim yn mynd i ddechrau nawr.'

Distawrwydd – a phawb yn bwyta'n dawel.

Ar ôl swper cododd Tom i fynd. Diolchodd am ei swper, a dwedodd yn groyw,

'Bydd yn rhaid iti roi gwbod un ffordd neu'r llall ynglŷn â'r tŷ erbyn nos Lun.'

'Dwed wrthyn nhw y bydda i'n falch o'i gael,' meddwn gan dynnu'r gwynt o'i hwyliau.

Aeth mas o'r tŷ ar ffrwst yn wên i gyd cyn imi gael cyfle i ddiolch iddo. Ac medde Eben Evans yn ddoeth ac yn dadol,

'Wyt ti 'da ffrindie nawr, Ellen, a phaid â bod yn rhy falch i dderbyn caredigrwydd 'da nhw. Cofia di hynna.'

Mi es i'r gwely y noson honno, yn hapusach nag y gwnes i oddi ar i mi ymadael â Phatagonia, ddwy flynedd yn ôl.

Arhosais ym Mherthi-teg am wythnos. Roedd Mary Jane wedi dod o hyd i ddigon o waith gwnïo i 'nghadw i'n brysur. Roedd 'da fi ddigon o arian i dalu 'mlaen llaw am y tŷ am ddeufis, a chadw fy hun, gan obeithio y cawn waith i'm cynnal ar ôl hynny. Doeddwn i ddim eisiau gwario fy ugain punt. Doedd y dydd blin hwnnw ddim wedi cyrraedd eto.

Mi es i weld Johnnie bach un prynhawn a'i gael yn hapus ac yn fodlon iawn ei fyd. Tomi ac yntau fel dau frawd, a Mrs Jones yn eu hanwylo'n famol. Roedd Johnnie yn falch iawn o weld Telen, ond yn falchach o'r da-da roeddwn wedi'u prynu iddo. Ofynnodd e ddim am ei dad-cu, a soniodd e 'run gair am *Mamá* chwaith. Roedd Mrs Jones wedi cymryd lle honno.

Es 'nôl i Berthi-teg yn ysgafn fy nghalon; mor wahanol i'r diwrnod niwlog hwnnw pan ffarweliais ag e. Roedd yr haul yn tywynnu'r tro hwn, a'r awyr yn ddigwmwl.

Y dasg nesaf oedd cael f'eiddo o Gamwy. Doeddwn i ddim am fynd ar gyfyl y lle, a doedd dim rhaid chwaith oherwydd fe ddaeth Tom i'r adwy eto. Cafodd fenthyg cart a cheffyl, a chyda help ei frodyr cliriwyd y cyfan. Pan symudais i Lys-deri roedd popeth yn ei le – y stafell mor llawn ag wy, a'r ddau fat blewog ar y llawr.

Aeth misoedd heibio yn ddigon didramgwydd, a chefais dipyn o waith, digon i gadw'r blaidd o'r drws fel nad oedd angen mynd ar ofyn neb.

Er bod Nhad yn byw yn yr un pentre â mi welais i ddim cip ohono. Oddi ar iddo briodi, doedd e ddim yn mynd i'r capel chwaith, ddim i Glos-y-graig 'ta beth. Efallai ei fod yn mynd 'da'i wraig at y Baptus?

Roedd Tom Brynawel wrth fy nghwt ym mhobman ond doeddwn i ddim yn gwrthwynebu hynny o gwbwl. Roeddwn yn ddigon hoff o'r bachgen. Un dydd Sul, ar ddiwedd yr Ysgol Sul, gwthiodd lythyr i'm llaw. Darllenais ef ar ôl mynd adref – llythyr hir yn rhoi hanes ei fywyd o'r dechrau, ynghyd â hanes ei deulu. Roedd yn un o wyth o blant, ac wedi eu magu mewn tyddyn o'r enw Pantyrodyn. Doedd gen i ddim diddordeb yn ei deulu – pam y traethu hir? Ond o'r diwedd fe ddaeth at y pwynt: 'Briodi di fi, Ellen? Cei wythnos i feddwl drosto, ond y Sul nesaf byddaf yn disgwyl ateb. Bydd un gair yn ddigon a "gwnaf" fydd hwnnw gobeithio. Dy eiddot yn gyfan, Tom.'

Cefais ysgytwad. Wyddwn i ddim ei fod â'i fryd ar briodi. Yn sicr, doeddwn i ddim wedi rhag-weld hyn o gwbwl. Ffrindiau da, dyna i gyd. Oeddwn i'n barod i briodi? Oeddwn i'n medru anghofio John, yr unig gariad a fu gen i erioed? Roeddwn wedi credu ei fod mewn cariad â rhywun arall unwaith; efallai ei fod, ond roedd yn dal yn ddi-briod. Ond pe bai John yn awyddus i briodi, mi fyddai wedi gofyn i mi cyn hyn.

Roeddwn yn ddideulu ac yn ddigartref. Doedd un stafell yn Llys-deri ddim yn gartre, a doeddwn i ddim yn gweld fy nhad a minnau'n cymodi byth.

Chysgais i ddim am nosweithiau. Fedrwn i ddim gofyn barn neb. Fi a fi'n unig oedd i benderfynu fy nhynged. Roeddwn yn hoff iawn o Tom, a gwyddwn y gwnâi ŵr da, ac na chawn i byth gam ganddo. Roedd yn fore Sul yn barod, ac roedd yn rhaid i Tom gael ateb un ffordd neu'r llall. Roedd yn haeddu hynny. Felly, heb wamalu rhagor, dyma fi'n cydio mewn darn o bapur a sgrifennu arno'n frysiog, cyn i mi newid fy meddwl, un gair, mewn llythrennau breision, 'GWNAF'. A dyna fi wedi selio fy nhynged am byth.

Rhoddais y llythyr i Mari ei chwaer ar y ffordd i'r capel, a'i siarsio i'w roi i Tom yn syth ar ôl y cwrdd, gan obeithio y deuai i'm gweld ar unwaith wedi iddo dderbyn y llythyr.

Es 'nôl i Lys-deri ar unwaith, ond er disgwyl a disgwyl, ddaeth e ddim. Dychmygwn ei fod wedi edifarhau gofyn i mi. Ond am chwarter i ddau, a minnau'n barod i fynd i'r Ysgol Sul, daeth cnoc ar y drws. A chyn i mi gael amser i ddweud 'dere mewn' roeddwn yn ei freichiau. Roedd dau o'r ffyddloniaid yn absennol o'r Ysgol Sul y prynhawn hwnnw.

* * *

Roedd Tom yn llawn cynlluniau; priodi ar unwaith a symud o Dre-fach i'r gweithie. Roedd ei gefnder, Rhys, wedi addo cael gwaith iddo yno a thŷ. Ond roeddwn i eisiau amser i baratoi, cynllunio a gwnïo dillad priodas, a pharatoi fy hun yn gyffredinol at y stad briodasol.

Mary Jane oedd fy mhen-synnwyr a'm ffrind ffyddlon yn ystod yr amser yma. Un diwrnod dyma'i thad, Eben Evans, yn awgrymu'n gynnil y dylwn ofyn i Nhad ddod i'r briodas.

'Pam ddylwn i?'

'Yn un peth am ei fod yn dad i ti, a pheth arall am fod casineb a malais yn magu crach, ac am fod maddeuant yn eli i'w gwella.'

'Falle y gwnaf sgrifennu ato.'

'Dyw hynny ddim yn ddigon da. Cer i ofyn iddo. Fe ddaw Mary Jane 'da ti'n gwmni.'

Un doeth a chyndyn oedd Eben Evans, ac o'r diwedd cefais fy mherswadio, a dyma Mary Jane a minnau'n cychwyn yn ddigon anghysurus i'r ornest, a hithau Mary Jane yn fy nghysuro bob cam o'r ffordd i lawr at waelod y pentref.

'Awn ni ddim mewn i'r tŷ,' meddai, 'a'r gwaetha a all ddigwydd inni fydd i Sarah gau'r drws yn ein hwynebau. Dere 'mla'n, paid â becso.'

Cyrraedd, a churo, ddwy waith. Dyma Sarah i'r drws.

'Wy' eisie gweld fy nhad. Ydy e mewn?'

'Ddewch chi i'r tŷ?'

Chwarae teg iddi am ofyn,

'Na, dim diolch.'

'John, ma rhywun yma sy am eich gweld.'

'Rhywun' oeddwn i iddi ac nid ei ferch, ac ymhen rhyw bum munud, a oedd yn fwy tebyg i bum awr, fe ddaeth Nhad i'r golwg, yn edrych yn hen ac yn fusgrell.

'Helô, Ellen.'

'Helô, Nhad.'

Distawrwydd.

'Rwy'n priodi ym Methel, Castellnewydd, ar Awst 15fed am ddeg o'r gloch, ac mae croeso i chi ddod i'r briodas.'

'Diolch, Ellen, byddaf yno, os yn bosib.'

'Nos da.'

'Nos da.'

Dyna i gyd, a bant â ni, yn teimlo dipyn yn sioncach.

'Sylwest ti ar Sarah?' medde Mary Jane.

'Naddo fi.'

'Sylwest ti ddim?'

'Naddo, pam?'

'Mae'n disgwyl babi. Roedd yn hollol amlwg.'

'Amhosib.'

'Dim o gwbwl, dyw dy dad ddim mor hen ag o't ti'n feddwl.'

Roedd yn sioc, a phan ddwedais wrth Tom, meddai'n athronyddol, 'Dyna be sydd i'w ddisgwyl ar ôl priodi.'

Drannoeth cefais sioc arall. Derbyniais lythyr oddi wrth John:

Gyfeilles hoff,

Clywais drwy ddirgel ffyrdd, dy fod yn arfaethu ymuno â'r ystad briodasol cyn bo hir. Er mwyn yr hen amser a fuaset yn barod i wneuthur un cymwynas â mi? Hoffwn gael y fraint o weinyddu yn dy briodas. Byddai hynny yn profi dy fod wedi maddau i mi am bob camwedd, ac hefyd yn profi i'r byd ein bod yn dal yn gyfeillion cywir.

Ti wyddost fy mod yn meddwl yn uchel ohonot ti, ac yr ydwyf o waelod calon yn dymuno'n dda i ti a'th ddarpar ŵr.

Paid â gwrthod fy nghais. Byddai hynny yn sarhad.

Yr eiddot yn gywir

dy was a chyfaill dy ieuenctid

John (Gweinidog Jerusalem)

*   *   *

'John, gweinidog Jerusalem', dyna deitl aruchel. Roeddwn wedi sylweddoli 'slawer dydd fod John yn hoffi chwythu'i gorn ei hun. Ond wyddwn i ddim beth i'w ddweud. Fy adwaith cyntaf oedd taflu'r llythyr i'r tân, ond penderfynais mai'r peth gonest fyddai'i ddangos i Tom. Wyddai ef ddim oll am John; wnaeth ef erioed fy holi am y gorffennol. Ond roeddwn yn benderfynol o un peth, châi John ddim gwasanaethu yn ein priodas. Fedrwn i ddim dioddef ei weld yn sefyll o flaen yr allor ac o'm blaen i. Byddai fy meddwl yn sicr o grwydro 'nôl i'r Paith a'r hen amser gynt ar yr union adeg pan ddylwn ganolbwyntio ar f'addewidion i Tom.

219

Dangosais y llythyr i Tom, a dwedais wrtho dipyn o'r hanes, gan ddweud yn bendant na châi ein priodi ar unrhyw gyfrif.

'Paid â becso' – dyna oedd arwyddair Tom – 'rydw i wedi gofyn yn barod i Ifan Phillips ein priodi; caiff John fod yn was priodas. Doeddwn i ddim yn siŵr i ba un o'm brodyr y gofynnwn, ac mae hyn yn setlo'r broblem.'

'Wyt ti'n siŵr, Tom? Dwyt ti ddim wedi'i weld erioed.'

'Paid â becso, mi sgrifenna i at y boi i ofyn iddo. Fydd dim eisie i ti drafferthu ateb ei lythyr.'

Roedd doethineb Tom yn fy syfrdanu. Roedd e'n curo Solomon yn rhacs.

Pennod 25

'Dim ond heddi tan yfory,
Dim ond fory tan y ffair.'

Roeddwn bron yn barod i'r diwrnod mawr; fy nillad priodas wedi'u gorffen a'u smwddio; dillad glas tywyll, dillad y medrwn eu gwisgo wedyn i Gymanfa Ganu a Chyrddau Pregethu. Mary Jane oedd fy morwyn briodas, ac iddi hi fe gynlluniais ffrog lwyd â botymau coch gyda choler glas. Roeddwn yn awyddus i Johnnie bach fod yno, a gwnïais siwt felfed las iddo, a chrys gwyn. Heblaw Nhad efe oedd yr unig berthynas agos a feddwn yr ochr hyn i'r moroedd. Ond yn anffodus, pan aeth Tom a fi lan â'r dillad iddo y nos Fercher cynt, roedd Johnnie yn smotiau drosto i gyd – roedd ef a Tomi yng nghanol brech yr ieir.

Hoffai'r dillad, ond doedd dim syniad ganddo am briodas.

'Fydd plant yn chwarae yno? Fydd 'na geffyle? Gaiff Tomi ddod? Fydd rhaid i mi eistedd yn llonydd?'

'Ond, Johnnie, alli di ddim dod i'r briodas, wyt ti'n dost.'

'O.'

A dyna i gyd. Roeddwn i'n siomedig iawn, ond doedd Johnnie yn hidio dim, dim mymryn.

Roeddwn wedi coleddu'r syniad o gymryd Johnnie atom i fyw, wedi i ni briodi, ac roedd Tom yn berffaith fodlon. Ond wrth ei weld gyda Tomi, mor hapus a bodlon, a Mrs Jones mor annwyl ato, sylweddolais mai camgymeriad fyddai'i lusgo i Sir Forgannwg, i'r llwch a'r stŵr o ganol gwlad hyfryd Sir Aberteifi.

Cydiais ynddo a'i gusanu, ond yn amlwg ddigon, roedd Mrs Jones wedi ennill ei serch a doedd Telen yn golygu fawr ddim iddo bellach. Fe ddylwn fod yn ddiolchgar, ond fe gefais bigiad bach o genfigen o sylweddoli mai 'Anti

Jones' oedd flaenaf yn ei serchiadau erbyn hyn. Aeth Tom a finne adre'n hapus, a doedd dim niwl y noson honno chwaith.

Derbyniodd Tom lythyr oddi wrth John yn datgan ei siom na chawsai weinyddu yn ein priodas, ond y byddai'n barod i weithredu fel gwas priodas 'er mwyn Ellen'. Chwerthin oedd ymateb Tom gan ddweud, 'Paid â becso, mi fydd popeth yn iawn.'

Roedd y trefniadau terfynol wedi'u cwpla ynglŷn â'r symud i'r gweithie. Roedd cefnder Tom wedi cael tŷ ar rent i ni ym Mlaenclydach, a gwaith i Tom yn y pwll glo. Byddem yn symud ymhen yr wythnos, a threfnwyd i gludo fy nodrefn o Lys-deri i'r Sowth – y cyfan oll, gan gynnwys y ddau fat blewog.

*   *   *

Gwawriodd Awst 15fed yn ddiwrnod llwyd a diflas, a'r glaw'n pistyllio i lawr. Roeddwn wedi gweddïo am ddiwrnod braf ond wnaeth neb wrando.

Noson cyn y briodas symudais i Berthi-teg. Fe fynnodd y teulu annwyl hwnnw 'mod i'n 'codi mas' o'u tŷ nhw gan nad oedd Llys-deri yn gartref go-iawn i mi. Roedd y gwasanaeth am ddeg yng Nghapel Bethel, Castellnewydd Emlyn.

Am naw galwodd y cerbyd amdanom, cerbyd caeëdig am ei bod yn bwrw glaw. Ynddo roedd Tom a'i ddwy chwaer, Ann a Marged (roedd y ddwy chwaer arall wedi aros gartref i baratoi swper i'r parti priodasol), ac ymunodd Mary Jane a minnau â nhw. Roedd brodyr Tom a rhai o'i ffrindiau yn teithio gyda'r trên o Henllan i Gastellnewydd.

Tawedog oedd Tom a minnau ond roedd y merched yn parablu fel gwyddau, yn chwerthin ac yn smalio yr holl ffordd i'r capel, lle roedd twr o bobl yn ein disgwyl. Ym mysg y dorf roedd John. Daeth ataf yn serchog ac fe'i cyflwynais i Tom. Doedden nhw erioed wedi cyfarfod â'i gilydd o'r blaen.

Daeth y gweinidog, y Parchedig Evan Phillips, i'n cyfarfod i'r drws i'n croesawu. Dilynodd Mary Jane a minnau ef i'r sêt fawr, ac fe'n dilynwyd ni gan Tom a John. Wrth gerdded ymlaen cefais gip ar Nhad yn eistedd yn y sedd flaen, a lledodd cynhesrwydd drwof. Roedd rhywun a oedd yn perthyn i mi yn fy mhriodas wedi'r cyfan. Er gwaetha pob anghydfod roeddwn yn falch o'i weld.

Aeth y seremoni ymlaen yn ddigon hwylus, a phan ddaethom mas o'r capel roedd yr haul yn gwenu arnom. Daeth Nhad ataf yn wylaidd gan edrych tua'r llawr. Yna gafaelodd yn fy llaw gan ddweud, 'Bendith Duw fo arnat ti, 'merch i.'

Aethom i gyd – pawb ond Nhad – i wledda i westy Miss Morris, drws nesa i'r capel, a phob un mewn hwyliau arbennig o dda.

Yr unig nam ar y diwrnod i mi oedd John. Roedd fel pe bai'n dod rhyngof a Tom drwy'r adeg. Roedd y gorffennol yn mynnu gwthio ei hun wyneb yn wyneb â'r presennol, a fedr neb ddileu cof. Fel gwas priodas disgwylid i John areithio, ond gwrthododd, diolch am hynny. Yn lle traddodi araith darllenodd benillion o'i waith ei hun:

> Mae Thomas heddiw'n hapus
> Ac Ellen sydd yn llon,
> Am gael yr un a hoffai
> Dan sêl y fodrwy gron.
> Hyd angau yw'r ymrwymiad
> Trwy bob rhyw groesau blin,
> I ymladd brwydrau bywyd
> Gwell ydyw dau nag un.
>
> Eu bywyd fyddo'n hapus
> Digwmwl fyddo'r nen
> A haul eu llwydd yn ddisglair
> Mewn awyr las ddi-len,
> A phan fydd raid noswylio
> A thorri'r undeb glân,
> O! bydded gennych undeb
> Rydd hawl i wlad y gân.

Er i bawb guro'u cymeradwyaeth, roeddwn i'n credu mai penillion digon ystrydebol a diddychymyg oedden nhw. Roedd Tom, fodd bynnag wrth ei fodd. Bachgen diddichell oedd Tom.

Erbyn hyn roedd yr haul yn tywynnu o ddifri, a dyma benderfynu mynd am daith i Aberteifi. Huriwyd cerbydau, a bant â ni yn dwr hapus. Gofalodd Tom nad oedd neb ond ni'n dau yn teithio yn un o'r cerbydau ac roeddwn i'n wir ddiolchgar iddo am hynny. Ofnwn y byddai John yn gwthio ei hunan arnom. Wedi'r cwbl, roedd pawb arall yn ddieithr iddo.

Cyrraedd Aberteifi yn yr heulwen a chael te i gyd gyda'n gilydd mewn siop yn y Stryd Fawr. Yna daeth yn amser i John ddal ei drên i Bontypridd. A dyma ni eto yn fyddin swnllyd yn cerdded i'r orsaf i ffarwelio ag ef. Ni chafodd John fawr o gyfle i siarad â mi drwy'r dydd, ond cyn i'r trên gychwyn, dyma fe'n dod ata i a gafael yn fy llaw, a'i dal braidd yn rhy hir.

'Bendith arnat ti, Nel, anghofia i byth mo'no ti.'

'Fe wnest anghofio fwy nag unwaith, John.'

'Ond fedri di byth anghofio cyfeillgarwch bore oes, a'n crwydriadau ar y Paith?'

Doeddwn i ddim eisiau ateb.

'Archentwyr ŷn ni, Nel, ac Archentwyr fyddwn ni'n dau am byth. Fedri di byth ddiystyru dy wreiddiau.'

'Na fedraf, John, ond rwy'n briod â Chymro nawr, a gwnaf fy ngorau i fod yn Gymraes deilwng o'm gŵr.'

'Fedri di byth.'

'O gwnaf, rwy'n benderfynol. Wna i byth anghofio Archentina a'r Wladfa, wrth reswm, ond rwy'n barod erbyn hyn i ffarwelio â nhw.'

'Amhosib, Nel.'

'O ydy, mae'n bosib. A mwy na hynny, rwy'n barod i ffarwelio â thithe hefyd, John.'

Distawrwydd. Ond dyma'r trên yn chwibanu a dyna ddiwedd ar y sgwrs. Fi gafodd y gair ola – roedd hynny'n gysur.

Ffarwél Archentina.
Map yn dangos taith enbydus Ellen o'r Wladfa i Gymru
yn 1900.

Un arall o brif drysorau'r teulu – y cwilt a wnaeth Ellen allan o ddarnau o ddillad y gwladfawyr cyntaf. Cafodd ei orffen ar ei thaith olaf yn ôl i Gymru.

Y manylion a wnïwyd ar y cwilt i goffáu marw'r Frenhines Victoria.

Llythyr oddi wrth Dyfrig i'w dad. Mehefin 15 1902,
yn torri'r newydd am farwolaeth William.

'Fe gafodd angladd anrhydeddus iawn. Fe aeth Major Williams a lot o droops lawr i danio salute dros ei fedd. Ac fe ddaeth y Queenstown Volunteers a'u band i'w angladd.'

Ellen a Thomas Jones (Tom Brynawel, 1870–1956) ar ddiwrnod
eu priodas ar y 15fed o Awst, 1903.

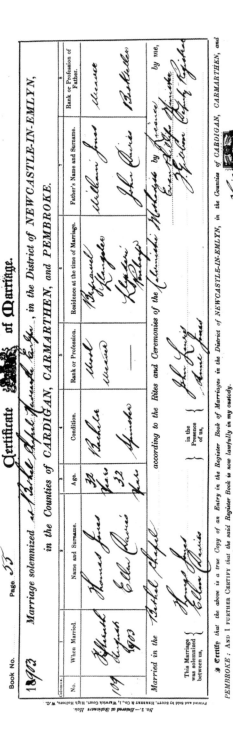

Book No. .... Page. 55

Certificate of Marriage.

Marriage solemnized at *Bethel Chapel Newcastle Emlyn*..., in the District of NEWCASTLE-IN-EMLYN,
in the Counties of CARDIGAN, CARMARTHEN, and PEMBROKE.

1903

No.	When Married.	Name and Surname.	Age.	Condition.	Rank or Profession.	Residence at the time of Marriage.	Father's Name and Surname.	Rank or Profession of Father.
109	Fifteenth August 1903	Thomas Jones	32 Years	Bachelor	Coal Miner	Bryamel Llangeler	William Jones	Miner
		Ellen Davies	32 Years	Spinster	—	Kington Kington Pontblyn	John Davies	Bootmaker

Married in the *Bethel Chapel* according to the Rites and Ceremonies of the *Calvinistic Methodists* by *licence* by me,

This Marriage was solemnized between us, { Thomas Jones / Ellen Davies }   in the Presence of us, { John Lewis / Anne Jones }

I Certify that the above is a true Copy of an Entry in the Register Book of Marriages in the District of NEWCASTLE-IN-EMLYN, in the Counties of CARDIGAN, CARMARTHEN, and PEMBROKE: AND I FURTHER CERTIFY that the said Register Book is now lawfully in my custody.

Witness my hand, this 15th day of August 1903

REGISTRAR.

By the 14 & 15 Vict., *cap.* 14, a Copy of any Book which is of such a False nature as to be admissible in evidence on its mere production from the proper custody, is made admissible in evidence in any Court of Justice provided it purport to be Signed and Certified as a True Copy by the Officer to whose custody the Original is intrusted.

Tystysgrif Briodas Ellen a Tom.

PRIODAS.

Dydd Sadwrn diweddaf unwyd mewn glân briodas Mr. Thomas Jones, Brynawel, a Miss Ellen Davies, merch Mr. J. D. Davies, llyfrwerthwr, Drefach. Yr oedd yr hin yn y boreu yn wlyb ac ystormus, yr hyn oedd yn lleddfu tipyn ar lawenydd y cwmni. Ond gan eu bod yn ofni mai felly y byddai, trefnwyd i gael cerbyd cauedig i'w cludo. Yn gynnar yn y boreu daeth y cerbyd i dŷ ny i Brynawel i gyrchu y mab ieu-angc a'i gyfeillion, pa rai a aethant drachefn i Perthi Teg i gyrchu y ferch ieuangc, o ba le yr oedd hi yn codi allan. Oddi yno ymadawsant gyda llongyfarch-iadau cyfeillion am Castellnewydd Emlyn, yn mha le yr oedd y seremoni i gael ei gweinyddu drwy drwydded. Gwasanaethwyd yno gan Mr. T. Gibbon, cofrestrydd, yn cael ei gynnorthwyo gan y Parch. E Phillips (M. C.), Bethel. Ac yn y capel y gweinyddwyd y briodas. Ar ol y gwasanaeth aeth y cwmni oll i gael boreufwyd, yr hwn oedd wedi ei barotoi iddynt yn ngweatty Miss Morris, yn ymyl y capel. Wedi i bawb gael eu diwallu cychwynwyd yn y cerbyd i dref Aberteifi. Erbyn hyn yr oedd y gwlaw wedi peidio, a mwynhaodd pawb y daith yn rhagorol iawn. Gan fod priodas yn ddig-wyddiad arbenig yn mywyd nab un sydd yn priodi yr oedd y cwmni oll am gael tynu eu darlun, er côf am yr achlysur, ac fe fydd hwn yn aros yn ddarlun cyntaf y pâr ieuangc fel gwr a gwraig. Wedi mwynhau eu hunain ar hyd y dydd dychwelwyd yn ol i Brynawel erbyn yr hwyr, lle yr oedd swper wedi ei barotoi i'r cwmni oll, pa rai oedd erbyn hyn yn teimlo yn flin ar ol y daith. Y gwas priodas ydoedd y Parch. J. Lewis (M.C.), Aberaman (gynt o'r Wladfa Gymreig), yr hwn oedd yn gyfaill agos ac anwyl i'r briodasferch. Yr oedd ef, yn unol â i dymuniad, wedi dyfod i lawr yr holl ffordd yma, ac yn gorfod dychwelyd o Aberteifi yn y prydnawn, er cyrhaedd Pontypridd y noson hono. Rhyfedd fel y mae cyfeillgarwch boreu oes yn dal. Darfu iddynt fyned allan ddeng mlynedd ar hugain yn ol, yn yr un llong, byw yno yn ymyl eu gilydd, mynychu yr un ysgol ddyddiol, a'r un capel ar y Sab-bath, a daeth Mr. Lewis yn y diwedd yn fugail yn ei heglwys. Yr oedd rhywbeth yn darawiadol iawn yn y cwmni. Yr oeddynt oll yn Fethodistiaid ac oll o'r . . . . . llwyr . . . . Y . . . y d . . . . .
eu bod wedi dychwelyd yr . . . .

ieuangc' hyn yn bwriadu myned i fyw i Llw . . . . Bydd yn golled fawr i eglwys Closygraig ar eu hol. Nid oes yn aml mewn un capel, nac eglwys, ddau for ffyddlawn a gweithgar gyda'r plant a'r Ysgol Sul. Yr oedd y gwaith yn bleser iddynt, ac nid oes dim yn well cymmeradwyaeth i bobl ieuangc na'u bod yn llafurus gyda gwaith yr Arglwydd. Y mae ein calon yn gwaedu wrth feddwl eu colli—colli ffyddloniaid yr achos. Duw yn rhwydd i chwi, anwyl gyfeillion, a pharhewch etto yn eich ffyddlondeb gyda chrefydd. Gobeithio y bydd yr undeb yn hir a dedwydd, ac y bydd bendith Rhagluniaeth dirion yn eich amddiffyn drwy daith dyrus bywyd.

Adroddiad ar y briodas yn y *Carmarthen Journal*.

Ellen a Tom a'u dau blentyn,
William John a Hannah Emily (c.1911).

Ellen gyda'i phlant, Hannah Emily a William John,
a'i thad, John Davies.

Juan Ross, ail ŵr Hannah (Anna), a'u mab, Teifi.
Gyda nhw mae Miss James, Horeb, mam faeth Teifi.

Ellen yn y canol, Hannah (Anna) a Johnnie bach yn ei chôl,
a William ym Mhatagonia – cyn iddo fynd i Affrica.

Jwg mam-gu Ellen, a
dderbyniodd gan y ferch oedd
yn byw yn Llaindelyn.

Mary Jane, Perthi-teg,
ffrind mynwesol Ellen.

Ellen a Tom a'u hwyrion, Eleanor a David – plant Hannah Emily
– y tu allan i'w cartref, Graig-wen, Dre-fach Felindre.

Ellen a Tom ar ddiwrnod eu priodas aur ym 1953.

William John, mab Ellen, gydag Eiry, ei ferch.

Pedair cenhedlaeth: Ellen, William John, Eiry a Siân Elin yn 4 mis.

WJ, fel y'i gelwid, mab Ellen, a'i wraig, Marged (yr awdur) yn eu
cartref yn Frongoch, y Bala, 1986.

Ellen, yn 90 oed.

WJ yn 75 oed.
Bu farw ar Sul y Pasg, 1988.

Trwyn Carno

Hyd 24, 1906

Mrs Elen Jones

Gyfeilles hoff, wele
fi yn ceisio ysgrifennu gair bach attoch
i'ch hysbysu fod Llain las wedi ei gwerthu
am wyth mil o ddoleri; a gellwch ddisgwyl
eich rhan chwi o honynt ar unwaith
â hwn, os nad o'i flaen, gan gall
Joseph Jones fod wedi cael eglur-
o'm blaen, bydd pedair mil yn
dod i'ch gofal, sef rhan g plant
i gyd, cofiwch mai pedair mil
oeddynt i gyd cyn cychwyn, bydd
yw gymaint o dreulian, ni
gallaf ddywud faint, hyd nes
gwelaf Joseph Jmes.

Yr ydym wedi anfon y pedair
arall i ofal John Lewis ysf —
(Meisros Mills) fel ac yr oedd eich
Tad yn trefnu, gobeithio na bydd
angen arno i chwalu yr oll o honynt
ar unwaith, ac y bydd yn ddigon
call i gulilio ychydig o honynt, ni
bydd ganddo ddim i ddisgwyl etto, gan

Hanes gwerthu Llain-las.

Lisa Palfrey yng nghymeriad ei hen fam-gu, Nel Fach y Bwcs,
yn y ffilm gan gwmni TracRecord ar gyfer S4C,
sydd i'w rhyddhau yn 2008.

Tynnwyd y llun gyda chaniatâd caredig Amgueddfa Treftadaeth y Rhondda.

Mai 18ed 1925.

Twyn Carno.
Gaiman.
Chubut.
Rep Argentina

Anwyl Gyfeillion,
    Derbyniasom eich caredig lythyr, a
da iawn oedd genym gael gair o'ch hanes, ond
yn ddrwg iawn genym glywed y newydd trist
a gynhwysai, sef am farwolaeth eich Anwyl
dad, a'n Hanwyl Gyfaill ninnau, ac yr
ydym yn cyd-ym-deimlo yn fawr iawn
â chwi yn eich hiraeth ar ei ol.
Y mae yn chwith iawn iawn genym ni
feddwl ein bod wedi colli un Cyfaill
true ac anwyl, ac nad oes obaith i
gael gair oddiwrtho, na'i weled byth mwy.
Y mae'r gauaf wedi dod ar ein
gwarthaf ni yma, a'i boen a'i ddoluriau
i'w ganlyn, ac yr ydym dan anwyd
trwm ein tri, ac y mae peswch ofnadwy
arnom, ac yr ydym ninnau'n teimlo
ein hunain yn gwanhau yn arw iawn
yn ddiweddar ac yn ofni na fyddwn
ninnau yn hir iawn cyn myned
ar ei ol.
Digon helbulus a thrafferthus yw hi yma
arnom ni o hyd, digon o waith bob

Llythyr at Ellen a Tom oddi wrth deulu Twyn Carno, y Gaiman.

'Digon helbulus a thrafferthus yw hi yma arnon ni o hyd . . . mae'r Wladfa yn mynd ar i lawr yn gyflym iawn, a golwg ddigon digalon a dilewyrch ar bethau yn gyffredinol yma.
. . . Da gennym glywed eich bod chwi yn byw mor dda yna, ac yn dod yn eich blaenau. Yr ydych yn lwcus iawn eich bod wedi mynd oddi yma Elin fach.'

Epilog

Ar ôl eu priodas aeth Tom ac Ellen i'r 'gweithie' i geisio gwell byd, a gwell cyflog nag a gâi Tom yn y ffatri.

Cawsant dŷ yn Jones Street, Blaenclydach, ac roedd dodrefn crand Hannah yn fwy na llenwi tŷ bychan. Ond ar ôl cyfnod o ryw bedair blynedd, a chanddynt ddau o blant erbyn hynny, clafychodd Tom. Roedd y gwaith peryglus, llychlyd, a'r oriau meithion o lafurio yng nghrombil y ddaear yn ormod iddo.

Erbyn hyn roedd Ellen wedi derbyn arian o Batagonia, sef ei siâr o ganlyniad i werthu Llain-las, a bu Dyfrig yn ddigon hael i roi ei gyfran yntau iddi hefyd. Gadawsant Blaenclydach, a bu yr arian a gawsai yn help iddynt agor siop ddillad yn Llandysul, ac yno y buont, yn yr 'Emporium', hyd nes iddynt ymddeol ym 1936, a mynd 'nôl i Dre-fach i fyw.

Ym 1913 fe briododd Hannah yn Chile â masnachwr cyfoethog – Juan Ross.

Ym 1914 penderfynodd Hannah ddod 'nôl i Brydain i gyrchu Johnnie, ei mab. Erbyn hyn roedd yn bedair ar ddeg oed ac yn Gymro bach uniaith, heblaw am ychydig frawddegau o Saesneg. Treuliai lawer iawn o'i amser yn Llandysul gyda Tom ac Ellen a'r ddau blentyn, ac fel sawl hogyn o'i oedran, ei uchelgais oedd mynd yn yrrwr trên. Doedd e ddim yn adnabod ei fam; roedd wedi'i hanghofio'n llwyr, ac nid oedd yn awyddus i fynd 'nôl i Chile. Ni siaradai air o Sbaeneg, a doedd gan Hannah ddim gair o Gymraeg, a dim ond ychydig eiriau o Saesneg. Roedd y berthynas rhwng y fam a'i phlentyn yn oeraidd ac estron. Methai'n lân â threiddio drwy'r gwahanfur oedd rhyngddynt, y gwahanfur a adeiladodd hi ei hunan ddeng mlynedd ynghynt. Mae'n debyg fod y perswadio, yr addewidion, a'r ymdrech i ennill ei ymddiriedaeth yn fethiant llwyr.

Gorfu iddi aros am rai wythnosau yn ceisio'i ddarbwyllo ac fe redodd Johnnie i ffwrdd ddwywaith i osgoi mynd 'nôl gyda hi.

Roedd y Rhyfel Mawr yn ei anterth erbyn hyn, ac oherwydd yr oedi, a hithau'n feichiog ar y pryd, gorfu i Hannah aros yn Llandysul hyd nes geni'r plentyn. Ac oherwydd y peryglon ar y môr, gwrthodwyd caniatâd iddi fynd â'i babi bach 'nôl gyda hi.

Ond roedd yn benderfynol o fynd, doed a ddelo. Un styfnig oedd Hannah, a llusgwyd Johnnie gan strancio 'nôl i Chile. Ond fe adawodd Hannah ei baban bach ar ôl. Roedd yn rhaid iddi wneud hynny, neu aros am gyfnod pellach yng Nghymru. Ond ni fynnai aros; roedd yn gas ganddi'r syniad. Enwyd y babi yn Teifi – Teifi Juan Ross. Cafwyd mam-faeth iddo, a chafodd ofal mam gan Miss James, Horeb.

Ar ddiwedd y rhyfel, a Teifi tua phedair oed erbyn hyn, daeth ei dad Juan Ross, ynghyd â Johnnie, drosodd i gyrchu ei fab. Roedd Johnnie'n ddeunaw oed erbyn hyn, ac wrth ei fodd 'nôl yng Nghymru.

Styfnigodd, a gwrthododd yn bendant fynd 'nôl i Chile gyda'i lystad. Tra oedd yn Chile danfonwyd ef i Ysgol Fonedd, lle dysgodd siarad Sbaeneg a Saesneg. Nid anghofiodd ei Gymraeg chwaith, a daliodd i sgrifennu llythyrau yn Gymraeg i Telen tra bu hi byw.

Arhosodd yn Llandysul am gyfnod, a chan fod ei ewythr Dyfrig wedi cadw cysylltiad ag e dros y blynyddoedd penderfynodd ymfudo i Affrica at ei ewythr. Roedd hwnnw erbyn hyn yn berchen ar bwll aur yng Ngogledd Rhodesia, yn ŵr cyfoethog ac yn ddi-briod. Cafodd waith i Johnnie ar y rheilffordd – roedd ei uchelgais i yrru trên yn dal yn gryf ynddo. 'Mhen blynyddoedd daeth yn gyfarwyddwr ar y rheilffyrdd ac yn ŵr o bwys yn Transvaal.

Yn rhyfedd iawn, pan oedd Teifi tua deunaw oed, aeth yntau allan i Affrica i weld ei frawd – y brawd nas gwelodd ond am ychydig ddyddiau pan oedd yn bedair oed.

Arhosodd yno. Cafodd yntau waith ar y rheilffyrdd, ac yno bu'r ddau drwy eu hoes yn dda eu byd.

Er mawr ofid i Tom ac Ellen dilynodd eu merch, Hannah Emily, y teulu i Affrica. Bu'n byw gyda'i hewythr Dyfrig am gyfnod. Priododd yno â Chymro; ganwyd iddynt ddau o blant, ac yno y bu hyd ei marw yn 1965, wythnos union ar ôl marwolaeth ei mam.

Bu farw Tom yn 1956 yn 86 mlwydd oed, ac Ellen (Nel fach y Bwcs) yn 1965 yn 95 oed. Fe'u claddwyd ym mynwent Dre-fach, Felindre. Pan fu farw Ellen aeth â darn o hanes cynnar, cythryblus y Wladfa i'r bedd gyda hi.

Atodiad

Mam-gu Dre-fach

Mam-gu Dre-fach oedd ein henw ar fam fy nhad – gan taw yn Dre-fach, Felindre, ar y ffin rhwng Sir Gaerfyrddin a Sir Aberteifi, roedd hi a Dad-cu'n byw. Roedd rhywbeth gwahanol am Mam-gu Dre-fach. Allwn i ddim rhoi fy mys arno; roedd hi'n annwyl ac yn gariadus, ac yn meddwl y byd ohonof, a minnau hithau, ond roedd 'na ryw ddiethrwch, rhyw arwahanrwydd yn perthyn iddi rywsut, fel na phetae hi'n un ohonom ni.

Roeddwn yn hynod ffodus i gael dwy famgu a dau dad-cu nes cyrraedd fy un ar bymtheg. Dad-cu Dre-fach oedd y cyntaf i farw, a hynny ychydig ddyddiau cyn i mi gael fy nghanlyniadau Lefel 'O'.

'Wyt ti wedi pasio bach?' gofynnai'n floesg o'i wely angau. Roedd addysg a 'dod 'mlan yn y byd' yn hollbwysig iddo ef a Mam-gu.

Beth allwn i 'i ddweud? Fynnwn i mo'i siomi, ac yntau mor sâl. Edrych o gwmpas yn nerfus am gefnogaeth.

'Ydy, Tom,' meddai Mam-gu mewn llais bach tynn. 'Mae'r ferch wedi pasio'n uchel iawn.'

Torrodd gwên hyfryd dros ei wyneb. Caeodd ei lygaid a suddo'n fodlon i'r gobennydd plu. 'Da lodes,' meddai'n gryglyd. Daeth y canlyniadau fore'i angladd.

Chlywais i erioed mo Mam-gu yn dweud celwydd o'r blaen. Roedd hi mor eirwir, mor grefyddol. Y capel a'i Duw oedd ei chyfan. Ond ar y prynhawn tesog hwnnw o Awst aeth ei chariad at ei gŵr y tu hwnt i'w chariad at ei Christ.

Gwyddwn ers yn ddim o beth fod Mam-gu wedi ei magu ym Mhatagonia. Oni siaradai am y lle pell hwnnw byth a beunydd yn ei Chymraeg meddal, addfwyn? Hyd syrffed meddai 'nhad. Ond roeddem ni blant wrth ein boddau gyda'r hanes. 'Tu draw i'r moroedd, ymhell bell i ffwrdd. Lle roedd y gwanaco a'r dulog a'r estrys yn rhodio'r Paith.' Cipiodd yr hanesion fy nychymyg; ac roedd Mam-gu wrth ei bodd yn eu hadrodd. Yn y Wladfa roedd ei chalon a'i hatgofion gydol ei hoes hir.

Cawsai doreth o lythyron, a'r sgrifen ddieithr, pry copaidd ar yr amlen yn cyfeirio at ryw 'Fones Ellen Davies de Jones'. Yr unig lythyron a gawsai fy Mam-gu arall oedd ambell fil, neu garden post oddi wrth rywun ar eu gwyliau yn Aberystwyth neu Borthcawl.

'Pwy yw hon Mam-gu? Yr Ellen Davies de Jones 'ma?' Chwerthin yn braf. Deuai'r chwerthin yn hawdd i Mam-gu. Byddai bron bob peth a ddywedem ni blant yn destun o lawenydd iddi.

'Wel, dy famgu, wrth gwrs. Fel'na maen nhw'n gneud ym Mhatagonia ti'n gweld. Davies o'n i cyn priodi.'

Er gwaetha'u haddewid lliwgar – siomedig oedd y llythyron. Adroddent yn fanwl am salwch a gwellhâd neu farwolaethau, priodasau a genedigaethau, damweiniau angeuol, oedfaon y capel a phregethau. Sychedai Mam-gu am y wybodaeth. Derbyniai'r *Drafod* (papur Cymraeg y Wladfa) drwy'r post, hefyd – eto wedi'i gyfeirio at y Fones Ellen Davies de Jones.

Pan gyrhaeddai llythyr o Batagonia byddai Mam-gu'n bywhau drwyddi. Cyflymai ei cham a chwaraeai gwên barhaus ar ei gwefusau. Doedd wiw i ni blant ofyn na dweud dim tra byddai Mam-gu'n darllen ei llythyron. Fel rheol aethai Dad-cu, oedd wedi hen arfer â'r drefn, â ni allan am dro.

Un bitw fechan oedd Mam-gu, dim ond pedair troedfedd a naw modfedd yn nhraed ei sanau gwlân. Yn ei dyddiau olaf (bu farw yn 96 mlwydd oed) roedd hi'n gefngrwm iawn a châi drafferth i sythu, ond tharfai hynny ddim ar ei phrysurdeb parhaus – roedd hi wrthi ddydd a nos, yn twtio'r gegin, rhoi glo ar y tân, dillad ar y lein, sgrwbio, gwnïo, rhoi patsys ar ben patsys ar ddillad isa Dad-cu.

'Towlwch yr hen bethe 'na Mam,' dywedai 'nhad yn ddiamynedd. 'Fe awn i Gastellnewy' i gael trowseri bach newydd iddo fe'r p'nawn 'ma . . .'

'Sdim isie Willie John. Fe wnân nhw'r tro'n iawn am aeaf arall.' Roedd gwastraff yn bechod marwol.

Roedd hi'n ddarbodus tu hwnt. Mi fyddai fy rhieni'n danto'n lân wrth geisio ei chymell i addasu ei ffordd syml Batagonaidd o redeg ei chartre. Onid oedd hi wedi gorfod 'gwneud y tro' gydol ei hoes? Roedd hi'n rhy hen i newid nawr. Glynnodd at yr hen stôf fach baraffin yn y gegin fach – er bod fy rhieni wedi trefnu prynu ffwrn drydan newydd iddi, y tŷ bach cemegol cyfoglyd tu fas, a'r dillad hen ffasiwn. Roedd hi'n lân ac yn drwsiadus fel pin mewn papur. Gwthiai *foth balls* i bocedi ei 'dillad parch' a'u hongian yn dwt yn y cwpwrdd. O gwmpas y tŷ gwisgai ffedog beisli yn croesi'r tu blaen a chlymu'r tu ôl i gadw'r siwmper a wauodd yn lân. Ar ôl golchi llestri cinio (a'r un cinio a gawsem bob tro – cig moch, tato bwts a moron) fe dynnai'r ffedog ac eistedd wrth y tân. Awr fach i gymdeithasu a chael sgwrs cyn mynd ati i hwylio te.

Os byddai Mam-gu mewn hwyliau da, ac wedi derbyn llythyr neu ddau o Batagonia i godi'i chalon, byddai fy mrawd a minnau yn ei pherswadio i daflu lasŵ. I fyny â ni i ben yr ardd serth y tu ôl i'r tŷ a Mam-gu'n cario hen raff o'r tŷ bach dros ei hysgwydd. Arhosem yn ddiamynedd iddi gael ei gwynt ati ar ôl dringo'r stepiau serth. Yna, deuai gwên i'w hwyneb a golwg bell, ddieithr i'w llygaid. Camai'n ôl a syllu ar bostyn tua ugain llath i ffwrdd. Nabyddem y postyn yn dda – i ni doedd ond un rheswm iddo fod yn yr ardd. Hwn oedd postyn lasŵ Mam-gu.

'Cadwch draw nawr blant,' meddai. A gwyddem fod y wyrth ar fin digwydd.

Codai ei braich uwch ei phen – tro sydyn. A whiii – mewn amrantiad dyma'r rhaff yn troelli trwy'r awyr ac yn disgyn yn dwt ar y postyn. Plwc sydyn, a dyna'r postyn wedi ei gaethiwo. Doedd gan neb arall famgu fedrai daflu lasŵ fel y Lone Ranger.

Yn fy nychymyg gwelwn Mam-gu yn cripian yn llechwraidd gyda'i rhaff i ben yr ardd fin nos pan fyddai Dad-cu'n pendwmpian o flaen y tân, i gael ei ffics lasŵ. Tybed a wnaeth hi hynny erioed? Synnwn i ddim.

Lliwiwyd ei bywyd cyfan gan ei chrefydd. Aethai i Gapel Clos-y-graig deirgwaith bob Sul, a roedd rhaid i ninnau fynd hefyd os oeddem wedi digwydd galw heibio ar y Sabath. Byddai Mam-gu yn morio canu'r emynau mewn llais dwfn rhyfeddol o wrywaidd. Mae'n debyg fod rhywun rywbryd wedi ei llongyfarch fel yr unig fenyw a glywodd erioed yn canu baritôn. Achosodd hynny gryn ddireidi i Mam-gu bob tro yr adroddai'r stori. Eisteddai'n gefnsyth trwy gydol y gwasanaeth – a phasio minten yn llechwraidd pan fyddai'r pregethwr yn esgyn i'r pulpud i ddechrau ei bregeth. A dysgais y grefft o wneud i finten bara am awr, a'i sugno yn gwbl dawel. Pan na fyddai'n hel atgofion am Batagonia siaradai Mam-gu am ei chrefydd a'i Christ. Roedd Crist yn gymeriad byw oedd beunydd wrth ei hymyl, yn ei chynghori, yn gwrando ar ei chŵyn a'i chysuro.

Roedd Mam-gu a Dad-cu ill dau yn fyddar fel pyst yn eu dyddiau olaf, ac roedd cyfathrebu'n her. Codi llais, ailadrodd, gweiddi eilwaith, a hithau'n chwerthin yn braf arnom yn ymlafnio. Pan oedd hi'n hen iawn anghofiodd y tipyn Saesneg a ddysgodd fel oedolyn. Os na fedrai'r ymwelwyr a ddaethai i dŷ fy rhieni fedru'r Gymraeg fe gawsent lond pen o Sbaeneg oddi wrth Mam-gu. Ddysgais i 'run gair o Sbaeneg oddi wrthi, ond y tro cyntaf i mi fynd i Sbaen synnais mor gyfarwydd oedd sŵn yr iaith i'm clustiau.

Roedd hi a Dad-cu yn amlwg yn hapus-ddiddig; ond gydol ei hoes roedd ei chalon yn ei Phatagonia annwyl. Er gwaethaf ei Chymraeg clir, rhywiog, wnaeth Mam-gu byth ystyried ei hun yn Gymraes. Archentwraig oedd hi; dyna pam yr oedd hi mor wahanol i bawb arall yn fy nheulu. Estrones oedd yn digwydd siarad y Gymraeg cystal os nad gwell na'r gweddill ohonom.

Creiriau Mam-gu

Doedd gan Mam-gu a Dad-cu ddim llawer o gyfoeth, ond fe adawsant bedwar trysor ar eu hôl sy bellach yn rhan o stôr trysorau'r teulu.

Jwg Beca Fach

Roedd hanes Beca fach yn un o'r digwyddiadau mwyaf dramatig a ddigwyddodd i Mam-gu yn ei phlentyndod. Yn y dyddiau cynnar roedd hi'n blentyn hapus diofid – yn carlamu ar draws y Paith ar ei cheffyl ac yn mwynhau cwmni plant eraill, a chael bod yn blentyn. Hyd ddiwedd ei hoes yn 96 oed daliai i adrodd hanes ei ffrind Beca fach wrthym ni blant.

Roedd Beca wedi dod i chwarae gyda Mam-gu pan oedd y ddwy tua wyth neu naw oed. Mynnodd Beca farchogaeth ar draws y Paith ar geffyl gwyllt ac anystywallt Nel, ond fe'i taflwyd ar ei phen a bu farw yn sydyn iawn. Yn dilyn y ddamwain daeth rhieni Beca i ymweld â theulu Nel, a rhoi jwg fach iddi fel anrheg i ddangos nad oedd dim drwgdeimlad rhyngddynt. Byseddai Mam-gu'r jwg fach wrth adrodd yr hanes â deigryn yn ei llygad. Roedd y digwyddiad wedi creu argraff ddofn arni. Daeth wyneb yn wyneb â marwolaeth, euogrwydd a chyfrifoldeb yn ifanc iawn. Roedd y jwg yn symbol o faddeuant i Mam-gu.

Flwyddyn neu ddwy yn ddiweddarach bu farw ei Mam a'i gwthio'n ddiseremoni i fyd oedolyn. Ond roedd marwolaeth Beca fach wedi ei pharatoi – wedi ddechrau'r broses o ddifrifoli ac aeddfedu.

Y Poncho

Pan oedd Mam-gu yn ddeg oed bu farw ei mam yn 36 oed wrth eni plentyn – stori drist oedd yn arswydus o gyffredin yn nyddiau cynnar y Wladfa.

Roedd y Cymry wedi ymgyfeillachu â'r Indiaid a deuai'r llwyth i Lain-las i ffeirio ceffylau am fara yn rheolaidd – ac roedd bara Hannah Davies yn werth ei gael.

Yn fuan wedi marwolaeth fy hen famgu daeth y llwyth heibio i'r tŷ yn ôl eu harfer. Agorodd Nel y drws yn ddagreuol. Doedd hi ddim mewn hwyliau i'w cyfarch ac eglurodd wrthynt bod ei mam newydd farw. Un amnaid oddi wrth y *chief* a daeth yr Indiaid i gyd i lawr o gefn eu ceffylau, torri eu crwyn â gwydr ac wylofain a sgrechain yn frawychus. Cafodd Nel a'i brawd bach, Dyfrig, dipyn o fraw ac roeddent ar fin rhedeg i'r tŷ pan ddaeth y Pennaeth at Nel, diosg ei *boncho* a'i gosod yn dyner am ei hyswyddau. Cadwodd Mam-gu y *poncho* wedi'i lapio mewn hen gynfas mewn drôr ar waelod ei chwpwrdd dillad gydol ei hoes – a'i dynnu allan yn annwyl o bryd i'w gilydd pan adroddai'r stori. Iddi hi roedd yn symbol, yn arwydd o barch a chefnogaeth yr Indiaid tuag ati hi a'r Cymry.

Cwilt Mam-gu

Pan dychwelodd Mam-gu i Gymru yn naw ar hugain oed, yn fuan ar ôl llifogydd mawr afon Camwy ym 1899, fe drawodd becyn o sgraps o ddefnyddiau gwahanol yn ei phac er mwyn gwnïo cwilt ar y fordaith hir. Wiw i'w dwylo fod yn segur. Mae e gen i hyd heddiw – y cwilt – yn atgof o hen wraig drwsiadus, gymen a medrus. Dwi'm yn meddwl i'r cwilt fyth gael bod ar wely. Hwn oedd y cwilt gorau, ac mae'n gampwaith o waith gwnïo. Roedd cwilt arall o'i gwneuthuriad ar ei gwely – cwilt bob-dydd digon cywrain, ond roedd y cwilt gorau, fel y *poncho*, wedi'i lapio'n ofalus a'i gadw'n barchus mewn drôr. Erbyn hyn mae rhai darnau wedi pydru ond rwy'n dal i'w drysori ac yn dweud yr hanes wrth fy wyrion innau.

'Drychwch fan hyn,' meddaf. 'Welwch chi'r geiriau? Our queen is dead. Our King is reign.'

Gorfod egluro wedyn am y Frenhines Victoria'n marw ym 1901 – a'i mab Edward yn dod i'r orsedd.

Dyw marwolaeth brenhines ddim yn rhan o brofiad plant heddiw.

Yr Wy Estrys

Dyw hwn ddim yn werthfawr iawn am wn i; hen wy estrys wedi'i chwythu, gyda *transfers* lliwgar, Fictoraidd wedi eu sticio drosto; ond pan o'n i'n blentyn fe'm swynwyd gan yr wy mawr 'ma. Mae'n symbol o blentyndod Mam-gu, plentyndod di-ofid cyn colli ei Mam, pan fyddai'n marchogaeth ar draws y Paith, heibio i'r estrys a'r gwanaco a'r dulog. Marchogaeth i'r ysgol a'r capel – byw bywyd rhydd diofid un o blant y Paith. Mae'r wyrion wrth eu bodd gydag e, yn enwedig y bechgyn.

'Gawn ni weld yr wy mawr 'na, Mam-gu?' medden nhw.

'Cewch, ond i chi fod yn ofalus,' meddaf innau, a'i estyn yn barchus iddyn nhw o'r dresel.

'Waw! Mae'n e'n *huge*!'

Dyna'r rhod wedi gwneud tro cyfan. A dyna, wrth gwrs, yw hanes teulu.